Balthasar Fischer – Hans Bernhard Meyer (Hrsg.)

J. A. JUNGMANN
EIN LEBEN
FÜR LITURGIE
UND KERYGMA

J. A. JUNGMANN SJ

Balthasar Fischer – Hans Bernhard Meyer (Hrsg.)

J. A. JUNGMANN
EIN LEBEN
FÜR LITURGIE
UND KERYGMA

TYROLIA-VERLAG · INNSBRUCK - WIEN - MÜNCHEN

7903215

92
J958

1975

ISBN 3-7022-1234-5

Alle Rechte bei der Verlagsanstalt Tyrolia Gesellschaft m. b. H., Innsbruck, Exlgasse 20,
Satz, Druck und Buchbinderarbeit in der Verlagsanstalt Tyrolia Gesellschaft m. b. H.,
Innsbruck

Inhalt

Vorwort

Die Erinnerung an verehrte und geliebte Tote in irgendeiner Form festhalten zu wollen, ist eine tief im Menschen angelegte Sehnsucht. Aus ihr ist auch der vorliegende Gedenkband gewachsen. Seine Mitarbeiter wollen — noch im Todesjahr — die Erinnerung an einen großen Lehrer und Anreger festhalten, den sie verehrt und geliebt haben: den wohl bekanntesten und international angesehensten katholischen Liturgiewissenschaftler des deutschen Sprachgebietes, den Innsbrucker Professor P. Josef Andreas Jungmann SJ.

Die Herausgeber haben sich ernstlich gefragt, ob ihr Unternehmen auch dem strengen Blick ihres einstigen Lehrers, der allem abhold war, was nur von fern an Personenkult erinnern konnte, standhalten würde; immerhin ist 1969 die Idee einer dritten Festschrift zum 80. Geburtstag am energischen Einspruch des 80jährigen schon im Keim erstickt. Trotzdem haben wir geglaubt, die Frage, ob wir im Sinn des Heimgegangenen handelten, bejahen zu können. Der Historiker Jungmann hätte sich dem Gedanken nicht verschlossen, daß bei der Rolle, die ihm nun einmal — er hätte gesagt: unverdientermaßen — bei der Liturgie- und Kirchenreform des Zweiten Vatikanums zugefallen war, ein solches Erinnerungsbuch zugleich ein bewegtes Stück jüngster Kirchengeschichte erhellen müßte. Der Forscher Jungmann hätte der Aufschlüsselung seines wissenschaftlichen Nachlasses, die dieser Band zusammen mit den persönlichen Erinnerungen anbietet, für nützlich gehalten; vermutlich hätte er dazu gesagt: Was einer dann von dem hält, was er an dem hier nachgewiesenen Orte findet, das muß er selber wissen!

Auch diese letzte, so nun doch zustande gekommene dritte „Jungmann-Festschrift" hat nicht das zum Ziel, was man Personenkult nennt. Auch sie will der Sache dienen, der der Heimgegangene so selbstvergessen mit allen Kräften des Geistes und des Herzens gedient hat.

Es schien den Herausgebern nützlich, diesem Gedächtnisband nicht nur eine Übersicht über die wichtigsten Lebensdaten P. Jungmanns voranzustellen, sondern auch einen wenig bekannten Beitrag aus seiner eigenen Feder, den er selbst einmal scherzhaft seine „literarische Lebensbeichte" genannt hat. Die Beiträge der Kollegen, Freunde und Schüler wurden alphabetisch geordnet, da eine sachbezogene Ordnung praktisch undurchführbar erschien. Aus dem Inhaltsverzeichnis wird wohl genügend deutlich, was etwa in den einzelnen Beiträgen zu finden ist.

Zum Schluß möchten die Herausgeber allen danken, die zum Zustandekommen dieses Buches beigetragen haben: den Verfassern der einzelnen Beiträge, den Assistenten am Pastoraltheologischen Institut, Abt. Liturgiewissenschaft, der Universität Innsbruck, Eduard Nagel und Dr. Josef Steiner, sowie cand. theol. Gottfried Auer für die Erarbeitung der Gesamtbibliographie und des Schlagwortregisters, der Verlagsanstalt Tyrolia für die Sorgfalt bei der Herstellung. Außerdem sei allen gedankt, die durch z. T. namhafte Spenden die Drucklegung ermöglicht haben.

Dr. Balthasar Fischer
Professor der Liturgiewissenschaft
an der Theol. Fakultät, Trier

P. Dr. Hans Bernhard Meyer SJ
Professor der Liturgiewissenschaft
an der Theol. Fakultät, Innsbruck

Wichtige Lebensdaten

1889 16. November:
      geboren in Sand in Taufers (Südtirol) als Sohn des Gemeindevorstehers
      und Landtagsabgeordneten Josef Jungmann und der Maria geb. Aschbacher
1895 bis 1901:
      Besuch der Volksschule in Sand in Taufers
1901 bis 1909:
      Besuch des Gymnasiums am fürstbischöflichen Knabenseminar in Brixen
      (Südtirol) (7. Klasse privat, um dem Vater zuhause zu helfen)
1909 bis 1913:
      Theologiestudium am Priesterseminar in Brixen (Südtirol)
1912 Sommerferien:
      Erstes Zusammentreffen mit Pius Parsch in Sand in Taufers
1913 20. bis 25. Juli:
      Aufenthalt in Beuron
      27. Juli:
      Priesterweihe zusammen mit seinem Bruder Franz Jungmann SJ (geb. am
      1. Dezember 1883) in Innsbruck
      29. Juli:
      Doppelprimiz von Franz Jungmann SJ und Josef A. Jungmann in Sand in
      Taufers
      14. August:
      Jungmann tritt seine erste Kooperatorenstelle in Niedervintl (Südtirol) an
1915 1. Dezember:
      als Kooperator nach Gossensaß (Südtirol)
1917 13. September:
      Ankunft als Kandidat im Noviziatshaus in St. Andrä im Lavanttal,
      Kärnten
      23. September:
      Aufnahme als Novize der Gesellschaft Jesu
      bis 1918: als Novize in St. Andrä im Lavanttal (Kärnten)
1918 29. September:
      Ankunft in Innsbruck;
      Fortsetzung des Noviziats und zugleich Studium der Philosophie
1919 24. September:
      Ablegung der sog. (privaten) „Devotionsgelübde"
1920 17. April:
      Ablegung der ersten, einfachen Gelübde in Innsbruck zum Abschluß des
      Noviziats
1920 (Wintersemester) bis 1922 (Sommersemester):
      Studium der Theologie in Innsbruck

1922   7. Juli:
      „Examen ad gradum", das ordensinterne Abschlußexamen über die ge-
      samte Philosophie und Theologie
      P. Jungmann arbeitet in Innsbruck an seiner Dissertation weiter
1923   27. Oktober:
      Promotion zum Doktor der Theologie mit der Dissertation: Die Lehre von
      der Gnade in den katechetischen und kerygmatischen Texten der ersten drei
      Jahrhunderte (ungedruckt).
1923   Herbst bis 1924, Sommer:
      Zwei Semester Studium der Pädagogik in München
1924   August wieder in Innsbruck:
      Arbeit an der Habilitationsschrift über die Stellung Christi im liturgischen
      Gebet
      Dezember bis Januar 1925 in München
1925   seit Februar:
      für das Sommersemester zum Studium der Pädagogik und Katechetik in
      Wien
      14. November:
      Habilitation an der Theol. Fakultät Innsbruck mit der Arbeit „Die Stellung
      Christi im liturgischen Gebet" für das Fach Pastoraltheologie
      November:
      Beginn der Vorlesungstätigkeit an der Theol. Fakultät der Universität
      Innsbruck mit Vorlesungen über Grundfragen der Pädagogik und Kate-
      chetik
1926   im Sommersemester:
      Erste Vorlesung aus Liturgik über „Meßliturgie"
      27. September:
      Übernahme der Schriftleitung der „Zeitschrift für Katholische Theologie"
      (Innsbruck) bis 1963 (Unterbrechungen 1928/29 Tertiat, 1938/39 Rektor
      des Jesuitenkollegs, 1939—1945 II. Weltkrieg)
1927   Sommersemester:
      Studienaufenthalt in Breslau bei Prof. Dölger, im Juli Reise nach Bonn zu
      Anton Baumstark, nach Valkenburg, Maria Laach
1928   September bis
1929   Juli:
      Tertiat (drittes Probejahr) in Paray-le-Monial und wieder zurück nach
      Innsbruck
1930   Ernennung zum a. o. Prof. für Moral- und Pastoraltheologie mit besonde-
      rer Berücksichtigung der Liturgik an der Theol. Fakultät der Universität
      Innsbruck
1932   2. Februar:
      Professio sollemnis; Ablegung der letzten, feierlichen Gelübde in Innsbruck
1934   Ernennung zum o. Professor für Moral- und Pastoraltheologie an der Uni-
      versität Innsbruck
      bis 1935: Dekan der Theologischen Fakultät der Universität Innsbruck
1936   „Die Frohbotschaft und unsere Glaubensverkündigung" erscheint (2. über-
      arbeitete Auflage: Glaubensverkündigung im Lichte der Frohbotschaft,
      1963) und muß noch im selben Jahr aus dem Buchhandel zurückgezogen
      werden.

1938 20. Juli:
Aufhebung der Theologischen Fakultät Innsbruck durch die Nationalsozialisten
29. Juli:
Ernennung zum Rektor des Jesuitenkollegs Innsbruck (bis zur Aufhebung des Kollegs durch die Nationalsozialisten am 12. 10. 1939)
30. September:
fristlose Entlassung aller Professoren der Theologischen Fakultät

1939 Herbst:
Mitglied der von der Deutschen Bischofskonferenz berufenen „Arbeitsgemeinschaft zur Lenkung der Liturgischen Bewegung"
Herbst bis 1942, Juni:
in Wien, Kirche und Residenz der Gesellschaft Jesu „Am Hof"
Beginn der Arbeit an „Missarum Sollemnia"

1940 Berufung zum Mitglied der Deutschen Liturgischen Kommission

1942 Juni bis 1945 Oktober:
Kaplan bei den St. Pöltener Schulschwestern in Hainstetten
Fortsetzung der Arbeit an „Missarum Sollemnia"

1945 Berufung in die Österreichische Liturgische Kommission
21. August:
Wiedererrichtung der Innsbrucker Theologischen Fakultät durch das Gouvernement militaire français
Anfang Oktober Rückkehr nach Innsbruck
6. Oktober:
Eröffnung des Vorlesungsbetriebes

1948 „Missarum Sollemnia" erscheint

1949 Juni bis August:
Gastvorlesungen „Early Liturgy" im Rahmen der Liturgical Summer School der Notre Dame University, Indiana, USA

1950 Festschrift zum 60. Geburtstag: F. X. Arnold — B. Fischer (Hg.)
Die Messe in der Glaubensverkündigung. Freiburg i. Br. 1950 (²1953)
Consultor der Gottesdienstkongregation (bis 1956)
als Vortragender auf den Liturgischen Kongressen:
1950 Frankfurt
1955 München
1956 Assisi
1964 Mainz

1952 bis 1953:
Dekan der Theologischen Fakultät der Universität Innsbruck

1953 bis 1954:
Rektor der Universität Innsbruck

1956 Versetzung in den Ruhestand
Honorarprofessor an der Theologischen Fakultät der Universität Innsbruck
seit diesem Jahr nur noch Vorlesungen aus Liturgik, nachdem W. Croce SJ die Pastoraltheologie (mit Katechetik, Homiletik und Pädagogik) ganz übernommen hat (bis 1963)
Rektor im internationalen Theologenkonvikt Canisianum, Innsbruck (bis 1962)

1957 Verleihung des „Großen silbernen Ehrenzeichens für Verdienste um die Republik Österreich"

1959 April, Aufenthalt in Irland
Vortrag in der Abtei Glenstal, im Zentralseminar Maynooth
Festschrift zum 70. Geburtstag:
B. Fischer — J. Wagner (Hg.), Paschatis sollemnia. Studien zu Osterfeier und Osterfrömmigkeit. Freiburg i. Br. 1959

1960 25. August:
Berufung als Mitglied der Commissio praeparatoria des Vaticanum II
12. November:
Bestellung zum Relator der Subkommission „De Missa" sowie zum Mitglied der Subkommission „De principiis generalibus" der Liturgiekommission

1961 14. Februar:
Verleihung des „Ehrenzeichens des Landes Tirol"

1962 Oktober:
Vom Präsidenten der Konzilskommission für Liturgie, Kardinal A. Larraona, zum „Peritus" dieser Kommission ernannt

1964 März:
Bestellung zum Consultor des Consilium ad exsequendam Constitutionem de sacra Liturgia

1967 11. April bis 13. Mai:
Ostasienreise und Teilnahme am Internationalen Katechetischen Kongreß Manila
28. Mai:
Ernennung zum Ehrenbürger seiner Heimatgemeinde Sand in Taufers
23. September:
Feier des goldenen Ordensjubiläums (50 Jahre in der Gesellschaft Jesu)

1968 Anfang Juli:
Reise nach Fatima zu internationalem Kongreß für Krankenfürsorger; Vortrag über die Frage, was Kirche und Konzil von den Priestern und Gläubigen für die Sorge um die Kranken verlangen.
11./12. September:
Gastvorlesungen in Lund, Schweden
26.—29. November:
Teilnahme an der 1. Sitzung der ökumenischen „Arbeitsgemeinschaft für liturgische Texte der Kirchen des deutschen Sprachgebiets" in Zürich

1969 Festgabe zum 80. Geburtstag:
Sonderheft der „Zeitschrift für Katholische Theologie". Hg. von der Theologischen Fakultät der Universität Innsbruck im Verlag Herder, Wien. Bd. 91 (1969), Heft 3, S. 249—516

1970 Das Augenlicht beginnt zu versagen

1972 9. November:
Verleihung des Ehrendoktorates der Theologischen Fakultät der Universität Salzburg

1975 26. Januar:
gestorben in Innsbruck

J. A. Jungmann SJ

Um Liturgie und Kerygma[1]

Wohl darum, weil ich vor meinem Eintritt in die Gesellschaft Jesu (1917) durch
vier Jahre in der Diözese Brixen als Kooperator gedient hatte, wurde mir nach
Abschluß der gewöhnlichen philosophisch-theologischen Studien aufgetragen, mich
für das Lehrfach Pastoraltheologie vorzubereiten. Unter diesem Titel werden in
Innsbruck die Fächer Homiletik, Katechetik, Pädagogik, Liturgik und die Pastoral
im engeren Sinn, meist Hodegetik genannt, zusammengefaßt. Schon seit längerer
Zeit war für dieses weitgespannte Gebiet, ähnlich wie an anderen theologischen
Fakultäten, neben dem Ordinarius eine zweite Lehrkraft vorgesehen. Bei der
Zuteilung der Fachgebiete konnte und mußte begreiflicherweise neben anderen
Umständen doch auch die persönliche Neigung des angehenden Lehrers eine gewisse
Rolle spielen. Mein Interesse neigte sich am meisten der Katechetik zu — die Kinderkatechese war in meinen Seelsorgejahren meine Freude gewesen — die Liturgik
lag für mich dagegen am äußersten Rande; ich war mir ja bewußt, daß mir gerade
für die elementaren Aufgaben eines Liturgikers, wie sie etwa der Zeremoniär ver-
körpert, jede Begabung fehlte.

Dagegen war ich mir längst darüber klar, daß auf dem Gebiete der Glaubensverkündigung, also der Katechese und der Predigt, wichtige Aufgaben vorhanden
waren, zu deren Lösung ich vielleicht etwas beisteuern konnte. Sie hatten sich mir
in meinen Kooperatorjahren mit Macht aufgedrängt. Welcher Kontrast bestand
zwischen dem Christentum der christlichen Frühzeit, wie es uns im theologischen
Studium an der Lektüre der Paulusbriefe und an einzelnen Proben aus der frühen
Väterliteratur vor Augen getreten war, und dem äußerlich noch getreuen, innerlich
aber verarmten, unfrohen, eher als Pflichtensumme denn als Freudenbotschaft
empfundenen Traditionschristentum des durchschnittlichen Dorfes in Tirol, das
man doch das Heilige Land Tirol nannte! Wie wird dieses Christentum dem An-
sturm einer säkularisierten Welt standhalten können! Erfahrungen zeigten schon
damals, daß dies wenig aussichtsvoll war.

Schon gegen Ende meines ersten Priesterjahres, im Frühsommer 1914, hatte ich begonnen, mir einige Gedanken darüber zu notieren. Aber da brach der erste Weltkrieg aus mit seinen Aufregungen, Sorgen, Hilfswerken. Davor mußte zunächst
alles andere zurücktreten. Im Frühjahr 1915 wurde aber noch einmal die Feder an-
gesetzt — die seelsorglichen Verpflichtungen in Niedervintl ließen viel Zeit — und
trotz des nähergekommenen Kriegslärms (Italiens Kriegserklärung am 25. Mai
1915) wurde nun der Plan in fleißiger, mehrfach tief in die Nacht fortgesetzter
Arbeit zu Ende gebracht. Als ich mit dem 1. Dezember 1915 meinen zweiten Po-
sten in Gossensaß zu beziehen hatte, lag ein säuberlich geschriebenes Doppelheft
fertig da und konnte dem Buchbinder übergeben werden[2]. Es hatte den etwas
schwerfälligen Titel: „Der Weg zur christlichen Glaubensfreudigkeit." Es hatte
genau denselben Aufbau und fast dieselbe Reihe der Kapitel wie das 1936 erschienene Buch „Die Frohbotschaft und unsere Glaubensverkündigung", in dem nur die
historische Unterbauung wesentlich verstärkt und die theologische Formulierung

etwas sorgfältiger getroffen, inhaltlich aber auch nun der Idee von der Kirche der gebührende Raum gegeben war. Die grundlegende These war aber schon in jener Urschrift diese: Wenn wir die Gläubigen wieder zu einem frohen Glauben führen wollen, müssen wir wieder Christus deutlicher als den Mittler zwischen Gott und den Menschen vor Augen führen, das heißt also: Wir müssen einerseits seine schlechthinige Identifizierung mit dem „Herrgott" überwinden, wie sie sich aus einer einseitigen Betonung seiner Gottheit ergeben hat, und müssen anderseits wieder bewußt machen, daß Gnade, Sakramente, übernatürliche Ordnung nicht Lehrpunkte sind, die in der Luft hängen und die wir eben glauben müssen, sondern Geschenke der göttlichen Liebe, die mit dem Kommen des Gottmenschen gegeben sind. Ein Kernsatz lautete schon damals: Wir dürfen Christus nicht mit leeren Händen darstellen.

Da ich nun also wider Erwarten Professor werden und mich in die Pastoraltheologie vertiefen sollte, stand mir selbstverständlich in erster Linie dieser Gedankenkreis vor Augen. Jener Kontrast in der Auffassung des Christentums mußte vor allem — das war mir vom Anfang an klar — historisch aufgehellt werden. Das christliche Altertum, jene Periode eines zuversichtlichen, weltüberwindenden Glaubens, muß doch ein ganz anderes Bewußtsein vom Glück christlicher Berufung besessen haben, als es heute verbreitet ist. Wie hat man also damals, wo Begriffe wie: übernatürlich, heiligmachende Gnade, eingegossene Tugenden noch unbekannt waren, wo man aber die Sache um so besser kannte, den Gegenstand umschrieben? Es sollte also meine Doktordissertation dieser Frage gewidmet sein. Der Vorschlag wurde angenommen und die Arbeit eingereicht und approbiert unter dem Titel: „Die Lehre von der Gnade in den katechetischen und kerygmatischen Texten der ersten drei Jahrhunderte" (1923, ungedruckt; in späteren Veröffentlichungen teilweise verwertet). Und als nach der Promotion zwei Jahre für die Habilitierung zur Verfügung standen, wollte ich dasselbe Thema gewissermaßen von der anderen Seite her behandeln: Wie hat man in der christlichen Frühzeit die Person Christi gesehen? Hat man sich damit begnügt, von der zweiten göttlichen Person zu sprechen und dann die Größe Christi zu preisen, wie es unsere Apologeten taten und wie es wohl auch in der schönen Literatur damals vorkam? [3] Tatsächlich zeigte sich, daß das „Per Christum", der Aufblick zum Hohenpriester, bis zur arianischen Krise des vierten bis sechsten Jahrhunderts ein lebendiger Begriff gewesen, aber schon im frühen Mittelalter zur fremdgewordenen Formel erstarrt war. Das so entstandene Buch „Die Stellung Christi im liturgischen Gebet", dessen Manuskript im Frühjahr 1925 fertiggestellt war und bei Abt Herwegen sofort Verständnis geweckt hatte, konnte noch vor Ablauf des Jahres als Heft 7/8 der „Liturgiegeschichtlichen Forschungen" erscheinen. Die Habilitierung war damit perfekt.

Wie gesagt, stand auch dieses Buch, das allerdings einen geschichtlichen Gang durch die Liturgien von Orient und Okzident enthielt, noch ganz unter dem katechetisch-kerygmatischen Interesse. Tatsächlich war noch vor seinem Erscheinen die Entscheidung getroffen worden, daß ich nur Katechetik und Pädagogik als meine Aufgabe zu betrachten hätte, von der Liturgik aber absehen könne. Als aber das Buch vorlag, sahen sich meine Oberen bestimmt, ihre Entscheidung zu ändern. Es wurde mir von P. Provinzial Franz Hatheyer bedeutet, daß ich auch die Liturgik im Auge behalten solle.

Im November 1925 begann ich meine Vorlesungen mit einem an der Fakultät längst wieder fälligen Kolleg über Grundfragen der Pädagogik (P. Krus war 1918 zur seelsorglichen Arbeit in die Tschechoslowakei zurückgekehrt). Aber schon im

Sommersemester 1926 lud mich der damalige Ordinarius für Pastoraltheologie, mein väterlicher Freund P. Michael Gatterer, ein, an seiner Stelle die Vorlesung aus Liturgik zu übernehmen. So gab ich vor einem kleinen Auditorium — es war zunächst keine Pflichtvorlesung — eine historisch orientierte Erklärung der Meßliturgie, die, wie die rasch anwachsende Zuhörerschaft der folgenden Semester bestätigte, ein bedeutendes Echo weckte.

Die neben den Vorlesungen und Übungen aus Pädagogik und Liturgik einhergehende literarische Arbeit verlief nun im wesentlichen auf liturgischem Gebiet. Es waren kleinere Einzelfragen: Sinn der Präfation, Stellung des Pater noster, Aufbau der christlichen Woche und ähnliches, und in weiterer Verfolgung einer Zufallsentdeckung das Buch „Die lateinischen Bußriten" (1932).

Mit dem Jahr 1933 trat P. Michael Gatterer in den Ruhestand. Es war angezeigt, daß ich als sein Nachfolger, dem nun auch die Katechetikvorlesung zufiel, mich auch für Katechetik einigermaßen auswies. Die Neubearbeitung jener Schrift aus den Kooperatorjahren war dafür das gegebene Thema. Umsonst hatte ich schon Jahre zuvor das Urmanuskript einem für theologisch-homiletische Fragen interessierten und, wie mir schien, für eine theologisch gesicherte Behandlung besser vorbereiteten Mitbruder zur Bearbeitung angeboten. Aber nun halfen die äußeren Umstände (und dazu der dringende freundschaftliche Rat von P. Johannes Lotz) mit, daß ich die Arbeit selbst übernahm.

Im Jänner 1936 erschien also „Die Frohbotschaft und unsere Glaubensverkündigung". Aber rasch zogen sich dunkle Wolken über dem harmlosen Büchlein zusammen. Es war in Rom sofort darüber Klage geführt worden, daß es im Klerus Unruhe hervorrufe. So mußte es schon nach drei Wochen aus dem Buchhandel zurückgezogen werden. Doch wurde es nie verboten. Es wurde schließlich zum Ausgangspunkt einer in den Zeitschriften des In- und Auslandes geführten, nicht unfruchtbaren Diskussion über das Verhältnis von Theologie und Verkündigung, in der eine größere Lebensnähe der Theologie gefordert wurde, und auf dem Boden der Katechetik wurde es zu einem Ferment für die material-kerygmatische Reformbewegung, aus der auch der deutsche Katechismus von 1955 hervorgegangen ist.

Der wenigstens äußere Mißerfolg im Bereich der Katechetik drängte um so mehr auf den Weg der liturgischen Studien weiter. Zwar lockte auch die Katechetik. Lange schwebte der Gedanke vor, eine große Geschichte der Katechese zu schreiben, die zugleich ein gutes Stück Geschichte des innerkirchlichen Lebens hätte werden müssen. Auf katholischer Seite gab es ja nur die kleinere Darstellung von Göbl und eine Anzahl Einzeldarstellungen, besonders zur Geschichte des Katechismus.

Aber auch der Schwung der jungen liturgischen Bewegung und die von ihr gestellten Fragen, die größere Bedeutung gerade der historischen Fragestellung auf liturgischem Gebiet und die festere Grundlage für Studien, die in den liturgischen Texten dargeboten war, gab der Liturgik das Übergewicht. In der liturgischen Bewegung hatte sich ja inzwischen eine Straße aufgetan, die geradewegs zur religiösen Erneuerung aus den wesentlichen Kräften des Christentums führen wollte und die Unterstützung forderte. Es war wenigstens eine Teilbewegung in dem großen Strom der nötigen gesamtpastoralen Neubesinnung. Und sie griff mit der Liturgie bewußt oder unbewußt gerade jenes Gedankengut aus unserem Glaubensschatz auf, das die Christen der Frühzeit froh gemacht hatte. Sie war selbst schon ein Stück Rückgewinnung des Glaubensbewußtseins der christlichen Blütezeit — wenn auch bei genauerer Betrachtung gesagt werden mußte, daß der rechte Gottesdienst unter-

baut sein muß durch die rechte Glaubensverkündigung, weil eben das Wort Gottes
der Antwort des Gottesvolkes vorausgehen muß, daß also die neue Betonung des
Kerygmas das Korrelat sein mußte zur Erneuerung des liturgischen Lebens.
Es waren freilich nur Einzelfragen von mäßiger Tragweite, die in Aufsätzen an
verschiedenen Stellen behandelt wurden. Die beste Kraft mußte doch für die Vorlesungen und die mehr und mehr gepflegten Seminarübungen eingesetzt werden,
wozu noch schon seit 1926 die nicht geringe (und heute noch auferlegte) Mühe der
Schriftleitung der „Zeitschrift für katholische Theologie" kam. Die namhafteren
Aufsätze sind 1941, gewissermaßen zum Abschluß dieser ersten Periode, in dem
Bande „Gewordene Liturgie" vereinigt worden. Vielleicht darf heute gerade auf
die letzte Nummer dieser Sammlung von „Studien und Durchblicken" hingewiesen
werden. Es ist der unscheinbare Aufsatz „Die Eucharistischen Weltkongresse in
einem alten Vorbild", der 1930 aus Anlaß des Eucharistischen Weltkongresses von
Karthago in der damals von meinem Jugendfreunde Johannes Messner herausgegebenen Zeitschrift „Das Neue Reich" erschienen war. Er wurde auch bei seinem
Wiedererscheinen in der genannten Sammlung kaum beachtet. Als aber der Eucharistische Weltkongreß München 1960 vorbereitet wurde, zündete der zunächst im
engeren Kreis wieder vorgetragene Gedanke und führte zur bekannten Neugestaltung des Kongresses, zur Statio Orbis [4].
Die nun folgenden apokalyptischen Zeitereignisse führten dann dazu, daß das
zweibändige Werk „Missarum Sollemnia" zustande kam. Als im Oktober 1939 in
Innsbruck nach Aufhebung der Theologischen Fakultät auch noch das Collegium
Maximum samt dem Canisianum beschlagnahmt war und wir aus Innsbruck ausgewiesen waren, war die Frage, wie die nun freigewordenen Kräfte weiter nutz-
bringend angewendet werden konnten. Es war klar, daß das kirchliche Leben nun
durch Jahre unter schwerstem Druck stehen würde. Mir selbst wurde jede schrift-
stellerische Beeinflussung der Öffentlichkeit verboten. So hatte man das Gefühl,
daß wir in ein Zeitalter geistiger Barbarei eingetreten waren, von dem niemand
wußte, wie lange es dauern würde. Soviel stand fest, daß es also nun galt, die
Schätze aus einer besseren Zeit zusammenzuholen und sie in leicht faßbarer Form
der kommenden Generation zu übermitteln, ähnlich wie etwa am Ende des christlichen Altertums ein Cassiodor oder ein Isidor von Sevilla das Erbe der voraus-
gegangenen Jahrhunderte einer kirchlich-geistigen Blütezeit zusammengefaßt hatten. So ergab sich rasch, noch vor dem Abschied von Innsbruck, der Plan, eine
Arbeit dieser Art auf dem Gebiet der Liturgik zu versuchen: eine Erklärung der
Meßliturgie mit Verwertung alles dessen, was an Quellen und Literatur erreichbar
war. Der Anfang zu „Missarum Sollemnia" wurde 1939 bis 1942 in Wien gemacht.
Die Verhältnisse waren nicht günstig: Einerseits viele Unterbrechungen durch
Nebenarbeiten, anderseits die kriegsbedingten Lebensverhältnisse der Großstadt,
die die Gesundheit ins Wanken brachten. Der Übergang auf den ländlichen Hof
der Schwestern in Hainstetten, wo die Kühe muhten und die Hühner gackerten,
brachte nach beiden Richtungen erwünschte Abhilfe. Hier schritt die Arbeit neben
maßvoller seelsorglicher Betätigung munter voran. Im Herbst 1945 war nur noch
die Überprüfung der Zitate ausständig.
Einen Verlag hatte ich noch nicht — die angefangenen Beziehungen zu Herder-
Freiburg waren durch die nun aufgerichteten Grenzen gegenstandslos geworden.
Aber als ich im Herbst 1945 eines Abends in Wien auf dem Heimweg aus der
Bibliothek, das Manuskript im Handkoffer, Am Graben auf den damaligen Direk-
tor des Herderschen Verlages in Wien, Herrn Beuchert, stieß, war diese Sorge rasch

behoben. Am 2. Juli 1948 konnte er mir in Innsbruck das erste gedruckte Exemplar überreichen. Ich war erstaunt, daß er eine Auflage von 3000 Stück gewagt hatte. Heute sind von dem Werk in fünf Sprachen mindestens 30.000 Stück verbreitet. „Missarum Sollemnia" macht, wie schon angedeutet, nicht den Anspruch, in erster Linie wissenschaftliche Forschungsarbeit zu bieten. Es wollte nur klärend, ordnend und in einigen Punkten weiterführend Zusammenfassung dessen sein, was weit verstreut in Monographien, Zeitschriftaufsätzen, Rezensionen, Quellenpublikationen usw. schon längst vorhanden, aber nur Fachkreisen zugänglich war. Darüber hinaus wollte es im Sinne der liturgischen Erneuerung eine geschichtliche Rechtfertigung liefern für den wiedererwachten Gedanken von der Kirche als Gemeinschaft der Gläubigen und damit von der Berufung der plebs sancta zur aktiven Teilnahme am Gottesdienst.

Auch in den folgenden Jahren bestand der literarische Ertrag der in Innsbruck wieder aufgenommenen Arbeit hauptsächlich in zusammenfassenden Darstellungen dessen, was ich durch Jahre in Vorlesungen auseinandergesetzt hatte. So erschien die „Katechetik", ebenso unter dem Namen „Gottesdienst der Kirche" eine kleine Liturgik, und der nur in englischer Sprache herausgegebene Band „Early Liturgy" (1959), der die im Sommer 1949 an der Notre-Dame-Universität in Amerika gehaltenen Vorlesungen über ältere Liturgiegeschichte wiedergab.

Wissenschaftliche Arbeiten im strengen Sinn sind auch seither nur mehr in Form von Abhandlungen verschiedenen Umfangs zustande gekommen. So unter anderem über den Einfluß der Abwehr des Arianismus auf die Kultur des Mittelalters, so die Studien zur Geschichte der Gebetsliturgie. Das Bedeutsamere daraus ist in dem Bande „Liturgisches Erbe und pastorale Gegenwart" (1960) zusammen mit einer Auswahl gehaltener Vorträge und pastoral-praktisch gerichteter Aufsätze noch einmal vorgelegt worden.

Daß es in wissenschaftlicher Hinsicht bei dieser mäßigen Leistung blieb, war kein Zufall. Es lag an der Eigenart der liturgischen Wissenschaft und an der gegebenen Situation. Es hätte nicht an Themen und Fragen gefehlt, die zu einer gründlichen wissenschaftlichen Behandlung eingeladen hätten, und es hätte meinem Temperament wohl am meisten entsprochen, in stiller Gelehrtenarbeit etwa eine genetische Darstellung der Quadragesima oder eine Frühgeschichte des Stundengebetes zu versuchen oder ein Stück religiöser Geistesgeschichte zu entwerfen. Manche Teilfrage aus solchem Fragenkreis hat inzwischen einem jungen Kandidaten als Thema für seine Dissertation gedient [5]. Aber wenn man die pastorale Bedeutung der liturgiewissenschaftlichen Arbeit ernst nehmen wollte, konnte man sich den immer häufigeren Einladungen, sei es zu Vorträgen, sei es zu Beiträgen in verschiedenen Veröffentlichungen, nicht immer entziehen. 1940 war in Deutschland das Liturgische Referat der Fuldaer Bischofskonferenz und die zugehörige Kommission entstanden, deren Mitglied ich damals geworden (wir gehörten ja damals zum Deutschen Reich) und seither geblieben bin. Die jährlich zweimaligen mehrtägigen Konferenzen erschienen wichtiger als die Arbeit am Schreibtisch. Dazu kamen die großen Liturgischen Kongresse (Frankfurt, München, Assisi). Daneben erhoben auch die seit 1950 eingeleiteten Internationalen Liturgischen Studientagungen (Maria Laach, Odilienberg, Lugano, Löwen, Assisi, Montserrat, München) ihre Ansprüche und forderten jedesmal einen Beitrag. Es besteht kein Zweifel, daß die seit 1951 von höchster Stelle aufgenommenen Reformen der Liturgie von diesen Stellen bedeutsame Anregungen entgegengenommen haben und daß auch künftige Reformen sie nicht unbeachtet lassen werden.

Wie es auch dem Beruf eines Pastoraltheologen entspricht, war es mir eigentlich nie um die reine Wissenschaft zu tun, auch nicht um die Aufhellung liturgischer Entwicklungen um ihrer selbst willen, sondern (abgesehen etwa von den „Lateinischen Bußriten") immer um den Gottesdienst in unserer Zeit und in unserem Volk und um die Klarstellung der Grundforderungen und Grundideen, aus denen er erneuert werden konnte. Es ging mir also doch nur um die Glaubensverkündigung, aber immerhin erweitert um ihr Gegenstück, die Glaubensbetätigung im Gottesdienst.

Allzuoft sind bis in unsere Gegenwart herein die beiden Dinge getrennt einhergegangen: die Wissenschaft von der Liturgie einerseits und die Arbeit im Sinn der Liturgischen Bewegung. Die Jünger der Wissenschaft kümmerten sich nicht um die Praxis, und die Praktiker wußten nur wenig von der Wissenschaft. Beides in vollkommener Weise zu vereinigen, wird immer schwierig sein. Aber daß es in nicht zu wenigen Vertretern bis zu einem gewissen Grade gelinge, ist eine Vorbedingung für das gedeihliche Voranschreiten der liturgischen Erneuerung.

Wir stehen ja erst am Anfang dieser Entwicklung. Erst allmählich ist uns zum Beispiel der gottesdienstliche Rang der Volksandachten und der sie regelnden Diözesan-Gebetbücher klargeworden. Gewiß sollen die Andachten in der Volkssprache, mag man sie nun „pia exercitia" oder anders nennen, nicht einfach den liturgischen Horen nachgestaltet werden, da diese selbst ein komplexes Gebilde aus sich kreuzenden Einflüssen darstellen. Wohl aber sollen in ihnen, wie ich es in dem Büchlein „Die Liturgische Feier" (1939) darzustellen versucht habe [6], die aus dem Wesen der Kirche und aus dem Wesen des kirchlichen Gottesdienstes erfließenden Formgesetze maßgebend sein, die auch die Grundformen der liturgischen Horen einmal bestimmt haben, hinter denen sie an kirchlich-religiösem Wert nicht zurückzustehen brauchen.

Aber auch die Liturgie im engeren Sinne steht vor großen Zukunftsaufgaben. Durch die Reformen an der Osternacht und an der Heiligen Woche ist ihre Starre grundsätzlich gelöst, aber die Neugestaltung nur begonnen worden. Diese wird Jahrzehnte beanspruchen. Sie kann heute, so wenig die irrationalen Kräfte entbehrt werden können, nicht mehr, wie vielleicht in früheren Zeiten, geleistet werden einfach durch Intuition und aus dem katholischen Gefühl für das Geziemende heraus, sondern nachdem die Grundrisse der liturgischen Formen mehr und mehr freigelegt und die mitbauenden Kräfte der Vergangenheit festgestellt sind, nur auf Grund eines sicheren Wissens um die Geschichte dieser Formen. Das muß freilich in der Weise geschehen, daß ein klarzentriertes Glaubensbewußtsein führend beteiligt ist, ebenso wie der pastorale Sinn für das, was dem Volke unserer Zeit not tut. Aber in allen diesen Faktoren kann und wird die Führung des Heiligen Geistes sich wirksam erweisen, der seine Kirche auch an der Schwelle zum dritten Jahrtausend nicht verlassen wird.

1 Mit freundlicher Genehmigung des Verlages Herder abgedruckt aus: 75 Jahre Verlag und Buchhandlung Herder, Wien 1886—1961. Wien 1961.

2 Diese Urschrift ist damals in Brixen und später unter meinen Mitbrüdern im Orden durch verschiedene Hände gegangen. Sie ist 1939 bei der Durchsuchung meines Zimmers durch die Gestapo konfisziert und dann nach Berlin verschleppt worden, wo sie offenbar verbrannt ist. Im Sommer 1960 erhielt ich von meinem ehemaligen Mitscholastiker P. Aloys Tüll SJ, mit dem mich in den Jahren meines zweiten theologischen Studiums (1920 bis 1922) gemeinsames Streben zu vielfältigem vertrautem Gedankenaustausch

verbunden hatte, aus Pannonhalma in Ungarn die Mitteilung, daß er sich damals einen Auszug aus der Schrift angefertigt habe, den er durch alle Fährnisse hatte hindurchretten können. Zur Weihnacht 1960 machte er mir ihn zum Geschenk (52 Blätter)!

3 Charakteristisch für den Anfang unseres Jahrhunderts waren die Christusgedichte von Lorenz Krapp, die Christus in imponierenden Visionen der zerfallenden Welt gegenüberstellten.

4 Doch muß bemerkt werden, daß diese prägnante Namengebung mit der treffenden Gegenüberstellung Statio Urbis — Statio Orbis nicht von mir stammt.

5 Als bedeutsame Leistungen, die solcherweise damals entstanden sind, möchte ich hervorheben die Arbeiten von *Josef Stadlhuber* über das Stundengebet der Laien im christlichen Altertum und im Mittelalter (veröffentlicht in der Zeitschrift für katholische Theologie 1949/50), von *Gerhard Römer* über die Liturgie des Karfreitags (ebenda 1955), von *Hans Joachim Schulz* über die „Höllenfahrt" als „Anastasis" (mit der wichtigen geistesgeschichtlichen Erklärung der orientalischen Osterfrömmigkeit, ebenda 1959) und von *Martin Ramsauer* über die Kirche in den Katechismen (ebenda 1951).

6 Es darf hier bemerkt werden, daß in dem Werkbuch „Unser Gottesdienst" (Freiburg 1960) gerade diesem Büchlein die Auszeichnung widerfährt, daß sein Erscheinen auf der beigegebenen Zeittafel der Liturgischen Bewegung als bedeutsames Faktum angeführt wird, mit dem Vermerk, es sei „von kaum abschätzbarem Einfluß auf das Verständnis und die Gestaltung der liturgischen Feier" geworden.

Walter von Arx

Liturgie der christlichen Frühzeit
Ein zu wenig bekanntes Werk Jungmanns

„Habent sua fata libelli." An dieses Wort aus dem 3. Jahrhundert nach Christus wird sich Prof. P. Dr. Josef Andreas Jungmann erinnert haben, wenn er an sein umfangreiches Werk dachte. Er mag sich dabei überlegt haben, daß für den Durchbruch eines Buches oft nicht nur seine Qualität entscheidend ist, sondern ebensosehr die Zeitumstände.
Man braucht nicht eigens zu erwähnen, daß die Qualität aller Schriften Jungmanns unbestritten ist. Trotzdem erfuhren nicht alle Werke dieselbe Verbreitung. Verschiedene Bücher erlebten mehrere Auflagen und trugen Entscheidendes bei zur Erneuerung der Liturgie. Eines seiner letzten Werke aber, dem man vom Inhalt her eine hohe Auflage hätte prophezeien können, fand nur ein geringes Echo.
1967 erschien Jungmanns Werk „Liturgie der christlichen Frühzeit" [1]. In englischer Sprache war das Buch bereits 1959 erschienen [2]. Es erlebte in Amerika mehrere Auflagen und machte Jungmann in den Staaten sehr bekannt. Warum — so muß man sich fragen — fand die deutsche Ausgabe so wenig Anklang? Die Antwort scheint gegeben. In Amerika erschien das Buch *vor* dem Konzil und damit vor dem eigentlichen „Ausbruch" der liturgischen Erneuerung. Im deutschen Sprachgebiet jedoch fiel es mitten in die stürmischen Jahre der nachkonziliaren Liturgiereform, in eine Zeit also, in der bei den meisten der „Blick-zurück" suspekt und die Grundlagenforschung wenig beliebt waren. Man sah vielfach das Wesen der Liturgiereform in bloß äußeren Änderungen und in der Einführung neuer Texte.
Es ist für diese Zeitepoche symptomatisch, daß nichtoffizielle Bücher mit liturgischen Texten reißenden Absatz fanden, während Jungmanns „Liturgie der christlichen Frühzeit" eher ein Schattendasein fristen mußte. Dabei hätte gerade das Studium dieses Werkes vor vielen Fehlern bewahren können. Aber man nahm das Buch nicht zur Kenntnis. So erstaunt es nicht, daß in den meisten Gedenkartikeln bei der Erwähnung des wissenschaftlichen Werkes des Verstorbenen das Buch sozusagen nirgends — nicht einmal in Fachzeitschriften — aufgeführt wird.

Wie kam das Werk zustande?

Lassen wir zur Vorgeschichte Jungmann selber zu Worte kommen: „Das vorliegende Buch geht auf Vorlesungen zurück, die ich in einer ‚summer school' der Notre-Dame-Universität in Amerika gehalten habe. Sie waren nicht zur Veröffentlichung bestimmt, sind aber auf Wunsch des Verlags der genannten Universität im Jahre 1959 in entsprechender Neubearbeitung unter dem Titel ‚The Early Liturgy to the time of Gregory the Great' im Druck erschienen. Das Buch erlebte eine zweite und 1963 eine dritte Auflage und 1962 eine französische Übersetzung aus dem Englischen (‚La Liturgie des premiers siècles jusqu'à l'époque de Grégoire le Grand', Lex Orandi 33, Paris 1962)" [3].
Es ist das Verdienst des damaligen Liturgikprofessors von Freiburg, Schweiz, des jetzigen Bischofs von Basel, Dr. Anton Hänggi, daß Jungmann diese seine For-

schungen beinahe ein Jahrzehnt nach der Originalausgabe auch deutsch veröffentlicht hat.

Bei einer persönlichen Zusammenkunft hatte Prof. Hänggi den Innsbrucker Kollegen gefragt, warum seine Schrift „Liturgie der christlichen Frühzeit", die in Amerika ein so großes Echo auslöste, nicht auch in Deutsch erschienen sei [4]. Es zeigte
sich, daß Jungmann in seiner Bescheidenheit es nicht wagte, einen Verlag um die
Veröffentlichung anzugehen. Und kein Verlag hatte — auch ein Zeichen der Zeit!
— Interesse für das Manuskript gezeigt. Jungmann konnte dann überzeugt werden, daß seine Übersicht über das gottesdienstliche Leben der Frühzeit so wertvoll
sei, daß sie es verdiente, auch in deutscher Sprache zugänglich zu sein. Jungmann
hat sich schließlich gefreut, daß doch ein Verlag sein Werk herausgeben wollte. Der
Verfasser hat aber nicht bloß den ursprünglichen deutschen Text in den Druck
gegeben, sondern ihn nochmals überarbeitet und auf den damaligen Stand gebracht. So ist die deutsche Ausgabe nicht bloß eine Übersetzung aus dem Englischen, sondern ein eigenständiges Werk.

Der Inhalt des Buches

Die Geschichte der Frühzeit lehrt, daß die Liturgie einerseits nicht eine abrupte
Neuschöpfung darstellt und daß sich anderseits die Liturgie immer wieder gewandelt hat. Diese Tendenz beleuchtet Jungmann unauffällig, aber doch sehr klar und
überzeugend. Sie wird besonders deutlich in der Urkirche. Jungmann legt im ersten
Abschnitt dar, wie die Urkirche die Kultgewohnheiten aus der Praxis des Spät-
judentums übernommen, aber mit einem neuen Inhalt versehen hat. Das zeigt sich
sowohl in der Übernahme des Osterfestes und in der Schaffung des Sonntags
wie beim Lesegottesdienst und bei der Mahlfeier.

Jungmann behandelt dann das 3. Jahrhundert, in dem sich die Kirche mit dem
Gnostizismus auseinandersetzen mußte, was auch in der Liturgie seinen Niederschlag fand. Der dritte Abschnitt des Werkes behandelt das Zeitalter Konstantins. Durch die vom Toleranzedikt von Mailand gewährte Religions- und
Kultfreiheit begann der Zustrom von Menschen aller Stände zur Kirche. Auch
das hatte Einfluß auf die Liturgie, vorerst vor allem auf die Kultbauten (Basili-
ken). Vieles wird von der Antike übernommen. Auch die heidnischen und christlichen Mysterien, die Martyrerverehrung und die christologischen Kämpfe mit
ihrem Einfluß auf die Liturgie werden besprochen.

Der folgende Abschnitt handelt von der Verzweigung der Liturgien (Kirchenpro-
vinzen und Sprachgebiete, orientalische und lateinische Liturgien). Im letzten Abschnitt begegnet der Leser der römischen Liturgie vor Gregor dem Großen. Es werden erörtert: Taufe und Buße, Oster- und Weihnachtsfestkreis, die Gebetsliturgie
und schließlich die Messe, die in dieser Zeit im wesentlichen schon ein abgeschlos-
senes Ganzes bildet und bis in unsere Zeit erhalten blieb.

Ein Testament Jungmanns

Unser Beitrag will nicht eine verspätete Rezension sein. Vielmehr möchten wir
darauf aufmerksam machen, wie Jungmann in diesem Werk seine Forschungen
über die „gewordene Liturgie" zusammengefaßt und damit die Liturgiereform der
zweiten Hälfte unseres Jahrhunderts beeinflußt hat.

Es war Jungmanns Anliegen — wie er im Vorwort sagt — mit dem Buch „in einer

Zeit weitgehender liturgischer Neuordnung und kühner Ausschau in die Zukunft manchem eine Hilfe (zu) sein, um das Neue im Rückblick auf das Alte besser zu verstehen und im Wechsel des Vergänglichen die überzeitlichen Wesensgesetze christlichen Gottesdienstes nicht aus dem Auge zu verlieren" [5]. Das ist Jungmann meisterhaft gelungen. Ich kenne kein Buch, das klarer und verständlicher die Liturgie dieser Zeitepoche zusammenfaßt.

Deshalb werden auch all jene das Buch mit Gewinn lesen, die nicht Theologie und Liturgie studiert haben, sich aber für die Geschichte der Liturgie interessieren. Anselm Schwab schreibt in einer Rezension mit Recht: „Jungmanns Sprache und Schreibweise ist dabei so schlicht und einfach gehalten (und doch so beweglich im Ausdruck!), daß auch der Nicht-Fachmann der dargebotenen Materie mit wachsendem Interesse zu folgen vermag. Es wird ein lebendiges Bild der damaligen Liturgie gezeichnet, mit all ihren Voraussetzungen. Damit wird uns aber auch die religiöse Geistesgeschichte der ersten Jahrhunderte in ihren wesentlichen Grundzügen geboten, ohne welche die Liturgie des christlichen Altertums nicht deutbar wäre." [6]

Jungmann beschränkt sich auf die liturgisch fruchtbarste Epoche, die mit der Urkirche begann und mit Gregor dem Großen (590—604) ihren Abschluß fand. Er spürte, daß das Studium dieser frühchristlichen Zeit gerade heute heilsam ist, da viele sich gegen jede Veränderung in der Liturgie sträuben, und da andere die erneuerte Liturgie in keiner Weise auf der bestehenden aufbauen möchten.

Im Buch findet sich ein Abschnitt, der gleichsam ein Testament Jungmanns ist zum Ziel der Liturgiereform, wie er es sah: Liturgie und Leben müssen wieder eine Einheit werden. Die Liturgie sollte wieder die Fähigkeit erhalten, die Welt zu verchristlichen.

Im Kapitel „Frühchristliche Liturgie und neue christliche Gesellschaft" schreibt Jungmann über das Zeitalter Konstantins: „Wenn wir so das gottesdienstliche Leben überschauen, wie es auf die Christen des 4. oder des 5. Jahrhunderts einwirkte, werden wir verstehen, welche Wirkung von ihm ausgehen konnte. Es fehlten damals wichtige Einrichtungen, die eigentlich zu jeder Seelsorge gehören. Aber es gab eine lebendige Liturgie. Die Liturgie war zugleich christliche Schule und Unterricht. Die Liturgie hat die Eltern innerlich so reich gemacht, daß sie ihre Kinder unterweisen konnten. Die Liturgie hat die Christen zu einer Gemeinschaft zusammenwachsen lassen. Die Liturgie hat mit dem Worte Gottes, das in ihr enthalten war, und mit der Kraft der Sakramente, die von ihr umschlossen wurde, bewirkt, daß eine heidnische Gesellschaft zu einer christlichen Gesellschaft geworden ist." [7]

1 *Josef A. Jungmann SJ*, Liturgie der christlichen Frühzeit bis auf Gregor den Großen. Universitätsverlag Freiburg/Schweiz 1967.

2 The Early Liturgy to the time of Gregory the Great. University of Notre Dame Press, Notre Dame, Indiana, USA.

3 *J. A. Jungmann*, Liturgie der christlichen Frühzeit, 5.

4 Ich verdanke diese Ausführungen einem Gespräch mit Bischof Hänggi.

5. *J. A. Jungmann*, Liturgie der christlichen Frühzeit, 6.

6 Heiliger Dienst 22 (Salzburg 1968) 44.

7 *J. A. Jungmann*, Liturgie der christlichen Frühzeit, 162.

Hugo Aufderbeck

Christus als Mittelpunkt religiöser Erziehung

Es kann passieren, daß man vor lauter Bäumen den Wald nicht sieht. Man steht so nahe vor den Bäumen, ihren Ästen, Zweigen und Blättern, daß der Wald in seiner Gestalt nicht gesehen wird. So kann es uns auch in der Seelsorge gehen: Man sieht eine Fülle von Aufgaben, Diensten, Funktionen, viele Bereiche und Möglichkeiten, aber vor lauter Einzelheiten nicht das Ganze. Man tut dann dies und das, reiht eines an das andere und erliegt so einer „additiven Seelsorge", die zwar immer beschäftigt ist, aber wenig bewirkt.

Jedenfalls ging es mir so in den ersten Priesterjahren, als ich mich eine Woche nach der Priesterweihe als hauptamtlicher Religionslehrer an einer Oberschule für Mädchen in Gelsenkirchen und einige Jahre später als Kaplan und Studentenpfarrer in der großen Diasporagemeinde in Halle an der Saale wiederfand. In unserer Studienzeit waren wir schon von Professor Theoderich Kampmann auf die Bedeutung der Konzentration im Religionsunterricht und in der Pastoral hingewiesen worden. Vielleicht war das der Anlaß, daß ich mir 1939 die kleine Schrift von J. A. Jungmann, Christus als Mittelpunkt religiöser Erziehung, Freiburg/B. 1939, kaufte und mit großem Interesse las.

Die Religion, so sagt Jungmann in dieser Schrift, darf nicht „wie ein mehr oder weniger regelloses Vielerlei von Lehrsätzen und Forderungen an die Jugend herantreten, sondern sie muß sich als ein organisches Ganzes erweisen, als ein geordneter Schatz von Erkenntnissen, der von einem Mittelpunkt her Licht empfängt, und den wir wie einen lebendigen Kern in die Seele der Jugend pflanzen, daß er von innen heraus sich entfalte zu immer größerem Reichtum. Sammlung um einen Mittelpunkt, Entfaltung aus einem Kern, das ist das Bemühen, das die Unterrichtslehre als Konzentration bezeichnet" (S. 2). Im Titel dieser Schrift „Christus als Mittelpunkt religiöser Erziehung" gibt Jungmann an, was und wen er als jenen Mittelpunkt bezeichnet, „von dem aus wir das Ganze der christlichen Lehre entfalten, zu dem wir das einzelne immer wieder zurückholen können" (S. 2).

Für die vielfachen Formen der Verkündigung und der Seelsorge ergibt sich hier ein fruchtbarer Zielpunkt: „Auf Christus führen die Wege des Alten Bundes hin; er ist der Inhalt des Neuen. Sein Leben und Wirken setzt sich fort in der Kirche, in ihren Vollmachten, in den Sakramenten, in der eigenen Gotteskindschaft. Christus ist eine Gestalt, die in den Evangelien anschaulich und gewaltig vor unseren Augen steht, die auch unserem Erleben nicht ferne liegt; die uns umgebende christliche Kultur geht von seiner Person aus und spricht tausendfältig von ihm; und Christenleben ist schließlich zu allen Zeiten, sakramental und ethisch, nichts anderes als Nachfolge Christi. Die christliche Heilslehre ist innerlich und wesentlich christozentrisch" (S. 14). „Den Abschluß bildet die Vollendung, in die wir eingehen dürfen zur Herrlichkeit der Auferstehung, um immer mit Christus zu sein" (S. 33).

Wort, Sakrament und Leben sind so zu einer inneren Einheit verbunden. Alle Formen der Verkündigung, der Liturgie und der Seelsorge haben trotz ihrer mannigfaltigen Formen eine tragende Mitte, von der alles kommt und auf die alles zielt. Durch solche Pastoral wird der Jünger Jesu gebildet.

Mein Dechant im Dekanat Halle-Naumburg war damals Wilhelm Weskamm, der spätere Weihbischof von Magdeburg und Bischof von Berlin, ein Priester, der immer bemüht war, die pastorale Praxis an der Theologie zu orientieren. Er gab damals einen Erstkommunionunterricht heraus. In den Vorbemerkungen schreibt er: „Die Person Christi muß der Ausgangspunkt des Religionsunterrichtes sein. Das ist sowohl dogmatisch wie psychologisch nötig und richtig. Das ganze Werk und Wirken Gottes darf nicht begrifflich, sondern muß anschaulich vermittelt werden. In Christus Jesus ist des Vaters Liebe sichtbar." Einige Jahre später gab er als Bischof von Berlin eine kleine, viel benutzte Handreichung heraus mit dem Titel: „Die eiserne Ration". Ich weiß nicht, ob er Jungmanns Schrift gelesen hat. Ich glaube es aber sicher. Wahrscheinlich hat er sogar den Titel seiner Handreichung dieser Schrift entnommen; denn Jungmann schreibt: Die Bedeutung der Konzentration „wächst noch in einer Zeit, in der das Christentum schwerer Bedrohung ausgesetzt ist, in der es gilt, jedem einzelnen die eiserne Ration mit auf den Weg zu geben, von der man auch in schweren Kampfestagen leben kann".

Als ich von den Herausgebern dieses Gedenkbandes gebeten wurde, einen Beitrag zu leisten, habe ich die Bücher von Jungmann zur Hand genommen, die ich in meinen Bücherregalen stehen habe. In der Hand behielt ich die Schrift „Christus als Mittelpunkt religiöser Erziehung", die nur 37 Seiten umfaßt. Ich habe sie noch einmal mit Freude und Gewinn gelesen.

Kirchliche Institutionen, systematische Lehrgebäude, perfekte Moralsysteme, sachkundige Monographien werden nur dann Leben im Menschen wecken, wenn unser „suchendes Auge Christus begegnet" (S. 37).

24

Bernard Botte OSB

Quelques souvenirs

J'ai fait la connaissance du Père Joseph Jungmann à la première réunion internationale de liturgie qui s'est tenue à Maria Laach en 1951. Tout le monde savait que nous avions des idées opposées sur certains points. Cela ne nous empêcha pas de devenir immédiatement d'excellents amis. Dès cette première rencontre, en effet, le Père Jungmann m'est apparu comme un homme extrêmement sympathique, avec qui je pourrais facilement collaborer malgré les divergences qui nous opposaient. Cette sympathie, qui ne s'est jamais démentie, avait sa source dans un idéal commun. Le Père Jungmann a consacré sa vie, on peut le dire, à étudier la liturgie. Sur ce plan, nous nous sentions en parfaite harmonie.
Je me souviens d'une conversation toute cordiale, dont le ton montrait bien qu'on était au delà des conventions et que nous nous sentions vraiment à l'aise. Il me confia que, lorsqu'il avait opté pour la vie religieuse, son entourage avait été profondément étonné qu'il entrât dans la Compagnie de Jésus: on s'attendait à le voir entrer chez les bénédictins de Beuron, tant il avait déjà l'intelligence des textes liturgiques. Il me raconta aussi qu'il avait eu parfois des déboires lorsque ses livres avaient été traduits. Ainsi il avait employé l'expression « Festgedanke » (idée de la fête); il eut la surprise de la retrouver en italien sous la forme « pensiero fisso » (idée fixe).
Je garde également un autre souvenir de Maria Laach. On y discutait du Canon romain. On envisageait alors une réforme générale de l'ordinaire de la messe, et on prévoyait notamment la restauration, avant les rites de l'offrande, des grandes oraisons communes pour l'ensemble des besoins des fidèles. Dès lors, certaines parties du Canon romain feraient double emploi: la prière pour l'Eglise et le Pape du « Te igitur », par exemple. Le Père Jungmann proposa de les supprimer. Je pris la défense du Canon romain. Car on peut difficilement trouver un texte aussi vénérable. Il a été pendant quatorze siècles au centre de la piété eucharistique de l'Occident. Les « Expositiones missae » le commentent mot à mot comme un texte biblique. Que serait-il arrivé si les théologiens avaient pris le texte de la messe comme champ clos pour leurs querelles? Les suppressions, additions, déplacements qu'on proposait défiguraient complètement, sans remédier à ses défauts, cette pièce littéraire remarquable, dont le texte est fixé depuis saint Grégoire. Ce texte, qui a traversé intact les controverses théologiques du moyen âge, allait-il succomber à une réforme liturgique moderne?
Cette différence de point de vue n'altéra jamais notre amitié. Le problème resta en suspens de longues années et ne fut résolu qu'après le Concile. Comme on sait, le Canon romain est resté pratiquement inchangé, mais on lui a ajouté un choix de trois compositions nouvelles, inspirées respectivement de l'anaphore d'Hippolyte, du vieux rite gallican et des anaphores de type oriental. C'est à Maria Laach également qu'on aborda le problème de l'introduction dans la messe d'un acte pénitentiel.
Je retrouvai le Père Jungmann aux réunions internationales des années suivantes.

En 1952, elle se tint au Mont Sainte-Odile, sanctuaire national de l'Alsace, lieu choisi par la Commission diocésaine de Strasbourg. Nous ne parvînmes pas à y entraîner Monseigneur Andrieu, qui refusa obstinément de collaborer à un projet de réforme. On y poursuivit les discussions de Maria Laach, toujours dans le même esprit de dialogue ouvert et constructif. En 1953, à Lugano, la réunion prit un autre caractère. Elle devint une sorte de congrès accessible au public, présidé par le cardinal Ottaviani. On y débattit de problèmes plus généraux, et surtout de la Semaine sainte: on avait déjà obtenu la restauration de la vigile pascale et il fallait étendre la réforme au « Triduum sacrum ». Mais, parallèlement aux séances publiques, se tinrent aussi à Lugano des réunions privées d'experts. On y aborda la question du baptême des adultes. Le rapporteur, le Père Brinkhoff, franciscain hollandais, manifestait une certaine réticence à l'égard des exorcismes très réalistes du rituel: n'allaient-ils pas choquer et rebuter les catéchumènes de notre temps, bourgeois de nos villes modernes? C'est alors qu'un missionnaire prit la parole. C'était le Père Hofinger. Il déclara que les exorcismes gardaient toute leur signification en pays de mission. Cette intervention fut pour nous tous très éclairante. Nous prîmes alors conscience que, dans nos projets de réforme, nous devions tenir compte non seulement de l'expérience pastorale des pays occidentaux mais travailler à l'échelle de l'Eglise universelle en pensant aussi, et peut-être avant tout, aux jeunes chrétientés.

Il y eut ensuite le Congrès d'Assise, des réunions du Centre de Pastorale Liturgique de Paris où le Père Jungmann fut plusieurs fois invité. Vint enfin le Concile, avec ses Commissions préparatoires et les travaux de mise en œvre du renouveau liturgique.

Ce qui m'a frappé à chaque rencontre, c'est la simplicité et la modestie du Père Jungmann. C'était un savant de très grande envergure, qui connaissait admirablement l'histoire de la messe romaine. Il était, par son érudition et son ouverture aux problèmes pastoraux, le guide du groupe allemand. Loin de se prévaloir de ce prestige mérité, il donnait simplement son avis sans jamais s'imposer. La discrétion de ses interventions n'empêchait pas qu'il était très écouté par tout le monde. Il fut certainement un des meilleurs artisans de la réforme liturgique réalisée à la suite du Concile de Vatican II.

Padre Jungmann e la riforma liturgica

Le mie relazioni col P. Jungmann risalgono al 1949. Nel giugno di quell'anno la Commissione per la riforma liturgica, istituita da Pio XII, aveva pubblicato la „Memoria per la riforma liturgica generale", un bel volume di 350 pagine circa, stampato in grande formato dalla Poliglotta Vaticana, limitato a 300 esemplari. Faceva parte della collezione „Posizioni" della Sezione storica della S. C. dei Riti, vol. n. 71.

Dopo qualche mese il Presidente della Commissione, Card. Clemente Micara, stabilì di richiedere il parere, su quel progetto, di alcune persone competenti e qualificate fuori del ristretto ambito della Commissione. Furono scelti il P. Bernardo Capelle, di Mont César, Mons. Mario Righetti, parroco a Genova e noto storico della liturgia, e il P. Giuseppe A. Jungmann, professore all'Università di Innsbruck.

Il 3 novembre 1949 la „Memoria" fu mandata ai tre studiosi, accompagnata da una lettera nella quale, rifatta la storia della Commissione, si chiedeva un giudizio sulla pubblicazione e sulla validità dei criteri, da essa proposti per la riforma generale della liturgia. Ciascun destinatario era parimenti avvertito che la „Memoria" e la notizia stessa dei lavori in corso devono rimanere sub secreto; onde Ella non potrà parlarne nè in pubblico nè in privato. In secondo luogo si desidera che Ella scriva le sue osservazioni nel margine dello stampato, aggiungendo eventualmente, in casi particolari, dei fogli da inserirsi nel testo, o scrivendo anche a parte, quando si trattasse di osservazioni di maggior ampiezza. Lo stampato, poi, con le eventuali annotazioni dovrà essere rinviato al Cardinale Prefetto di questa sacra Congregazione. Finalmente sarei a pregarla — concludeva la lettera — di voler rinviare il tutto non oltre il primo febbraio del prossimo anno 1950.

Le norme erano tassative, l'impegno serio, la riservatezza assoluta.

Primo tra tutti, con un mese di anticipo, il 3 gennaio 1950, P. Jungmann rimandò la „Memoria", acutamente postillata, accompagnandola con una lettera, nella quale diceva: „Potiores adnotationes versantur circa cyclum natalicium. Dolendum est quod studia circa Breviarium eiusque structuram hucusque aliquo modo neglecta sunt, neque ipse in iis, sicut opus esset, versatus sum. Ceterum magno cum gaudio vidi iam ex iis quae in ‚Memoriali' continentur reformationem liturgicam optima ratione conceptam et fundamentum solidum iactum esse."

Il giudizio del P. Jungmann fece immenso piacere ai membri della Commissione, specialmente al Gruppo direttivo costituito da P. Ferdinando Antonelli, allora relatore generale della Sezione storica dei Riti, ora Cardinale, del P. Giuseppe Löw, CSSR, Vicerelatore, Viennese, ideatore ed estensore della „Memoria", e del sottoscritto, segretario della Commissione. Le osservazioni del P. Jungmann alla „Memoria" sono interessantissime. Sobrie, sicure, caute quando la materia non ammette certezza, sempre circospette e motivate. Alle volte riflettono studi e ricerche già compiute e diligentemente indicate nella bibliografia. Altre volte sono frutto di buon senso, di senso pastorale anche, tanto più sorprendente in quanto venivano da uno studioso di classe.

Mi piace spigolarne qualcuna.

Sui gradi liturgici si chiedeva: conviene suddividere i tre gradi in maggiore e minore? — Jungmann risponde: „Non so se sia necessario." Vi piacerebbe una nuova denominazione dei gradi? Jungmann risponde senz'altro: affirmative.

Avvento. Jungmann scrive: „Una questione di principio: si vuol conservare il carattere penitenziale all'avvento (colore violaceo, senza Gloria, ecc.)? Poichè l'Avvento romano fino al sec. XII non conosceva questo carattere penitenziale, ma l'assunse dalla tradizione gallicana."

Vigilie ed ottave in Avvento: „Le omelie", annota Jungmann, „sono di stile troppo patetico e povere di contenuto." E conclude: „Vigilie e ottave in Avvento siano escluse."

E' conveniente a Natale sostituire o abolire l'ultimo vangelo della 3° Messa? Jungmann risponde: „Sostituire, finchè si rinuncerà all'ultimo vangelo del tutto."

Al 1° gennaio annota: „Nell'ufficio e nella Messa non si dovrebbe passare sotto silenzio il fatto che questo giorno è anche capo d'anno, secondo il principio che 'gratia non destruit naturam, sed . . . nobilitat' "!

Occorre ripristinare in quaresima gli antichi prefazi? „Sì", risponde Jungmann, „ma scegliendo bene, perchè la maggior parte ha un tema poco attuale: il digiuno soltanto."

Al Giovedì santo conviene introdurre per tutti i sacerdoti la celebrazione privata? „No", risponde, „sarebbe una concessione tardiva all'individualismo."

Conviene abolire l'ottava di Pentecoste? „Sì", risponde Jungmann. „Se si volessero conservare, come alcuni vogliono, i due giorni seguenti con rito festivo pentecostale, si dovrebbe porre attenzione al carattere non pentecostale del vangelo di quei giorni" [nel vecchio Messale].

„Una difficoltà: dopo Pentecoste seguirà una settimana vuota, e soltanto dopo dieci giorni la festa del Corpus Domini coll'ottava e la festa del Cuore di Gesù, le quali, secondo l'idea originale, dovrebbe seguire subito dopo finito il ,tempus paschale' in senso stretto, perchè vi si riassumono temi principali della settimana santa: del Giovedì santo, in forma festiva, nel Corpus Domini; del Venerdì santo, mirandolo dal punto di vista dei motivi interni, nella festa del Cuore di Gesù."

Sulla domenica Jungmann osserva „Per accentuare l'idea fondamentale della domenica sarebbe molto necessario riprendere qualche prefazio domenicale, che esprima il ringraziamento dell' opus redemptionis, in luogo del prefazio della SS. Trinità, che è piuttosto una confessione della fede molto speciale."

Durata del giorno liturgico: „Si dovrebbe aver riguardo alla realtà della vita economica, che la domenica comincia nel pomeriggio del sabato („week end"), cioè anche la domenica dovrebbe avere i primi vespri."

Conviene mantenere, sopprimere o ridurre le vigilie? „Sopprimere", risponde Jungmann, „o almeno avere riguardo che il concetto di vigilia è cambiato del tutto: cioè come preparazione delle feste solenni. Ma poichè non si può pensare di ristabilire il digiuno, l'idea di questa preparazione è molto povera. Una ,vigilia' di Pasqua sarà superflua una volta restaurata la vigilia genuina."

Per il Santorale, scrive Jungmann, si dovrebbe ritornare al principio dell'antichità cristiana, che „il culto dei santi in linea di principio è cosa locale. Perciò diminuire di molto il catalogo dei santi nel calendario della Chiesa universale,

ma concedere una evoluzione larga nel calendario delle singole province e nazioni."
E' il principio attuato poi dalla riforma.
Per la S. Croce. „Forse sarebbe possibile conservare tutte e due le feste (3 maggio,
14 sett.), perchè sono assai popolari di una popolarità certamente sana." Quanta
finezza psicologica e pastorale!
Sul mattutino di 9 salmi. „Sembra una soluzione possibile e buona. Ma forse
sarebbe bene estendere la forma di Pasqua (3 salmi) a tutte le domeniche, giorno
di lavoro nelle parrocchie."
Attuazione della riforma: „Prima della promulgazione ufficiale", annota Jungmann, „ci dovrebbe essere anche una fase di uso del nuovo rito ,ad experimentum'
concesso a certi centri idonei, consapevoli della loro responsabilità, per evitare
lamenti tardivi ed inutili." Principio estremamente saggio, adottato poi per tutti i
riti della riforma „Paolina".
La Congregazione dei Riti espresse la sua riconoscenza al P. Jungmann il 23
gennaio 1950 chiedendogli un ulteriore contributo scientifico „Attesa la sua particolare competenza sulla liturgia della Messa, gli scriveva il Card. Micara, Le
sarei grato se Ella volesse prospettare liberamente quelli che secondo Lei sarebbero
i punti più importanti che si dovrebbero tener presenti nella riforma del Messale."
Non risulta che la proposta abbia avuto un seguito. Di fatti, la Commissione
accantonò per il momento la riforma della Messa. Il 1950 passò quasi inattivo
perchè non si fecero che tre riunioni. L'anno santo occupò tutto e tutti. Gli anni
seguenti dal 1951 al 1959 tutte le adunanze furono dedicate alla riforma della
settimana santa, alla grande Istruzione sulla Musica sacra e la liturgia del 3 sett.
1958, al Codex rubricarum. Tutti lavori impegnativi, intercalati da una colluvie di
altri lavori di minor mole, ma non di minore importanza.
Infine, nel 1959, venne il Concilio.
P. Jungmann fu nominato membro della Commissione preparatoria per la liturgia
e partecipò a tutte le riunioni per la redazione della Costituzione liturgica, in
particolare per il capitolo sulla Messa.
All'inizio del 1964, fu istituito il „Consilium ad exsequendam Constitutionem de
sacra Liturgia".
Il 20 marzo gli scrissi pregandolo di accettare di farne parte in qualità di Consul-
tore. „Accepi epistolam tuam satis gravem, mi rispose il 29 marzo, et patet me
promptum esse ad contribuendum et collaborandum, quantum potero." E termina-
va salutando „cum alleluia gaudioso". Fu assegnato al Coetus X, il glorioso coetus
X, incaricato, sotto la guida di Mons. Johannes Wagner, della riforma della
Messa. La presenza del P. Jungmann era garanzia di serietà e di equilibrio. Era
nota anche la deferenza e devozione del Relatore verso il Maestro. Alle riunioni
del gruppo, che si tennero in vari luoghi, partecipò regolarmente. In genere fu
presente anche alle adunanze generali del „Consilium", che si tennero al Palazzo
di S. Marta in Vaticano per l'esame di tutti gli schemi della riforma, almeno due
volte all'anno. Il nostro archivio, prezioso quant'altri mai, conserva gelosamente
le annotazioni del P. Jungmann a tutti gli schemi, che gli venivano mandati, anche
quando era impedito di partecipare di persona alle Sessioni.
Col 1967 la partecipazione cominciò a diradarsi: sentiva un certo disagio fisico.
Ma il suo pensiero giungeva egualmente attraverso i suoi „voti". Mi piace riferire
quello relativo alla seconda prece eucaristica: „Per D. Wagner comperi doxologiam finalem hic ita sonare: ,per quem tibi gloria et virtus cum Spiritu Sancto in
sancta Ecclesia . . .'

Talis formula impossibilis, ne dicam heterodoxa est: Per Christum gloria offertur Patri et Spiritui Sancto. Ergo Filius non participat eundem honorem? Ergo Arium sequemur? Certe nemo episcoporum catholicorum saeculi IV. talem doxologiam admisisset. Illam utique exhibet P. Botte in sua editione Traditionis Apostolicae s. Hippolyti (Münster 1963. p. 17): ,par qui à toi gloire et honneur avec le Saint-Esprit dans la sainte Eglise . . .' Sed falso ita ponitur, et quidem non tantum theologice, sed etiam secundum principia artis criticae litterariae, quia testes eam non exhibent. P. Botte videtur timuisse duplicitatem nominis Filii in formula Hippolytana a testibus tradita: ,Chr., per quem tibi gloria et honor Patri et Filio cum Sancto Spiritu in sancta Ecclesia tua . . .' Sed minime habetur duplicatio, quia glorificatio dirigitur per Christum hominem et mediatorem ad Deum Trinum — eodem modo quo nos a mille annis quotidie in Missa dicimus: ,Suscipe, s. Trinitas . . . Per Christum D. N.', ,Placeat tibi, s. Trinitas . . . Per Christum D. N.'

Ceterum ego hanc contra P. Botte criticam iam publice protuli in articulo ,Die Doxologien in der Kirchenordnung Hippolyts: Zeitschrift f. kathol. Theologie 86 (1964), 321—326, innixus in iis quae iam dudum (1925) exposueram in libro ,Die Stellung Christi im liturgischen Gebet' (²Münster 1962) p. 125—169.

P. Botte meam criticam iam notavit in suo ,Bulletin' (1965/66) neque contradixit neque suam sententiam defendit. Imo cum in Sessione Coetus X ad Nemi (mense martii 1967), illa doxologia corrupta apparente, ego contradixerim, omnibus consentientibus, ni fallor, correcta est.

Ergo formula aut secundum textum genuinum s. Hippolyti corrigenda est, aut — quod mihi videretur magis commendari — per doxologiam Romanam usualem supplenda est: ,Per ipsum et cum ipso . . .' "

Nella stessa lettera, che accompagnava le annotazioni precedenti, P. Jungmann mi chiedeva di alleggerire la sua responsabilità in seno al „Consilium": „Cum post reorganisationem ,Consilii' exstet institutum ,Consiliarii' praeter institutum ,Consultoris' Consilii, re bene deliberata velim te rogare, ut nunc in statum Consiliarii transferar. Ratio per se iam sufficiens est difficultas hominis surdastri participandi in conferentiis, quae non sint paucorum tantum virorum. Accedit experientia ultimarum sessionum Coetus X — aucto numero membrorum — ex quibus patefactum est, meam praesentiam disputationes quidem augere, sed fructum vix ullum inde sperari posse. Certe D. Wagner, Relator Coetus nostri, quae dixi, confirmabit."

Gli risposi il 22 settembre in modo evasivo, ma tale che trasparisse il nostro affetto e la nostra stima: „Lei è liberissimo di venire o no alle adunanze; ma permetta che Le invii ogni cosa, in modo che leggendo gli schemi Ella possa inviarci le Sue osservazioni. Ciò per noi è utilissimo e caro; per Lei può essere dilettevole seguire i lavori di tutti i suoi alunni: perchè tutto il mondo liturgico oggi è in qualche modo ,alunno' del P. Jungmann. Sarà, dunque, un Perito ad honorem, ma lasci che il nostro affetto e la nostra riconoscenza si manifestino anche in questo modo, nel ritenerLa cioè membro della nostra famiglia fino al termine dei nostri lavori."

Strana coincidenza! è dello stesso giorno una lettera, con la quale P. Jungmann criticava due risposte date da „Notitiae" nel fasc. 31-33 del 1967. Non è il caso di soffermarvici, perchè ambedue i rilievi mostrano punti di vista, che nella riforma non ebbero seguito. In cambiamenti di portata così enorme, c'è da meravigliarsi che il passaggio della scavatrice, che affonda nel suolo il vomere . . . crei nell'uno o nell'altro perplessità e incertezze? Ma mi è caro riferire la finale della lettera: „Habeas me excusatum de hac animadversione. Nam bene scio non solum quod

‚quandoque bonus dormitat Homerus', sed etiam quod cum tuis cooperatoribus multis obrueris laboribus." Dove non sai se ammirare più la delicatezza d'animo dello scrivente o la semplicità e schiettezza di rapporti, che caratterizzavano la famiglia del „Consilium", e che sono stati sempre alla base della più grande riforma liturgica, che la storia ricordi.

Il 6 aprile 1969, Pasqua di Risurrezione, veniva pubblicato il nuovo Ordo Missae, al quale il P. Jungmann aveva tenacemente lavorato. Ricevuta le copia d'ufficio, ne richiese alcuni esemplari e scrisse: „Vidi novum ORDINEM MISSAE, et vidi cum quodam gaudio (videns aliquos fructus proprii laboris), sed non sine admixtione..." Sospensiva che assieme ad altri accenni sopra riportati rivela la inevitabile „via dolorosa", che deve percorrere ogni verace contributo dello spirito al progresso e al rinnovamento.

Alla fine di quello stesso anno P. Jungmann compì 80 anni.

La ricorrenza fu notificata al Sommo Pontefice che fece avere al festeggiato una bella pergamena gratulatoria con la Benedizione apostolica. Anche il Presidente del Consilium, Card. Benno Gut, inviò una affettuosa lettera. P. Jungmann rispose il 17 novembre: „Con grande gioia ho ricevuto le Sue felicitazioni e quelle che — evidentemente — Lei mi ha procurate da Sua Santità stessa. Non potendo scrivere al Sommo Pontefice ne ringrazio Lei di tutto cuore, e forse Lei un giorno ne farà un cenno a Sua Santità. Mi piace che ho potuto contribuire qualche poco alla grande opera..."

Tre anni dopo l'università di Salisburgo conferì al P. Jungmann la laurea honoris causa in teologia. La Congregazione del Culto, che ora aveva preso il posto del „Consilium", non volle passare sotto silenzio l'avvenimento. In quei stessi giorni un gruppo di periti era riunito a Roma per una settimana di studio. A nome di tutti il card. Prefetto della Congregazione, Arturo Tabera, telegrafò al Neo-Dottore: „Liturgiae cultores in Consulta Romae adunati magno gaudio hodie tecum gaudent. Fervide gratulantur cum in te videant coronari omnes impigros operarios instaurationis liturgiae quorum tu exstas gratissimae memoriae magister."

E il P. Jungmann rispose: „Magno cum gaudio accepi telegramma gratulatoria... Consolationi mihi est quod tot annis vitae meae alquantulum contribuere potuerim ad praeparandum opus grande quod nunc a Congregatione pro cultu divino peragi videmus."

Qui termina la presenza viva del P. Jungmann nel cantiere del rinnovamento liturgico. E' stato un fruttuoso dialogo col „magister", il quale con parole brevi, sagge, sicure risponde alle istanze, che ne sollecitano il contributo scientifico.

Il dialogo termina in monologo, breve anch'esso e affettuoso: quello scritto in „Notitiae", fasc. 102, febbraio 1975. Ma è un monologo „in memoriam".

Franz Dander SJ

Josef Andreas Jungmann SJ und die „Verkündigungstheologie"

Im Jahre 1936 hat P. Jungmann als Frucht persönlicher Seelsorgserfahrung und mehr als zwanzigjähriger Reflexion über die religiöse Lage sein Buch „Die Frohbotschaft und unsere Glaubensverkündigung" (Regensburg/Pustet) veröffentlicht. Damit war eine Anregung gegeben, an die sich eine über die Pastoraltheologie hinausgreifende Diskussion anknüpfen sollte. Es gilt daher, gut zu unterscheiden zwischen dem eigentlichen Anliegen Jungmanns und den daraus von anderer Seite gezogenen Folgerungen wissenschaftstheoretischer Art.

Jungmann ging es zunächst nur darum, die eigentliche Verkündigung von der wissenschaftlichen Theologie abzugrenzen und ihre Eigengesetzlichkeit klarzustellen [1]. Die theologische Wissenschaft stellt notwendig primär die Wahrheitsfrage; sie muß daher auf möglichste Klärung der Begriffe bedacht sein, muß unterscheiden, beweisen, Einwände beantworten; sie will zunächst der Erkenntnis dienen. Von dieser Aufgabe unterscheidet sich wesentlich die Aufgabe der Verkündigung, die ganz dem menschlichen Leben zugewandt ist; sie hat dieselbe religiöse Wirklichkeit darzubieten wie die Theologie, aber als Zielgut unseres Heilsverlangens bzw. als Weg dahin; mit anderen Worten als Frohbotschaft. Ihr Zentrum wird darum Christus sein. Diese Forderung der Christozentrik hat Jungmann in seiner Schrift „Christus als Mittelpunkt religiöser Erziehung" (Freiburg 1939, Herder) und auch noch in seinem 1963 erschienenen Buch „Glaubensverkündigung im Lichte der Frohbotschaft" (Innsbruck, Tyrolia) näher erläutert (besonders 18. 67—72). In der Darstellungsweise wird die Verkündigung auf das Anschauliche, Zusammenfassende bedacht sein und sich darum vor allem an der ursprünglichen, schlichten Ausdrucksweise der Heiligen Schrift orientieren.

Das war aber in keiner Weise als Abwertung der wissenschaftlichen Theologie gedacht. Ein gründliches Studium gerade der wissenschaftlichen, auch spekulativen Dogmatik erachtet Jungmann als notwendige Voraussetzung für die rechte Verkündigung; es gibt dem Priester jene „Standfestigkeit", mit der er „seine Botschaft auch im Gewirr der Meinungen würdig vertreten kann", aber auch jene „Anpassungsfähigkeit", Beweglichkeit, geistige Selbständigkeit und Sicherheit, „die es ihm ermöglicht, den ganzen Reichtum der überzeitlichen Wahrheit für die wandelbaren Nöte der Zeit... auszuwerten" und so auf die jeweiligen Fragen der ihm anvertrauten Menschen zu antworten [2]. Eine systematische Ausgestaltung der wissenschaftlichen Theologie ist unentbehrlich für eine fruchtbare Einwirkung der kirchlichen Botschaft auf die gesamte Geisteskultur der jeweiligen Zeit; es wäre aber „ein Mißverständnis, wenn man nun auch die Verkündigung der christlichen Lehre in erster Linie von der wissenschaftlichen Theologie her bestimmen", im Katechismus nur einen gedrängten Auszug aus einer Summa theologica in vergröberter Ausführung an die Gläubigen weitergeben wollte [3].

Von diesem wesentlich *pastoralen Anliegen* ist klar zu unterscheiden die *wissenschaftstheoretische Frage*, ob es also neben der herkömmlichen, in erster Linie um das verum bemühten wissenschaftlichen Theologie noch eine andere, *eigenständige*, *kerygmatische Theologie* geben solle, die das verum revelatum primär als bonum salutare darzustellen habe. Wie diese Anregung (im Bereich der Innsbrucker Theologischen Fakultät) gemeint war und begründet wurde, ist zu ersehen aus den Veröffentlichungen von *Franz Lakner SJ*, Das Zentralobjekt der Theologie: ZKTh 62 (1938) 1—36; ders., Theorie einer Verkündigungstheologie: Theologie der Zeit 3 (Wien 1939) 1—61; J. B. Lotz SJ, Wissenschaft und Verkündigung: ZKTh 62 (1938) 465—501; *Hugo Rahner*, Eine Theologie der Verkündigung (Freiburg ²1939, Herder).

Diese Forderung ist nun in der Folgezeit im allgemeinen „mit gutem Grund" abgelehnt worden, wie Jungmann selber zugibt [4]. Mit Recht verlangt man, daß die e i n e wissenschaftliche Theologie (namentlich in ihrer systematischen Darbietung in Handbüchern der Dogmatik) die geoffenbarte Wahrheit gerade auch als Heilswahrheit aufzeigen, also wahrhaft „Heilstheologie" sein soll; eine Aufgabe, der die herkömmliche Schultheologie (jedenfalls der dreißiger Jahre) nicht genügend gerecht wurde [5]. Darüber hinaus stellt aber das bleibende pastorale Anliegen einer offenbarungsgemäßen und wirksamen Verkündigung die theologische Wissenschaft vor Einzelaufgaben der historischen Forschung, wie sie Jungmann im Anhang seiner Katechetik (²1955) andeutet: Untersuchungen über Gesetze und Wandel der religiösen Sprache im Zusammenhang mit der sich wandelnden Kultur; über die jeweils in den Vordergrund gerückten Hauptthemen christlicher Verkündigung; über die Abwandlung solcher Themen im Lauf der Kirchengeschichte, z. B. Kreuz, Ostern, Eucharistie, Kirche ... (313—315).

Das *bleibende Grundanliegen* einer „Heilstheologie" ist schließlich auch eingegangen in die Bestimmungen des *Vaticanum II* für die Ausbildung der Priester. Die verschiedenen theologischen Disziplinen „sollen harmonisch darauf hinstreben, den Alumnen immer tiefer das Mysterium Christi zu erschließen, das die ganze Geschichte der Menschheit durchzieht, sich ständig der Kirche mitteilt und im priesterlichen Dienst in besonderer Weise wirksam wird." Darum soll schon am Anfang der Ausbildung in einem Einführungskurs „das Heilsmysterium so dargelegt werden, daß die Alumnen den Sinn, den Aufbau und das pastorale Ziel der kirchlichen Studien klar sehen; daß ihnen zugleich geholfen werde, ihr ganzes persönliches Leben auf den Glauben zu gründen und mit ihm zu durchdringen; daß sie endlich in der persönlichen und frohen Hingabe an ihren Beruf gefestigt werden." [6] Insbesondere sollte das Studium der Dogmatik den künftigen Priester befähigen, „die Lösung der menschlichen Probleme im Lichte der Offenbarung zu suchen, ihre ewige Wahrheit auf die wandelbare Welt menschlicher Dinge anzuwenden und sie in angepaßter Weise den Menschen unserer Zeit mitzuteilen." [7]

In diesem Zusammenhang sei hingewiesen auf den wertvollen Beitrag von *Joseph Ratzinger* zur Klärung und Vertiefung des Begriffes „Christozentrik": Bei aller Notwendigkeit, die Menschheit Christi voll und ganz ernst zu nehmen, bleibt doch seine Gottheit das letztlich Entscheidende, das durch keine Form eines (vom jeweiligen Zeitgeschmack bestimmten) „Jesuanismus" verdunkelt werden darf [8]. Ebenso ist aber auch zu beachten: Christliche Verkündigung ist nicht Darstellung eines metaphysischen Systems, sondern „Einübung in die christliche Wirklichkeit, deren Kristallisationspunkt die Eucharistiefeier ist" [9]. Auf dem Weg zu solcher Verkündigung bleiben zwei sehr schwierige Übersetzungsvorgänge notwendig: Zunächst hat die Theologie in wissenschaftlicher Reflexion die in den klassischen Glaubensformeln der Vorzeit eigentlich gemeinte Sache vom Damals ins Heute zu übersetzen. Die so erfaßte und wissenschaftlich formulierte Heilswahrheit muß dann erst noch in einem weiteren, selbständigen Schritt in die Sprache der Verkündigung übersetzt werden, die noch keineswegs gegeben ist mit einer bloßen Vereinfachung der wissenschaftlichen Aussagen und ihrer Sprache. Insofern wird nach Ratzinger das Problem der Verkündigungstheologie, das zwischen den beiden Weltkriegen diskutiert wurde, von neuem dringlich [10].

1 *J. A. Jungmann SJ*, Katechetik. Wien ²1955, 310.

2 *J. A. Jungmann SJ*, Die Frohbotschaft und unsere Glaubensverkündigung. Regensburg 1936, 58 f.

3 Ebd., 54—58.

4 *J. A. Jungmann SJ*, Glaubensverkündigung im Lichte der Frohbotschaft. Innsbruck 1963, 61.

5 *M. Schmaus*, Katholische Dogmatik II. München ²1941, Vorwort; *ders.*, ebd., I. ⁶1960, 31—33. 55—57; *K. Rahner SJ*, Kerygmatische Theologie: LThK² VI (1961) 126.

6 Vat. II. OT 14; vgl. dazu SC 16.

7 Vat. II. OT 16.

8 *J. Ratzinger*, Dogma und Verkündigung. München 1973, 44—46.

9 Ebd., 51—56.

10 Ebd., 83.

George Delcuve SJ

Rendre à la catéchèse son dynamisme en la recentrant sur la personne de Jesus-Christ

Par manière d'introduction

Le train qui m'amenait à Innsbruck ce matin d'hiver arrivait avant l'aube. Aucun problème : j'attendrai, à la gare, l'heure convenable pour me rendre Sillgasse 6. Quelle ne fut pas ma surprise, à ma descente du train, de me trouver face à face avec le P. Jungmann ! Constatant mon ètonnement, il me dit simplement : « Mais cela va de soi! Je m'étais dit qu'il ne serait pas commode, à cette heure, de trouver le chemin et de pénétrer chez nous. Alors... je suis venu vous attendre ».

Si je rapporte ce fait, c'est qu'il est significatif d'un trait de la physionomie du P. Jungmann : cette simplicité qui contribua tant au charme de ses relations avec ses collègues, confrères et amis, trait cohérent d'ailleurs avec d'autres aspects de sa personnalité attachante : don de l'amitié, intérêt porté aux initiatives d'autrui, art de discerner les talents dont il encouragerait le développement, labeur poursuivi inlassablement en dépit d'une santé précaire, savoir étendu et précis qu'il partageait avec modestie, prédication silencieuse des Béatitudes, piété basée sur une foi profonde qui, précisément pour cette raison peut-être, éveillait des résonances dans l'âme populaire. Le P. Jungmann a été et demeure pour nous l'auteur de « Die Frohbotschaft » et de « Missarum Sollemnia ».

C'est dans un sentiment de profonde gratitude que j'évoque ici son souvenir. En 1945, le Centre International de la Formation Religieuse envisageait le lancement d'une revue internationale, sorte de « carrefour » où des catéchètes de divers pays se rencontreraient et présenteraient initiatives et réflexions. Le projet fut soumis au P. Jungmann. Il ne se borna pas à l'encourager ; il en facilita la réalisation. Il envoya, pour le premier numéro de « Lumen Vitae », un article intitulé « Katechetische Fragen im deutschen Sprachgebiet » [1]. Dans la suite, il traita quelques thèmes centraux [2]. Plusieurs années, il assista même de ses conseils et suggestions le comité de rédaction et l'orienta vers des collaborateurs — le P. Hofinger notamment — dont il avait apprécié les talents au temps où ils étudiaient sous sa direction.

En 1957, le Centre Lumen Vitae organise une « Année Catéchétique Internationale », début de l'Institut qui se structura dès l'année suivante. Au programme figurait la visite de divers Instituts et Centres de catéchèse et de pastorale. Celle de l'Institut dirigé, à Innsbruck, par le P. Jungmann fut particulièrement instructive. D'une part, le P. Jungmann mit en lumière les objectifs du renouveau catéchétique, pour lequel il continuait de militer ; d'autre part, sous sa conduite, la visite de la bibliothèque — où l'on peut consulter notamment une collection patiemment constituée de manuels de catéchisme — fournit une information complémentaire sur les instruments d'une recherche historique méthodiquement menée et permit d'apprécier un des résultats généraux des travaux réalisés à l'Institut : sur la base des leçons du passé, contribuer à une orientation nouvelle en pastorale, spécialement en liturgie et en catéchèse.

On touche là une raison de l'étonnante fécondité de la carrière du P. Jungmann. Que son labeur scruta le passé lointain de la tradition chrétienne, ou que sa réflexion procéda d'une expérience pastorale délibérément entretenue, il visait — au-delà du progrès de la science — à dégager la tradition vivante recouverte par des apports superficiels et à lui permettre ainsi d'exercer à nouveau tout son dynamisme pour le bénéfice du peuple chrétien.

Cette appréciation d'ensemble, je voudrais l'illustrer par un cas particulier : le service que le P. Jungmann a rendu à la catéchèse contemporaine en recentrant le message chrétien sur la personne de Jésus-Christ, lui rendant le caractère « évangélique » (Bonne Nouvelle) et dynamique, qu'avait oblitéré la présentation des « catéchismes — extraits de théologie », présentation abstraite et souvent marquée par des controverses anciennes.

Situation pastorale et ambiance générale de notre époque

Si, par le retour aux sources, le P. Jungmann rejoignait, à travers des périodes moins pénétrées de vitalité chrétienne, le jaillissement de la tradition, son regard de pasteur discernait et appréciait aussi avec mesure les faiblesses et les besoins de son temps.

L'ignorance religieuse paraît un fait indiscutable. Le P. Jungmann n'hésitait pourtant pas à le discuter, pour mieux cerner le mal. En 1950, il écrivait : « Ce que nous regrettons n'est pas, à vrai dire, l'ignorance des points principaux de la doctrine chrétienne. » [3] Et il faisait part des constatations qui fondaient ce jugement. Un diagnostic plus précis s'avérait indispensable, si on voulait préconiser un remède en connaissance de cause. Son observation aboutissait au suivant :

« Ce qui manque aux fidèles, c'est le sens de l'unité, une vue d'ensemble, une certaine compréhension du merveilleux message de la grâce divine. De la doctrine chrétienne, ils retiennent seulement une énumération de dogmes et de préceptes moraux, de menaces et de promesses, d'usages et de rites, de tâches et de devoirs, imposés aux malheureux catholiques, tandis que le non-catholique jouit de la liberté. Ils gardent une répugnance à croire et à agir selon leurs croyances, aversion qui, dans une atmosphère d'incrédulité et de matérialisme, conduit bientôt l'individu à la catastrophe. » [4]

Nécessité de percevoir distinctement la fonction propre de la catéchèse

Comment expliquer le contraste que présente le savoir religieux de beaucoup de chrétiens : d'une part, connaissance des principaux points de la doctrine chrétienne ; d'autre part, carence d'un lien qui les assemblerait en un tout organique, attirant, et capable d'animer la vie entière?

Le P. Jungmann y voit la conséquence d'une dépendance excessive de la catéchèse par rapport à la théologie. Veut-on une preuve palpable de cette dépendance exagérée? Feuilletons quelques manuels de catéchisme. Bien sûr, ils n'ont pas l'ampleur des traités de théologie, et pour cause! On a pris soin de laisser tomber tout l'appareil des preuves. Mais, à regarder attentivement ces « extraits », on y reconnaît sans peine la terminologie abstraite et l'énoncé (quelque peu simplifié) des thèses, tout cela dans les structures traditionnelles de la théologie.

Or, on ne peut aboutir à une présentation catéchétique par une pure « simplification » du contenu de la théologie. Une réflexion sur la fonction et la méthode de celle-ci nous en convaincra.

La théologie est une science et « le rôle de la science est de disséquer, d'examiner et de décrire les composants, d'approfondir de plus en plus son objet » [5]. L'analyse occupe forcément une part importante du labeur du théologien. Il en résulte des concepts nouveaux, utiles pour une meilleure compréhension de la vérité. Les associant à bon escient, le théologien vise à présenter la doctrine chrétienne comme un tout. Bien plus, explorant les régions limitrophes de la sagesse humaine, il dissipe toute appréhension de contradiction et propose le mystère comme un don divin, gratuitement offert, en Jésus-Christ, à la contemplation de l'homme. Même s'il n'emporte pas l'adhésion, l'oeuvre ainsi réalisé impose le respect. Néanmoins, il y a lieu de faire, à son sujet, deux remarques. C'est en vue d'édifier un savoir que la théologie tend à « parcourir objectivement et systématiquement tous les points du contenu doctrinal jusqu'aux profondeurs de la sagesse divine » [6]. Notons, en outre, que, dans cette entreprise, elle s'attarde aux vérités menacées par l'hérésie, aux points obscurs, aux problèmes difficiles, au risque de ne pas accorder un développement proportionné à l'essentiel de la doctrine chrétienne, aux événements fondamentaux de notre rédemption. Le résultat d'un tel effort? « C'est un tout logique, une sorte d'enceinte fortifiée, réunie par des lignes sûres aux postes avancés. » [7] — En bref, la théologie scientifique accorde, à l'analyse, une place justifiée par sa mission, mais qui serait démesurée dans une présentation pastorale ; son travail synthétique est inspiré par le souci, prédominant sinon exclusif, du savoir, et contrarié, dans son équilibre, par des préoccupations apologétiques en rapport avec les difficultés suscitées au cours des temps.

Se plaçant ensuite au point de vue de la catéchèse et de la prédication, le P. Jungmann fait des réserves expresses quant au recours à l'analyse, encore qu'il la juge nécessaire dans une certaine mesure, variable selon les circonstances. « Face à l'hérésie, écrit-il, une nette délimitation des frontières s'imposait, même dans l'enseignement populaire. Cela explique pourquoi, depuis la moitié du XVIe siècle, les catéchismes eux-mêmes sont sous le signe de la méthode analytique. Aujourd'hui, où le chrétien n'a plus à faire face à l'hérésie mais au néant, il s'agit d'être sûr de ce qu'on possède, heureux de sa richesse, de saisir le plan d'ensemble du salut et de commencer à y conformer sa vie. » [8]

Le souci de synthèse doit l'emporter sur celui de l'analyse. Cela ne suffit pas ; car il y a « synthèse » et « synthèse ». La synthèse de la science théologique a de quoi séduire catéchètes et prédicateurs. Avec eux, le P. Jungmann y reconnaît un « tout logique ». Toutefois, il s'empresse d'ajouter:

« Pour la prédication le « tout » comporte un autre sens; il s'agit surtout d'embrasser du regard un vaste panorama. Le catholique ne doit pas avoir l'impression d'être obligé d'adhérer à une multitude de points de doctrine particuliers (dont le théologien seul connaît le lien logique). Il doit découvrir du premier regard le plan grandiose de Dieu qui, dans le Christ, veut gracieusement attirer à lui l'humanité. Ce plan doit rendre compréhensible tout le reste — compréhensible, non pas tant comme une argumentation logique plus ou moins convaincante, que comme un ensemble télélogique (non dépourvu en lui-même de cohésion logique). » [9]

On le voit : il s'agit, non pas d'*aboutir* à une *synthèse*, objectif visé par la théologie scientifique, mais de *partir* d'un *« tout »* qui aidera à accueillir, comprendre, garder ensemble les parties ; « tout » que diverses images peuvent seulement évoquer : « un vaste panorama », « un noyau cristallisateur », « une personne ». Car la première rencontre d'une personne peut déjà susciter un intérêt ; par ailleurs, on ne se lasse pas de pénétrer plus avant dans son intimité. Au voisinage d'une personne qui incarne des valeurs, un tout-petit enfant grandit ; néanmoins, devant elle, l'adulte le plus cultivé reste comme devant un mystère attirant et inépuisable.

Ainsi donc, seul un tableau cohérent de la doctrine catholique la fixe facilement dans tous les esprits ; « seule une vue d'ensemble peut devenir, à l'instar d'un principe unique toujours présent, le dynamisme d'une vie... Cette unité de la doctrine ne devient éclatante que si la personne de Jésus-Christ en constitue le centre » [10].

Enseignement christocentrique de toute la religion

Sans négliger une information didactique sur Notre-Seigneur, nous avons surtout en vue ici « une omniprésence du Christ, une irradiation de sa personnalité, éclairant jusqu'au moindre détail de la doctrine, jusqu'aux thèmes de prédication les plus occasionnels » [11].

Aussi, commencerons-nous par offrir une vue d'ensemble suggestive, apte à montrer le dessein de Dieu à l'égard des hommes. Le début de la première épître de saint Jean (I, 3—4) nous donnera le ton : joie dans la perspective de notre union avec les personnes divines et entre nous.

Le meilleur moyen de bien saisir la figure du Christ est de suivre le déroulement de l'histoire du salut, pense le P. Jungmann à la suite de S. Augustin. Nous ne pouvons reparcourir tout cet itinéraire sous sa conduite. Arrêtons-nous du moins à quelques jalons qu'il met en évidence.

La *christologie* ne peut consister en un simple récit de faits : Incarnation, Passion, Résurrection. Elle doit introduire au « mystère du Christ » et manifester la portée rédemptrice de ces faits. Quand il parle de « mystère du Christ », le P. Jungmann pense volontiers à l'hymne d'action de grâce, par laquelle s'ouvre l'épître aux Éphésiens (I, 3—13). Il met en garde contre une piété individualiste. On comprend dès lors sa prédilection pour la parabole du festin des noces. « Les paraboles évangéliques, écrit-il, servent merveilleusement à présenter en des tableaux d'ensemble, le salut qui vient. » [12] Les apôtres ont suivi l'exemple du Maître. Ils « présentaient l'Ancien Testament, comme une préparation au Christ, préparation progressive, mystérieuse, figurative ; le Nouveau Testament comme une vivante réalisation des promesses dans la plénitude des temps ; la vie sacramentelle de l'Église, comme une continuation préludant à l'avènement glorieux de Notre-Seigneur Jésus-Christ... Il importe, ajoute le P. Jungmann, d'aviver chez les fidèles la pensée du Christ-glorieux, du Christ ressuscité, actuellement à la droite du Père, sans toutefois négliger de parler du Christ historique. » [13]

Revenons à l'*Église*. Nous le disions à l'instant : elle doit apparaître le fruit et la continuation de l'œuvre du Christ. Notre-Seigneur Jésus-Christ enseigne par l'Église. Comme Grand Prêtre, il ne cesse de communiquer aux hommes, par les sacrements, la vie de la Sainte Trinité et d'associer les membres de son Corps à son offrande au Père. C'est encore le Christ glorifié qui guide les fidèles quand l'Église promulgue des commandements.

La *vie chrétienne* authentique est la vie du Christ en nous. La morale chrétienne est notre comportement, notre conduite de rachetés, réponse à l'appel du Christ dans la puissance de l'Esprit qu'il nous communique.

Cette explicitation permet d'entrevoir la tâche du catéchiste : non pas simplifier et adapter des traités théologiques, ni se soucier d'intercaler de ci de là des

applications pratiques, mais repenser dans la prière les divers points du message
chrétien en vue de les incorporer à l'ensemble du message chrétien et de les adapter
à sa structure. L'exposé de la doctrine chrétienne retrouvera alors l'accent de la Bonne Nouvelle,
de l'invitation au Royaume de Dieu. Un écho joyeux y répondra dans le cœur des
enfants et surtout des jeunes gens. Nous en avons l'assurance, d'autant plus que,
selon l'heureuse expression du P. Mersch : « ils sont, mais en termes de vie, de
croissance et de grâce, ce qu'il faut leur expliquer en termes de spéculation,
d'explications progressives et de dogmes [14] ».

En 1975, le P. Jungmann continue d'interpeller catéchètes et théologiens

Que le P. Jungmann ait joué un rôle important dans l'évolution de la catéchèse
durant un demi-siècle, c'est obvie. L'histoire de la catéchèse retiendra son nom
comme celui d'un inspirateur : à l'écoute de l'Esprit, il a contribué, d'une façon
décidée et décisive, à l'orientation et à l'animation du mouvement catéchétique.
Son message reste-t-il actuel? Oui, et précisément en ce qui en fait le cœur.
Le monde ne cesse d'évoluer. La sécularisation a progressé. Aujourd'hui, la plu-
part des chrétiens connaissent-ils les points principaux de la doctrine chrétienne ?
On l'avancerait avec moins d'assurance que le P. Jungmann. — Les échecs de la
catéchèse — du moins pour qui est soucieux de résultats durables — s'expliquent-
ils encore par une dépendance excessive de la catéchèse à l'egard de la théologie ?
Plusieurs reprochent à l'évangélisation et à la catéchèse contemporaines de s'en
affranchir au contraire, parfois même de facon désinvolte, et de se laisser mener,
sans discernement, par les sciences humaines, naguère négligées. — Autre point :
le jugement porté par le P. Jungmann sur la fonction de la théologie scientifique
n'est-il pas marqué par des circonstances de temps et de lieu ? — Il y a
matière à échanges.
Mais la thèse fondamentale du P. Jungmann : *compte tenu de la fonction propre
de la catéchèse et de la prédication, il importe de « recentrer » les vérités
chrétiennes sur Jésus-Christ, témoin du Père et sauveur des hommes*, loin d'être
ébranlée, garde toute sa valeur intrinsèque et s'impose avec une urgence accrue.
Le P. Jungmann en avait eu le pressentiment, nous l'avons rappelé.
Notre époque, il est vrai, est tournée vers l'homme. Le souci de l'homme n'accapa-
re-t-il pas l'attention de nos contemporains au point qu'elle ne soit plus disponible
pour écouter un message christocentrique, théocentrique ? Le découragement de
beaucoup de catéchistes et de prédicateurs ne s'expliquerait-il pas ainsi ?
Que notre catéchèse, notre pastorale, doive partager la sollicitude de l'homme
moderne pour le présent et l'avenir de l'humanité, Vatican II ne nous a laissé
aucun doute à ce sujet. Relisons « Gaudium et Spes ». La réalisation progressive du
Royaume de Dieu sur terre passe par « le projet humain » (libération intégrale,
communauté universelle), mais elle ne s'y enferme pas. L'enseignement religieux
ne sera pas écouté s'il n'a pas une dimension anthropologique. Disons plus : le
danger n'est pas qu'on pousse trop profondément l'analyse de l'homme, mais bien
qu'on s'arrête en chemin, avant d'atteindre le point où l'homme est « de Dieu ».
Le P. Jungmann continue opportunément de nous interpeller pour que, jusque
dans ces réflexions anthropologiques que la catéchèse doit intégrer, l'orientation
reste décidément christocentrique, théocentrique.

1 Lumen Vitae 1 (1946) 55—70.

2 Le problème du message à transmettre ou le problème kèrygmatique: Lumen Vitae 5 (1950) 271—276. — La place de Jésus — Christ dans la catéchèse et la prédication: ibid. 7 (1952) 573—582. — Normes pour un manuel élémentaire d'Histoire Sainte: ibid. 10 (1955) 130—136. — Liturgie et histoire du salut: ibid. 10 (1955) 281—288. — Le nouveau catéchisme allemand. Une présentation modèle du message du salut: ibid. 10 (1955) 605—614.

3 Le problème du message à transmettre ou le problème kèrygmatique: Lumen Vitae 5 (1950) 271.

4 Ibid. 272.

5 Ibidem.

6 Ibid. 274.

7 Ibidem.

8 Ibid. 273—274.

9 Ibid. 274.

10 La place de Jésus-Christ dans la catéchèse et la prédication: Lumen Vitae 7 (1952) 576.

11 Ibid. 573.

12 Ibid. 580.

13 Ibid. 582.

14 Le professeur de religion. Sa vie intérieure et son enseignement: Lumen Vitae 13 (1958) 28.

Otto Dietz

Pater oecumenicus

Im Chor derer, die in diesem Gedächtnisband ihren Dank für das Lebenswerk von Pater Josef Andreas Jungmann SJ zum Ausdruck bringen, darf auch die Stimme eines evangelisch-lutherischen Zeit- und Weggenossen nicht fehlen; nicht nur, weil P. Jungmanns Forschen und Schaffen auch die wissenschaftliche und praktische Liturgie der reformatorischen Kirchen nachhaltig befruchtete, sondern auch weil seine Persönlichkeit von einer wahrhaft ökumenischen Geisteshaltung geprägt war.

Bekanntlich wurde die Evangelische Kirche in Deutschland bei ihrem Kampf um ihr Bekenntnis im nationalsozialistischen Staat zu einer theologischen Neubesinnung auf ihre Fundamente und zu einer Erneuerung ihres gottesdienstlichen Lebens geführt. Dabei wurde dem deutschen Luthertum in den 30er und 40er Jahren ein neues Gottesdienstverständnis geschenkt. In bewußter Abkehr von der bis dahin meist nur ästhetischen, historischen und psychologischen Bewertung der Liturgie wurde der Vollzug des Gottesdienstes als das Gefäß eines realen Geschehens und der Realpräsenz Christi neu erfaßt. Daß man dabei jene Ordnungen studierte, die einmal den Gottesdienst der ganzen, noch unzerspaltenen Kirche geformt haben, war selbstverständlich. Sie rückten die Feier des seit der Aufklärung unter „Protestanten" weithin in den Winkel verdrängten Altarsakramentes neu ins Blickfeld der evangelischen Gemeinden und die von der Lutherischen Liturgischen Konferenz Deutschlands in den Jahren 1948 bis 1953 erarbeitete „Agende für Lutherische Kirchen und Gemeinden" stellte die „Evangelische Messe" an die Spitze der von ihr angebotenen Gottesdienstordnungen.

Die liturgiewissenschaftliche Begründung und pastorale Bereitstellung dieser Ordnungen ist ohne die Arbeiten Pater J. A. Jungmanns gar nicht zu denken. Sein „Missarum Sollemnia" wurde schon beim ersten Erscheinen (1948) auch für die Liturgieforschung der lutherischen Kirche „das maßgebende Standardwerk" [1] und das ist sie bis heute im Rahmen der gesamten „Praktischen Theologie" an unseren theologischen Fakultäten geblieben. „Kein Werk wird bei uns so oft zitiert. Es ist zum unentbehrlichen Hilfsmittel geworden, weil es den heutigen Stand der Forschung mit umfassender Sachkenntnis wiedergibt" [2].

Wir lutherischen „Liturgiker" zehrten (im wahrsten Sinne des Wortes) — und wir tun es noch immer — auch von den anderen Büchern P. Jungmanns sowie von seinen zahlreichen Zeitschriftartikeln und Kompendiumsbeiträgen. In deren stattlicher Zahl gilt das in besonderer Weise von den Publikationen „Der Gottesdienst der Kirche" (1955), „Das Eucharistische Hochgebet" (1959), von dem Aufsatz über „Die Eucharistie als Mitte unserer Frömmigkeit" [3] und nicht zuletzt von seinem „nachkonziliaren Durchblick durch Missarum Sollemnia" unter dem Titel „Messe im Gottesvolk" (1970), dem letzten Zeugnis seiner von profunder Weisheit und von einem ebenso tief gegründeten Glauben erfüllten Persönlichkeit.

Diese beiden Wesenszüge ließen ihn auch stets offen bleiben für das Walten des Heiligen Geistes in der Kirche der Gegenwart. Darum war er auch in den Augen der zum II. Vatikanum eingeladenen evangelischen Konzilsbeobachter der für die Aufstellung und Durchführung der Grundsätze der „Liturgischen Konstitution" innerlich berufene und von allen hochgeschätzte Sachverständige.

Wie freuten wir uns, daß es seinen schon vorkonziliaren und in der liturgischen Erneuerungsbewegung seiner Kirche angestellten Bemühungen gelang, die Volkssprache im Gottesdienst und die aktive Beteiligung der Gemeinde an der Eucharistie durchzusetzen! Gerade diese beiden Anliegen gehörten ja zu den Desideria der reformatorischen Kirchen. Im Zusammenhang mit diesen Feststellungen sei nun in diesem Gedächtnisband freudig und dankbar bezeugt, daß das Lebenswerk Pater Jungmanns die Mauern, die vordem unsere Kirchen in der gottesdienstlichen Praxis voneinander trennten, an wesentlichen Punkten bahnbrechend abgetragen hat. In „Missarum Sollemnia" zitierte der Heimgegangene das Wort Gregors I: „In una fide nil officit Ecclesiae consuetudo diversa." Nach diesen Worten hat der „Pater oecumenicus" gedacht und gehandelt. Er empfand ebenso wie wir die Kirchenspaltung als das große Skandalon der Christenheit. Er wurde nicht müde, für die Überwindung dieser Spaltung zu beten und als ein wahrer „Pontifex" Brücken zu schlagen. In einem der mir seit 15 Jahren zu jedem Jahreswechsel mit seiner schönen und wie „gestochenen" Handschrift geschriebenen Briefe (27. 12. 1960) schrieb er: „Möge im neuen Jahr die Einheit wachsen im Zeichen dessen, der das eine Haupt der erlösten Menschheit ist!" Und etwas später (5. 1. 1964) kam folgender Gruß: „Heute, während an der Wiege des Christentums Paul VI. und Athenagoras zusammen sind, ist wohl die Stunde geeignet, Ihren freundlichen Weihnachtsgruß zu erwidern. Gestern schrieb mir ein orthodoxer Professor der Theologie: ‚Le spectacle se meut.' Gebe Gott, daß das Wehen des Hl. Geistes nochmals zum Pfingststurm wird! Wir können nur uns dafür bereit machen."

Den Mitgliedern der „Arbeitsgemeinschaft für gemeinsame liturgische Texte", die von der Bischofskonferenz der röm.-kath. Kirche und vom „Rat der Evangelischen Kirche in Deutschland" mit der Erarbeitung gemeinsamer Texte für das Vaterunser, die beiden Credos und andere liturgische Stücke beauftragt war, wird es unvergeßlich bleiben, mit welch geistiger Frische sich der damals schon betagte Berater an unserer Arbeit beteiligt hat. Bei den Bemühungen um eine für alle christlichen Kirchen des deutschen Sprachraumes tragbare Übersetzung der Worte „catholica ecclesia" im 3. Glaubensartikel schlug er vor: „Kirche für alle" oder „Kirche, gestiftet für die Welt" oder „Kirche der Fülle". Leider fanden diese trefflichen Vorschläge nicht die notwendige Zustimmung der Mehrheit. Auch er war tief bedrückt darüber, daß sich die Konfessionen an dieser einzigen Stelle ihres gemeinsamen Credos nicht (noch nicht?) auf einen gemeinsamen deutschen Wortlaut einigen konnten.

Den Konflikt zwischen Wahrheit und Liebe hat der im Grunde seines Herzens geradezu ökumenisch geprägte Gelehrte beispielhaft durchlitten, indem er beides nicht voneinander trennte, aber niemals veritatis causa die caritas zu kurz kommen ließ. Von dieser caritas seines zuhörfähigen, hingabefreudigen und in aller Bescheidenheit so ausstrahlungsreichen Wesens fühlte man sich auch bei jedem Besuch in seiner „Zelle" im Jesuitenkolleg Innsbruck in der Sillgasse oder auch in seinem Arbeits- und Schlafraum im Canisianum in der Tschurtschenthalerstraße herzwarm umfangen. Ihn an seinem Schreibtisch arbeiten zu sehen, war beglückend. Und jedesmal schied man nicht nur innerlich bereichert von ihm; oft beschenkte er den Besucher auch mit einem schnell aus seinem Regal gezogenen und noch nicht bekannten, eigenen Beitrag zu dem gerade besprochenen theologischen, liturgischen oder seelsorgerlichen Problem.

Meist kreisen diese persönlichen Gespräche in Innsbruck um den Vollzug der Eucharistie in unseren Kirchen. Eine in diesem Zusammenhang einmal von Pater Jungmann gemachte Äußerung wird mir wegen ihrer zentralen Bedeutung für die Gestaltung des Meßgottesdienstes in der trotz aller Unterschiede eben doch *einen* Kirche Christi stets im Gedächtnis bleiben: „Lieber Bruder", sagte er „darin sind wir uns einig: Unser Herr hat das heilige Mahl nicht zur Anbetung seiner Realpräsenz in den Elementen, sondern zur Communio cum fidelibus eingesetzt . . ." So hat er oft mit einem einzigen Satz den „Graben" zwischen den Konfessionen überbrückt und das Mysterium der *einen* Kirche des *einen* Herrn strahlenden Blickes bezeugt.

Dieses Strahlen blieb auf dem gütigen, durchgeistigten Angesicht, auch als er schon fast erblindet war. Daß er trotzdem noch in der Stille gearbeitet hat, vollendet das Bild seines Wesens. So steht in seinem Brief vom 5. 1. 1964: „Der Ruhestand, in den Sie eingetreten sind, ist auch mein Anteil — auch im Sinne einer unveränderten Arbeitslast (und Arbeitslust!), die nur im Inhalt etwas gewandelt ist. Auf weite Sicht sind es Nachklänge zum Konzil; dies ist ja ebenso neuer Ausgangspunkt wie es Endpunkt ist."

Seine letzte Arbeit galt der Erstellung eines noch mit der Hand ins Reine geschriebenen Manuskriptes seines „Konzilstagebuches", dessen Veröffentlichung wir uns alle wünschen.

Die evangelisch-lutherischen Kirchen danken dem Pater oecumenicus über das Grab hinaus für alle Förderung, die sie für ihre eigene Arbeit an der Gestaltung des christlichen Gottesdienstes durch das Lebenswerk seiner hoch begnadeten Persönlichkeit empfangen haben. Und sie gedenken seiner in der frohen Gewißheit, daß der Herr seinen treuen Knecht zu sich gerufen hat, um ihn teilhaben zu lassen an der „socia exsultatio der seligen Geister im Himmel" [4].

1 *R. Stählin*, Die Geschichte des christlichen Gottesdienstes von der Urkirche bis zur Gegenwart: Leiturgia I (1954) 5, Anm. 2.

2 *Georg Bell:* Lutherische Monatshefte (1961) 119.

3 Geist und Leben 33 (1960) 184—191.

4 *J. A. Jungmann,* Das Eucharistische Hochgebet. Grundgedanken des Canon Missae (Rothenfelser Reihe 1). Würzburg 1954, 83.

Walter Dürig

Die Einheit von Theologie und Spiritualität im Werk J. A. Jungmanns

Der bekannte Patrologe Bertold Altaner wies in seinen Vorlesungen oft darauf hin, daß bei den großen Theologen der kirchlichen Frühzeit Theologie und Spiritualität eine Einheit gewesen sei. Zur Erläuterung dieser These bevorzugte er die Werke der Kirchenväter Irenäus, Origenes, Athanasius, Ambrosius und Augustinus. Die von Altaner für die Theologen der Väterzeit nachgewiesene Einheit von Theologie und Spiritualität ist bis herauf zu Bonaventura und Thomas von Aquin festzustellen. Dann freilich beginnt eine ständig zunehmende Zweigleisigkeit, die Urs von Balthasar wie folgt kennzeichnet: „So begann sich neben der Dogmatik (der zentralen Wissenschaft von der Auslegung der Offenbarung) eine neue Wissenschaft vom ‚christlichen Leben' aufzutun: herkommend von der mittelalterlichen Mystik und in der Devotio moderna endgültig verselbständigt. Auf diesem Seitenweg finden wir fortan die Heiligen. Zwar wird es auch später noch heilige Kirchenlehrer geben: einen Johannes vom Kreuz, einen Canisius, Bellarmin, Alfons von Liguori. Aber Johannes ist Kirchenlehrer nicht als Dogmatiker, sondern als Mystiker, Canisius — der gewiß kein Dogmatiker war — als Vermittler der Lehre an das einfache Volk, Bellarmin als Kontroversist und Alfons als Moralist. Keiner von ihnen hat die Mitte seiner Lebendigkeit, ich sage nicht: im Dogma, aber in der Dogmatik. Das gilt sogar von Franz von Sales, der als der eigentliche Begründer der ‚spiritualité' dieser zwar einen anerkannten, wenn auch nie wirklich festlegbaren Platz innerhalb der kirchlichen Wissenschaft gesichert hat." [1]
Was Urs von Balthasar mit Recht vor allem von der Dogmatik betont, gilt in der Stufenfolge ihrer Gesamtbedeutung von allen theologischen Disziplinen, so daß auch heute noch von solchen, die fünf bis sechs Jahre hindurch Theologie studiert haben, nicht selten die Klage zu hören ist, sie hätten sich zwar viel Wissen erworben, aber es fehle das geistige Band, die Spiritualität, aus der heraus sie ihr Leben gestalten und meistern könnten. Dieser Vorwurf ist nur zum Teil zu entkräften, denn es ist nicht abzustreiten, daß unsere theologischen Lehrveranstaltungen vielfach des inneren Bandes entbehren, welches die von den einzelnen Fachdisziplinen vorgelegten Bruchstücke zu einer erfaßbaren und lebensträchtigen Einheit zusammenwachsen läßt. Hierin ist einer der Hauptgründe zu sehen, weshalb unsere theologischen Kenntnisse sich so wenig mit dem Kern unserer Person verbinden. Der Abstand zwischen dem, was wir wissen, und dem, was wir sind und leben, ist oft erstaunlich groß. Daß auch die wissenschaftliche Theologie eine ins Leben wirkende Macht sein soll und sein muß, ist uns trotz des allzu häufigen, beziehungslosen und wirkungslosen Nebeneinander von Theologie und spirituellem Leben noch immer nicht genügend zur verbindlichen Kenntnis und verpflichtenden Erfahrung geworden.
Diese kritische Bestandsaufnahme wäre einseitig, wenn wir nicht auch feststellen würden, daß es heute in jeder theologischen Fakultät den oder jenen Fachvertreter gibt, der seine Theologie als Ganzes wieder spirituell sieht, nicht im Sinn einer unorganisch auf die wissenschaftlichen Ergebnisse aufgepfropften „Erbaulichkeit",

sondern so, daß unmittelbar aus der Theologie selbst der lebendige Anspruch der Person des Herrn, seines Werkes und des seiner Kirche anvertrauten Vermächtnisses vernehmbar wird. Die bis in unsere Zeit reichende fatale Trennung von rein wissenschaftlicher Ausbildung an den Fakultäten und von spiritueller Ausbildung im Priesterseminar scheint zunehmend im Abbau begriffen. Es gibt z. B. immer weniger Exegeten, die pointiert die Esoterik ihres Faches darbieten, um dann unbewältigte Probleme ihren Hörern oder Lesern zuzuschieben. Die Exegese ist, zumindest in einigen Vertretern, spiritueller geworden, so daß Hoffnung besteht, das spirituelle Leben werde stärker als bisher aus der Tiefe der exegetisch-theologischen Besinnung erwachsen. Ähnliches ist, um ein anderes, für diese Gedenkschrift besonders relevantes Beispiel herauszugreifen, von der Disziplin der Liturgiewissenschaft zu sagen. Die meisten derzeitigen Fachvertreter begnügen sich nicht mehr damit, die historische Entwicklung der Liturgie zu erforschen und darzulegen, sondern versuchen darüber hinaus, die inneren, spirituellen Zusammenhänge aufzuzeigen, damit dem Hörer oder Leser das gläubige Hineinwachsen in die Liturgie, in der das rettende Paschamysterium gegenwärtig ist, erleichtert wird.

Ein Bahnbrecher für diesen richtigen Weg der Liturgiewissenschaft war J. A. Jungmann. Gewiß hielt er es für nötig, vor seinen Hörern und Lesern in streng wissenschaftlicher Methode eine Fülle von Ergebnissen und Problemen der liturgiehistorischen Forschung auszubreiten. Gewiß war ihm deshalb nichts mehr zuwider, als das nach dem II. Vatikanum so üppig ins Kraut schießende dilettantische Gerede über die Liturgie und das ohne solide liturgiehistorische Kenntnis veranstaltete willkürliche Experimentieren mit den liturgischen Texten und Riten. Obwohl ihm das liturgische Erbe in seiner ganzen Breite Hauptgegenstand lebenslanger, mühsamer und nüchterner Forschungsarbeit war, war ihm die Wissenschaft nicht Selbstzweck. Sie sollte vielmehr der pastoralen Gegenwart dienen und den Gläubigen die Liturgie als Grundvollzug christlichen Lebens nahebringen. Auch in den trockensten Studien Jungmanns klingt immer wieder an, worum es ihm letztlich geht, daß nämlich durch die Mitfeier der Liturgie unser Christentum wieder mehr österliches Christentum werde und unser christliches Leben wieder stärker aus dem Ostergeheimnis gestaltet werde.

Wie ein roter Faden zieht sich durch Jungmanns Werk das Hinterfragen der historischen Gegebenheiten, das Fragen nach den unverrückbaren Wirklichkeiten, die nicht erst durch unsere Phantasie aus der Vergangenheit herangeholt werden müssen, sondern die einfach da sind. „Wir müssen wieder in den Vordergrund rücken, was ist, und das, was gewesen ist, als Hintergrund belassen. Wir dürfen so egoistisch sein, daß wir zunächst nach der Ordnung fragen, in der wir stehen, in die wir unser Tun und Lassen einfügen sollen, die uns sagt, was wir hoffen dürfen oder was wir fürchten müssen." [2] Eine Antwort auf diese, ihn lebenslang beschäftigende Frage suchte Jungmann verständlicherweise in dem theologischen Bereich, in dem er sich meisterlich auskannte, nämlich in der Liturgiegeschichte. Er erforschte in entsagungsreicher Arbeit die Entwicklung des Betens der Kirche und stellte fest, daß gerade die römische Liturgie in der Art ihres Betens in ungebrochener Kontinuität die österliche Überlieferung der Frühkirche bewahrt hat, nicht nur darin, daß — wie in allen Liturgien — das Hauptgebet des Gottesdienstes eine Eucharistie ist und daß der Inhalt der Feier — wie in allen Liturgien — gekennzeichnet wird als ein Gedächtnis des Leidens, der Auferstehung und der Himmelfahrt des Herrn. Noch wichtiger war die Feststellung, daß in der römischen Liturgie jedes Gebet ursprünglich mit einem Aufblick zu dem schloß, der in seiner verklärten Menschheit unser Haupt und Anwalt bei Gott ist: Wir bringen unser Gebet vor Gott durch Christus und dieses „durch Christus" beherrscht vom Anfang bis zum Ende das liturgische Beten das ganze Jahr hindurch.

Die sowohl in den breit angelegten Hauptwerken Jungmanns als auch in zahlreichen Aufsätzen mit einer gewissen eindringlichen Monotonie wiederkehrende, immer mit überzeugendem liturgiehistorischem Material belegte Antwort auf die Frage nach der Ordnung, in der wir stehen und in die wir unser Tun und Lassen einfügen sollen, lautet: Als Christen, d. h. als solche, die in das Christusgeheimnis hineingetauft sind, stehen wir in der Ordnung, die Christus mit seinem Tod begründet und mit seiner Auferstehung besiegelt hat. Wir stehen Gott und seinem Gericht nicht unmittelbar gegenüber, nur auf unsere eigenen Leistungen angewiesen, sondern wir sind eingegliedert in die Gemeinschaft der Kirche, deren Haupt Christus der Herr ist, der Auferstandene, der zur Rechten des Vaters sitzt. Mit ihm haben wir vielfältige Verbindung: Im Glauben schauen wir auf zu ihm, in der Eucharistie läßt er sich zu uns herab und nimmt uns hinein in sein Beten und Opfern. Es ist nicht einerlei, ob wir in der Auferstehung und in der Himmelfahrt nur das vergangene Ereignis sehen, das sich an andere Ereignisse des Lebens Jesu anreiht, das aber genauso wie alle anderen nur ein Geschehnis in ferner Vergangenheit bleibt, oder ob wir dieses österliche Mysterium als Mittelpunkt unseres christlichen Daseins erkennen und uns selber also hineingenommen wissen „in das Reich des geliebten Sohnes" (Kol 1, 13).

Mit seinem mühevollen Durchforschen des liturgischen Erbes wollte Jungmann den Blick freilegen auf den Erlöser, der den Tod überwunden und uns den Weg gebahnt hat ins Licht der göttlichen Gnade und der göttlichen Liebe. Er wollte dem liturgischen Beter damit die Sicherheit vermitteln, daß er nicht umsonst dem Weg des Herrn folgt und wollte ihm Mut machen, sein Leben zu gestalten aus dem Werk des Erlösers und es einzusetzen für das Reich des Gekreuzigten, Auferstandenen und Verherrlichten.

---

1 *H. U. v. Balthasar,* Theologie und Heiligkeit, in: Verbum Caro. Einsiedeln 1960, 201.

2 *J. A. Jungmann,* Liturgisches Erbe und pastorale Gegenwart. Innsbruck 1960, 531.

Leo Eizenhöfer OSB

Erinnerungen eines „adversarius"

In der Einladung zur Mitarbeit an dieser Gedenkschrift ersuchen die Herausgeber wegen der großen Zahl der Aufgeforderten zur Vermeidung von Wiederholungen „vor allem jene Aspekte und Erfahrungen hervorzuheben, von denen Sie annehmen können, daß sie für Sie spezifisch sind und nicht von jedem anderen ebenfalls beigetragen werden können". Darum sollen „wesentliche und möglichst individuelle Aussagen gemacht werden". Zuerst dachte ich, um nicht wichtig zu tun, mich überhaupt einer Äußerung zu enthalten. Da ich aber von 1929 an bis 1974 in oftmaligem und vielfachem Schriftverkehr mit meinem verehrten ehemaligen Lehrer stand und dies gelegentlich auch in seinen Werken zum Ausdruck kommt, würde man mein völliges Schweigen wohl mit Recht als Gleichgültigkeit und Undankbarkeit ansehen. So möchte ich denn in aller Kürze als Beitrag zu P. Jungmanns Charakterbild hauptsächlich darüber berichten, wie vornehm und freundlich er privat und öffentlich seinen gelegentlichen „Adversarius" behandelt hat. Es dürfte ihm ja kaum einer seiner ehemaligen Schüler so zugesetzt haben wie der Schreiber dieses Berichtes. Man möge entschuldigen, wenn dieser Bericht also sehr persönlich ichbezogen ausfällt, es ist vom Thema her nicht zu umgehen. Auf genaue Zitate der zu erwähnenden Schriften kann ich verzichten, man findet in P. Jungmanns „Missarum Sollemnia" einige Hinweise.

Während meines Studiums an der Theologischen Fakultät Innsbruck 1927—1931 habe ich Vorlesungen und Seminarübungen aus der Liturgik bei P. Jungmann mit Unterbrechungen besucht vom Sommersemester 1928 bis zum Sommersemester 1931. Die Absicht (1929), mit einer Arbeit bei P. Jungmann zu promovieren, was er mit Freuden begrüßte und wozu er mir Themata vorschlug, mußte ich alsbald aus Gesundheitsgründen wieder aufgeben. Nicht erspart blieb mir aber unter seinem „sanften Druck" die Ausarbeitung eines Seminarreferates über das Thema „Der Allelujagesang vor dem Evangelium" zu einem Vortrag an der Thomasakademie 1931. P. Jungmann war mir dabei auf jede Weise behilflich und er sorgte auch dafür, daß diese meine Primitiae in den Ephemerides liturgicae 1931 gedruckt wurden. „Auch sonst bin ich zu jeder Hilfe und Auskunft bereit" (17. Okt. 1931). Auf der Dankeskarte für den ihm gewidmeten Sonderdruck schrieb er am 16. März 1932: „Gestern konnte ich endlich meine ‚Lateinischen Bußriten' abschließen, nach zweijähriger Arbeit; das war ein tiefer Atemzug." Dieses 1932 erschienene Buch sollte uns in ein paar Jahren wieder zusammenführen.

Im Herbst 1931 war ich in die Benediktinerabtei Neuburg bei Heidelberg eingetreten. Im Oktober 1933 schickte mich Abt Adalbert von Neipperg an die „Akademie für monastische und liturgische Studien" nach Maria Laach, wo mein Aufenthalt allerdings nach ein paar Monaten jäh abgebrochen wurde. Aber dort gab mir am 26. Jänner 1934 P. Odilo Heiming, nach einem Arbeitsthema befragt, die Anregung zu untersuchen, ob P. Jungmann in dem genannten „Bußbuch" die Oratio super populum der römischen Sakramentare richtig beurteilt habe. Ich mußte im Laufe der Arbeit feststellen, daß das nicht in allem der Fall war. Als ich P. Jungmann davon Mitteilung machte, antwortete er am 8. Mai 1936, daß er gerade an einem „Rückzugsgefecht" gegen andere Kritiker arbeite. Er ermunterte mich in mehreren Briefen von 1936 bis 1938 in uneigennützigster und liebenswürdigster Weise, meine Ergebnisse auszubauen und zu verbessern und mich nicht zu scheuen, sie zu veröffentlichen, auch wenn sie sich nicht ganz mit der Ansicht meines ehemaligen Lehrers deckten. „Jedenfalls bitte ich Sie, daß Sie sich nicht durch eine überzarte Rücksicht auf mich irgendwo hindern lassen, Klarheit zu schaffen, so gut Sie können. Wir wollen doch beide nichts anderes als der Wahrheit dienen und damit dem Reiche Gottes — auch in diesen kleinen Fragen" (4. Juli 1936). Wir stimmten die beiden Aufsätze nach beiderseitigen Verbesserungen aufeinander ab. „Ihre Arbeit hat mir in der neuen Fassung ausgezeichnet gefallen ... Nun ist alles fertig, und mit gleicher Post gehen die beiden Manuskripte friedlich vereint nach Rom" (14. Jänner 1938). Sie erschienen beide, leider nicht zusammenstehend, in den Ephemerides 1938.

Im Jahre 1942 war P. Jungmann so freundlich, mir einen Feltoe, Sacramentarium Leonianum, als Leihgabe zu besorgen, den ich bis zum Erscheinen der neuen römischen Ausgabe 1956 behalten konnte und der mir beste Dienste geleistet hat. Am 25. Oktober 1943 sandte mir P. Jungmann einen Durchschlag des Nobis-quo-que-Kapitels seines im Entstehen begriffenen Werkes „Missarum Sollemnia". „Nun hat wieder Ihre Kritik das Wort. Mein Text ist nicht irreformabel." Immer war er für kritische Bemerkungen, die ja zum Zweck der Verbesserung seines großartigen Werkes gemacht wurden, dankbar; oft betrafen sie nur Kleinigkeiten. Er sandte mir je ein Exemplar der ersten drei Auflagen und auf die Nachträge zur dritten (1952) schrieb er die antithetische Widmung: „Seinem Adversarius mit herzlichem Gruß." Eine Rezension über das Werk meines Lehrers schien mir nicht zuzustehen, aber privat schrieb ich ihm kritische Bemerkungen, die er verwertete, sofern sie ihm einleuchteten oder der Erwähnung wert erschienen. Ein freudiges Wiedersehen gab es genau 20 Jahre nach meinem Abschied aus Innsbruck bei dem Internationalen Studientreffen des Liturgischen Institutes Trier in Maria Laach am 12. Juli 1951. Mit Stolz und Freude führte mich P. Jungmann 3 Jahre später im Juli 1954 durch sein wiedergewonnenes Liturgisches Seminar in Innsbruck.

Als ich einmal zur 4. Auflage von „Missarum Sollemnia" schwereres Geschütz auf-führte und u. a. vertrat, er habe sich oft zu sehr auf die Arbeiten anderer verlas-sen, er überspringe Abgründe mit einem schönen Bild, der römische Meßkanon müsse statt von der Eucharistielehre der Scholastik her „von vorn her" erklärt werden, d. h. von dem Sprachgebrauch und der Theologie und Eucharistielehre der Alten Kirche und jener Väter, die den Kanon formuliert haben, antwortete er am 25. April 1953, vielleicht durch meine allzu große Offenheit etwas verletzt, aber auf einer schönen Miniaturenkarte: „Vielen Dank für Ihre Beiträge. Mit Ihrer Kri-tik bin ich ganz einverstanden und ich hätte nichts dagegen, wenn sie (nebst den wichtigeren Korrekturen) irgendwo gedruckt erschiene. Freilich konnte ich, vom Mittelalter abgesehen, nur aufsammeln, was da ist. Spätere sollen auch noch etwas zu tun haben." Da ich ihm das Manuskript meines Aufsatzes über „Te igitur und Communicantes" zuschickte, schrieb er, obwohl er meine These schließlich doch nicht annahm, am 1. Jänner 1956: „Selbstverständlich bin ich auch ganz einverstan-den und freue mich darüber, daß nach all den Lobsprüchen zuständiger und unzu-ständiger Rezensenten wieder einmal jemand ernstlich an eine der Fragen heran-geht und gründlich in das Dunkel hineinleuchtet, vielleicht sogar es erhellt. Nur so kommt man weiter. Was ich zu leisten gesucht habe, war ja nur eine Bestandsauf-

nahme, meinetwegen eine Momentaufnahme von dem, was nun eben vorhanden war — mit dem nicht gefahrlosen Versuch, da und dort eine Lücke auszufüllen oder eine Schlucht zu überbrücken. Das konnte manchmal auch ein schwanker Steg sein, der späteren Baumeistern Gelegenheit gibt, etwas Besseres hinzusetzen."
Mit der letzten Auflage von Missarum Sollemnia wurden unsere Beziehungen wieder ruhig. Immer schrieb er freundliche und anerkennende private und gedruckte Rezensionen über meine Veröffentlichungen. Noch Ende 1970 äußerte er: „Ich bin natürlich sehr erfreut über die Zustimmung, die meine Arbeiten bei Ihnen gefunden haben; sind Sie doch — glücklicherweise — immer ein kritischer Leser gewesen. Man wird in alten Tagen leicht etwas unsicher, wenn man sieht, daß der große Strom anders läuft." Leider schrieb er nicht, was er mit diesen letzten interessanten Worten konkret meinte.
Den Schluß dieser Erinnerungen an P. Jungmann bilde sein Abschiedsgruß vom 27. November 1974 in unsicherer Schrift als Antwort auf einen Sonderdruck, den ich ihm zum 85. Geburtstag geschickt hatte: „Ich danke Ihnen, daß Sie meiner gedacht haben. Meine Lektüre muß ich aber jetzt auf das Überzeitliche und Wesentliche beschränken. Halbblindheit und -taubheit sind nicht die einzigen Gebrechen meiner 85 Jahre. Doch es ist gut so. Auch bin ich gut betreut. Es grüßt Sie noch einmal auf dieser Welt im Herrn Ihr Jos. A. Jungmann SJ."

Johannes H. Emminghaus

Pia participatio

J. A. Jungmann war nicht Inaugurator der Liturgischen Bewegung, aber er hat ihr zum Durchbruch verholfen. Dieser Durchbruch geschah nun weniger aus der Praxis heraus als vielmehr (und das ist deutlich auszusprechen!) mit den Mitteln der Wissenschaft, hier speziell der Historie. War vorher „liturgische Bewegtheit" eine Sache der Vorliebe einzelner, die man ungestraft milde belächeln konnte und weitgehend belächelt hat, vielfach auch Sache von „Dissenters" — seien sie nun echte Charismatiker oder gelegentlich Aufbegehrende gegen den glatt funktionierenden, innengeleiteten Apparat; der Revoluzzer war damals noch keine kirchliche Figur —, so waren nach Erscheinen von „Missarum Sollemnia" (1948) die Romantizismen plötzlich verifizierbar. Die Nüchternheit von Jungmanns Darlegungen bestach. Und gerade weil der Verfasser ein so redlicher, frommer und kirchentreuer Wissenschaftler jesuitischer Observanz war, waren seine Erkenntnisse um so eindrucksvoller. Es ist bezeichnend, daß Pius Parsch seine „Meßerklärung" (²1934) 1950 in 3. Auflage umschrieb und im Vorwort dankbar Jungmanns Anregungen verwertete, die sich übrigens nicht nur in seinen Schriften, sondern auch in seiner liturgischen Praxis in St. Gertrud/Klosterneuburg niederschlugen.
Jungmann hatte im Grunde gar nichts vom Revolutionär an sich, der ungeduldig an verschlossene Pforten trommelt. Gerade deshalb konnte er aber so eindrücklich zur theologischen und kirchlichen Konsolidierung der liturgischen Praxis beitragen. Nach 1948 war es einfach unmöglich, die nachtridentinische Messe noch als der Weisheit letzten Schluß zu betrachten. Diese Form war plötzlich vor aller Augen völlig relativiert, nachdem die ganze liturgische Entwicklung in seinem Standardwerk „Missarum Sollemnia" so klar ausgebreitet dalag wie eine offene Landschaft, die man vom Berg betrachtet. Die Frage der Reformen ergab sich da zwangsläufig. Ohne es eigentlich und ursprünglich gewollt zu haben, hat Jungmann die Messe Pius' V. entzaubert, „entmythologisiert": Nachdem sein wissenschaftliches Werk vorlag, war es nachgerade eine Frage des theologischen Niveaus, ob man an ihrer spezifischen Form festhalten wollte und konnte. Noch unter den Pius-Päpsten wäre es so etwas wie Blasphemie gewesen, offen auszusprechen, was das Konzil dann später wie selbstverständlich konstatierte, daß es nämlich in der Liturgie „Teile" gibt, „die dem Wandel unterworfen sind; diese Teile können sich im Laufe der Zeit ändern, oder sie müssen es sogar, wenn sich etwas in sie eingeschlichen haben sollte, was der inneren Wesensart der Liturgie weniger entspricht, oder wenn sie sich als weniger geeignet herausgestellt haben" (Liturgie-Konstitution 21). Hätte einer in den 30er Jahren etwa in Seminar oder Vorlesung (ich denke da an meine eigene Studienzeit und manches einschlägige Erlebnis) solche vom Vaticanum II. ausgesprochenen Vorstellungen geäußert, wäre er sicher relegiert worden. Reformen haben aber nun stets mit Rationalität zu tun, mit „Aufklärung", letztlich also mit Wissenschaft. Wenn der oben genannte Artikel 21 nun eine „volle, tätige und gemeinschaftliche Teilnahme" des Kirchenvolkes ermöglicht sehen wollte, lag es nahe, alsbald die modernen Humanwissenschaften zu befragen. Da hat

dann die „bewußte, tätige und volle Teilnahme" (Allgemeine Einleitung des Meßbuchs, 3) sogleich mit Wissenschaft und darin wieder mit der Soziologie zu tun,
mit der Gruppendynamik, der Interkommunikation der Gruppe, mit der Lern-
psychologie („Lernprozeß Gottesdienst") und kognitiver, affektiver und psychoso-
matischer Verhaltensänderung, mit Denkanstößen zu gesellschaftlicher und politi-
scher Systemveränderung bis zum „politischen Nachtgebet".
Wenn der Artikel 40 b der Liturgie-Konstitution von Experimenten zur Findung
der passenden Formen und zur Anpassung an die zeitlichen und örtlichen soziokul-
turellen Verhältnisse anregte, lag es nahe, die Kreativität ganz besonders herauszu-
fordern. Wenn schon Romano Guardini [1] 1939 vom Mahl als tragender Grundgestalt der Messe, hinter der freilich das Opfer als Wirklichkeit, Quelle und Voraussetzung stehe, gesprochen hatte und der Artikel 47 der Liturgie-Konstitution (in
etwa wenigstens) diesen Gedanken aufnahm (vgl. Allgemeine Einleitung zum
Meßbuch, 48), war es kein weiter Weg, diese Mahlgestalt geradezu zu strapazieren,
bis zu Formen der seinerzeit vieldiskutierten holländischen Shalom-Gruppe hin.
Den Erfolg solcher „Aufklärung" kann man vielfach — wissenssoziologisch — geradezu mit einem „Kulturschock" bezeichnen: manchem wurde es schwer oder gar
unmöglich, die Identität im Neuen wiederzuerkennen. Es liegt eben in der Natur
der Sache, daß bei Reformen zunächst die „machbaren" Elemente und das Meßbare
in den Vordergrund rücken. Und sie werden dann gerne „gemacht" von jenen un-
erleuchteten Aktivisten und simplificateurs terribles, die dann die Neuerung leicht
vom Mittel zum Zweck erheben. Wenn es nur ums Bohren geht, bohrt man ein
Brett am besten an der dünnsten Stelle: man ist am ehesten fertig! Es ist aber nur
die Frage, ob die Liturgiereform gerade die dünnsten Stellen für die passenden
Löcher vorfindet. Ich befürchte nach aller Erfahrung: nein.
Es ist nicht zu verkennen, daß Jungmann in seinen Altersjahren vor dieser Entwicklung oft zutiefst erschrocken war. Er ist als Südtiroler keineswegs ängstlich
geworden vor der eigenen Courage. Er ging den Weg des Neuen ganz konsequent
und bewußt mit, wie seine „Messe im Gottesvolk" (Freiburg — Basel — Wien
1970) besonders im letzten Kapitel („Die Messe im Leben der Kirche") deutlich
zeigt. Er kannte und bejahte alle neuen Formen bis zur Messe im kleinen Kreis,
aber er versuchte bewußt, die Gewichte richtiger zu verteilen. Es ging ihm vor
allem darum, die bewußte, tätige, volle und gemeinschaftliche Teilnahme des Gottesvolkes an der Messe zu unterfangen durch die *fromme* Teilnahme, die pia participatio. Es ging ihm vor allem um die liturgische Spiritualität. Davon war die Liturgische Bewegung ja auch ausgegangen. Kleine „religiös-elitäre Gruppen" (ich
weiß, wie unzeitgemäß diese Bezeichnung heute ist; aber wer Volkskirche will, muß
sie wohl auch wollen!), oftmals aus der Jugendbewegung der 20er Jahre, hatten sich
zusammengetan und erlebten Kirche und Gottesdienst neu aus den Texten der Liturgie. Der Ausgangspunkt war ein bewußt frömmigkeitlicher; die Strukturen
einer vollen und gegliedert-gemeinsamen Teilnahme waren recht unvollkommen
erkannt. Ich erinnere mich noch lebhaft an die Zeit um und seit 1930, wie wir als
Gymnasiasten in der Hauskapelle guter Schwestern im Ruhrgebiet allwöchentlich
morgens früh mit dem damaligen Studienrat und späteren, kürzlich verstorbenen
Kardinal Jaeger zusammenkamen, unsere „missa recitata" feierten und die Liturgie
als unseren Selbstausdruck empfanden, so „unliturgisch" in heutigem Verständnis
das alles war. Was nur eben statthaft war, haben wir damals lateinisch im Sprech-
chor mitgebetet, vermutlich sogar einen Teil der priesterlichen Privatgebete bei der
„Opferung". Von einer sachgerechten Rollenverteilung gemeindlichen Gottesdien-

stes wußten wir nur wenig, aber unser religiöses Leben beruhte auf der Liturgie, so wie wir sie verstanden.

Jungmann ging es nun seit der zweiten Hälfte der 60er Jahre besonders darum, die spirituelle Dimension der Meßliturgie tiefer erfaßt zu sehen. Das geschah einmal dadurch, daß er die Opferrealität der Messe deutlicher herausstellte, zum anderen aber dadurch, daß er die Messe wirklich als Quelle, Mitte und Höhepunkt christlicher Frömmigkeit, nicht aber als Allzweckformel des Gottesdienstlichen überhaupt erkannt wissen wollte. Die Messe braucht einen Umraum christlicher Spiritualität und christlichen Lebens, um dann die „Mitte" davon sein zu können, nicht der alleinige und isolierte Ausdruck. Daher drang er auf die Pflege des reichen Erbes außereucharistischer Frömmigkeit, von der die Meßspiritualität dann getragen werden kann.

Guardinis Feststellung von 1939, daß die Messe in ihrer Struktur Mahl- und nicht Opfergestalt habe, ist uns heute (mit einer gewissen Einschränkung) selbstverständlich. Der Herr hinterließ uns zur Feier seines Gedächtnisses eben nicht einen Opferritus, der immer irgendwie mit Zerstörung oder Verbrennung oder Verschüttung von Materie oder Opferblut zu tun hätte, sondern ein Mahl, genauerhin: die Danksagung über reduzierten Mahlgestalten, wobei diese „Eucharistie" aus dem Zusammenhang des Sättigungsmahles herauszulösen war und auch tatsächlich früh herausgelöst worden ist. Opfer der Kirche ist die Messe insofern, als sie sich im Gedächtnis seines Todes hineinbegibt in diese Opferbewegung der gehorsamen Selbsthingabe Christi an den Vater. Wir opfern, indem wir „memores offerimus", wie es der römische Kanon prägnant ausdrückt. Die Mahl-Memoria, das Herrengedächtnis, ist Ort und Moment, in dem die Kirche opfert. Heinz Schürmann spricht daher von einer „irritierten Mahlgestalt" [2] von Anfang an und beruft sich dabei u. a. auch auf Jungmann [3] weil eben die „Eucharistie als Eigengestalt nicht mehr Bestandteil eines Mahlgefüges ist" [4]. Ich habe 1969 unter der II. Session der Wiener Synode ad hoc und aus gegebenem Anlaß einen Artikel [5] geschrieben, in dem ich die (schlechthin behauptete) „Mahlgestalt der Messe" einer etwas kritischeren Prüfung unterzog und den Sachverhalt genauer zu differenzieren versuchte; Jungmann stimmte mir schriftlich lebhaft zu und gratulierte mir, was mich eigentlich beschämte, da der Artikel etwas rasch geschrieben war. Mir kam bei diesem Schriftwechsel aber das Grundanliegen Jungmanns [6] ganz deutlich zum Bewußtsein: Mit dem ungesicherten Sprechen von der „Mahlgestalt" war ihm die Dimension des Opfers, der Kirche wie des einzelnen, zu sehr in den Hintergrund getreten. Er hat sich zu dieser Thematik dann noch ausführlicher und mehrfach geäußert [7], besonders in einem seiner letzten Aufsätze im Liturgischen Jahrbuch [8], wo er im Ritus der Opferbereitung, der ihm bei der Liturgiereform in der pastoralen Einschätzung etwas zu stark in den Hintergrund getreten zu sein schien, den angemessenen Ausdruck für die Symbolik der eigenen Lebenshingabe nicht ausreichend vorfindet. Ihm bleibt „die Überlieferung des Abendlandes unerschüttert, daß das Opfer der Kirche nicht nur im ‚Offerimus' nach der Wandlung zum Ausdruck kommen soll, sondern auch in der Bereitung der Gaben, die nach alter römischer Überlieferung abgeschlossen wird durch die oratio super oblata" [9]. Mit Verweis auf die Liturgiekonstitution (Art. 48) und das Priester-Dekret (Art. 2) schreibt er ferner [10]: „Man hätte darum erwarten können, daß der Gedanke der Selbsthingabe der gläubigen Gemeinde in den neuen Hochgebeten, etwa als Erweiterung und Verdeutlichung des Offerimus nach der Wandlung, zum Ausdruck kommen werde. Es hat nicht an Vorschlägen in dieser Richtung gefehlt. Sie sind wohl deshalb nicht durchgedrungen, weil in der liturgischen Überlieferung dazu ein Vorbild fehlte ... Die Wucht des Wortes [offerimus] sollte nicht durch ethische Ausdeutung des Selbstverständlichen abgeschwächt werden ..." Aber es ist und bleibt sein Anliegen, daß dieses „Selbstverständliche" auch tatsächlich selbstverständlich sei und, wenn es schon nicht verbal zum Ausdruck kommt, es doch in Intention und Spiritualität der Gemeinde und ihrer Priester lebhaft ins Bewußtsein trete. Diese Bemühung um die pia participatio, den Eucharistievollzug aus einem gläubig gelebten Leben heraus, ist ganz sicher ein Vermächtnis Jungmanns an uns alle und entscheidet in der Zukunft darüber, ob die Liturgiereform wirklich zu einer Reform der Kirche wird. Noch ist sie es nicht; das Wesentliche ist zweifellos noch zu tun.

Als wesentliches Mittel zur Verlebendigung sakramentaler Frömmigkeit erschienen ihm die außer-eucharistischen gemeindlichen Versammlungen und Andachten [11]. Noch vor wenigen Jahrzehnten waren sie in allgemeiner Übung, wenn die Formen auch oftmals nicht mehr recht befriedigen konnten und der Besuch nicht eben glänzend war. Pastoral notwendige Erleichterungen, so in bezug auf den Zeitpunkt der Meßfeier und die eucharistische Nüchternheit, haben unterdessen zu einer Vermehrung der Messen geführt, so sehr, daß sie nachgerade fast die einzige Form der Gemeindegottesdienste geworden sind [12]. Das ist eigentlich verwunderlich, weil die Liturgie-Konstitution den alten Begriff der „Paraliturgie" (etwa der Volksandachten) nicht mehr kennt, sondern ausdrücklich in Artikel 7 festlegt: „Gegenwärtig ist er (Christus) ..., wenn die Kirche betet und singt, er, der versprochen hat: ‚Wo zwei oder drei in meinem Namen versammelt sind, da bin ich mitten unter ihnen' (Mt 19, 20)."

Es ist ganz unverkennbar, daß der Vollzug der Sonntags-Liturgie, der doch heute allenthalben unter einem gewissen Zeitdruck steht, nicht genügend Raum bieten kann zur Erzielung eben jener Gesinnung und Geistigkeit, die erst eine volle, tätige und fruchtbare Teilnahme an der Meßfeier ermöglichen. Selbst dann nicht, wenn einsichtige Seelsorger sich mühen, alle Hektik bewußt zu vermeiden. Alle sogenannte „objektive" Sakramentsfrömmigkeit bedarf der „subjektiven" religiösen Füllung. Gehäufter Vollzug der Eucharistie allein vermag das nicht. Eher im Gegenteil! Die Psychologie lehrt uns, daß eine eigentliche Bedeutungserfahrung nur durch stetes Hinterfragen der erfahrenen Wirklichkeiten gewonnen wird, und zwar nur dann, wenn diese sich als evidente Sinngestalten erweisen. Nur in den tieferen Bewußtseinsschichten liegt der Kern des Glaubensgeschehens, die Aneignung der Fülle christlicher Wahrheit. Dort erst kommen die tief menschlichen „archetypischen" Bilder des Glaubens zur Sprache und vermitteln — speziell dem von Wissenschaft und Technik wesensverfremdeten modernen Menschen — das Erlebnis eigentlicher Sinnerfüllung: den tragenden Glauben.

Die Allgemeine Einleitung des Meßbuchs nennt in Nr. 23 die „besinnliche Stille" ein eigenes „Element der Feier". Es ist nicht einfach Pause, Leere, sondern echter Baustein des Sakramentsvollzuges. Es wird schwierig sein, sich vorzustellen, daß eine Sonntagsgemeinde nur zum Schweigen zusammenkommt. Zur Zusammenkunft gehört notwendig Aktion. Was die Gemeindemesse also allein nicht vollbringen kann, muß notwendig an anderer Stelle als Meditation und Füllung der Handlung nachgeholt werden. Hier ist tatsächlich ein „Lernprozeß" in den Kult einzubringen. Dazu empfiehlt Jungmann im genannten Aufsatz den Schatz der kirchlichen Tradition, etwa die angepaßte Teilnahme am Stundengebet, speziell der Vesper, aber auch viele Formen der Volksfrömmigkeit und des gemeinsamen Betens. Neue Formen, so in besonders gestalteten Wortgottesdiensten, musikalischen Andachten usw., scheint man noch finden zu müssen. Bedenkenswert ist der Schluß des genannten Aufsatzes: „Ist nicht auch für die Gläubigen neben der Messe eine Form des kirchlichen Gottesdienstes nötig, in der der Reichtum der Glaubensgedanken und die Vielfalt kirchlicher und lokaler Anliegen zur Geltung kommt? In der Zeit einer blühenden ökumenischen Bewegung sind wir im gottesdienstlichen Leben durch die einseitige Pflege des sakramentalen Gottesdienstes erst richtige Antipoden unserer evangelischen Brüder geworden, die mit ähnlicher Einseitigkeit ihren Gottesdienst fast ausschließlich auf das Wort gebaut haben. Wie hier wieder das rechte Gleichgewicht gefunden werden könnte, ist eine Frage, die des Überlegens wert ist."

Wir sind sicher gut beraten, wenn wir Jungmanns Vermächtnis nicht nur in den großen Standardwerken des weithin wirkenden Professors, sondern auch in den kleineren Arbeiten und den persönlichen Worten und Briefen des zur Altersweisheit gereiften Emeritus dankbar bewahren.

---

1 Besinnung vor der Feier der heiligen Messe II. Mainz 1939, 76.

2 *H. Schürmann*, Die Gestalt der urchristlichen Eucharistiefeier, in: Münchener Theologische Zeitschrift 6 (1955) 107—131; hier zitiert nach dem Abdruck, in: Liturgie in der Gemeinde (hg. von P. Bormann und H. J. Degenhardt). Salzkotten 1964, 69—93, bes. 90.

3 Ebd. 75 Anm. 38, nach Jungmann, Miss. Soll. I, 12 (¹1948).

4 Ebd. 78.

5 Hausmessen: ThPQ 117 (1969) 314—326, bes. Abschnitt III, Bemerkungen zur „Mahlgestalt der Eucharistie", 321—326.

6 Seine Bemerkung „Ihnen wird man es nun eher glauben als mir, zumal Sie neue Gesichtspunkte beibringen" klingt etwas resigniert und ist für mich ziemlich unverdient, zeigt aber, wie sehr ihn das Problem beschäftigte.

7 Oblatio und sacrificium in der Geschichte des Eucharistieverständnisses: ZKTh 92 (1970) 342—350; leicht verändert wieder abgedruckt, in: Messe im Gottesvolk. Ein nachkonziliarer Durchblick durch Missarum Sollemnia. Freiburg 1970, 7—24.

8 Die Gebete zur Gabenbereitung: LJ 23 (1973) 186—203.

9 Ebd. 190. Mir war bemerkenswert, mit welchem Interesse er die (unterdessen abgeschlossene) Arbeit meines Dissertanten Stefan Cichy über die Gabengebete der römischen Sakramentare verfolgte.

10 Ebd. 191 f.

11 Untergang der Abendandacht?: ThPQ 121 (1973) 39—43.

12 Jungmann spricht (a.a.O., 42) vom „panmessismo", wie die Italiener den Vorgang schon bedauernd genannt haben.

Kurt Esser

Ich erinnere mich . . .

Von der liturgischen Bewegung der zwanziger/dreißiger Jahre waren gerade auch die jungen Theologen erfaßt, die von der katholischen Jugendbewegung geprägt wurden. Uns faszinierte nicht nur die Schönheit liturgischer Riten und Formulierungen, sondern eher noch die tiefe gläubige Aussagekraft der in Jahrtausenden gewachsenen Gebete und Zeichen. Auffällig, wie Prof. Jungmann auch gerade uns anzog. — Dogmatik war eigentlich mein Auftrag, ich wählte zur Promotion Liturgiegeschichte. Den Ausschlag gab ein noch kaum bekannter junger Professor, der samstags am späten Vormittag mit leiser Stimme, ohne jede Pose nüchterne Wissenschaft vortrug. Eine Faszination ging aus von seinen Worten: War es die wissenschaftliche Gründlichkeit seiner Ausführungen? War es die Klarheit seiner Sprache? Oder war es, daß er genau unser Fragen und Ahnen aufgriff und (ja!) befreiend beantwortete? Bald meldete ich mich zu seinen Seminarübungen (die peregrinatio der Silvia Aetheria), schließlich sprach ich um eine Dissertation bei ihm vor. Es wurde nicht nur eine wissenschaftliche Arbeit, unter Jungmanns Führung fand die ganze Theologie eine Ortung, und daraus wuchs eine Lebensform. — Andere kennen ihn besser, andere standen ihm näher, vor allem in den großen letzten Jahrzehnten seines Lebens. Ich will meinen Dank versuchen aus der Erinnerung an einige persönliche Erlebnisse.

Stets freundlich und liebenswürdig stellte Prof. Jungmann doch hohe Anforderungen an den Fleiß seiner Schüler und übte unbestechliche Kritik, wenn es um wissenschaftliche Exaktheit und Sauberkeit der Begründungen und Ableitungen ging: „Voluit quis turrim aedificare..." lautete das lapidare Urteil nach einem schönklingenden, seinem kritischen Blick nicht standhaltenden Referat eines Kollegen im Seminar: „Wer von Ihnen würde das Thema jetzt (neu) behandeln?"

Doch er half auch und lobte, wo es ihm angebracht erschien. So sollte ich in öffentlichem Vortrag vor der Fakultät (sogenannte Disputatio menstrua) erste Ergebnisse meiner wissenschaftlichen Arbeit vortragen, doch da fehlte noch ein kleines Steinchen im Gewölbe; die Zeit drängte. Jungmann überwand einige Bedenken, nahm mich mit in die gut sortierte Bibliothek des Jesuitenkollegs, griff irgendwo in die Bestände, schlug auf, fand eine knappe Anmerkung: ja, — das wars. Ich staunte. Tage später trug ich vor und hatte viel Applaus. Jungmann gratulierte herzlich. Dann fügte er hinzu: „So schön Sie das gemacht haben, jetzt habe ich Ihre Begabung erkannt: Sie müssen umsetzen, interpretieren — das haben Sie anderen voraus." Ich habe seinen Rat befolgt. Doch als ich nach Jahren einen Lehrauftrag bekam, meinte er: „Ich freue mich, daß Ihre Promotion auch dies einbrachte."

Mit aufmerksamer Anteilnahme verfolgte P. Jungmann die Entwicklung seiner Schüler, er sprach schon zu uns oft von unseren Vorgängern. Zu unserer Verwunderung lautete das etwa so: „Von diesem habe ich viel gelernt". Das war von dem bescheidenen Mann ehrlich gemeint. Naturechte Bescheidenheit war sicher eine seiner hervorstechendsten Eigenschaften. Schon sein Auftreten, gleichgültig in welcher Situation oder Umgebung, war schlicht, sein Vortrag ohne Gestik, und doch spürte man die innere Sicherheit der durchgereiften Persönlichkeit. Er hatte Autorität, er brauchte sie nicht zu erwirken.

So vorsichtig und zurückhaltend er im Urteil war, so exakt in der Forschung — so entschieden und unbeirrbar vertrat er die sicher gewonnene Erkenntnis; und er hatte manche aufregenden Erkenntnisse, die in der schlichten Form seines Vortrags und eingepackt in ihre vielschichtigen Begründungen manchen Hörern und Kollegen kaum bewußt wurden. Ich war gar nicht erstaunt, als er mit seinem Buch „Die Frohbotschaft und unsere Glaubensverkündigung" Schwierigkeiten bekam (damals!); ich fragte mich nur, ob seine Gutachter ihn überhaupt verstanden hatten oder verstehen wollten, und verfolgte die Entwicklung mit Sorge, denn die Beurteilung Jungmanns traf auch mich, nicht nur wegen der persönlichen Verbundenheit, sondern in der Sache.

Die Zeit des Nationalsozialismus, die Kriegs- und Nachkriegsjahre waren vergangen, sein Werk „Missarum Sollemnia" hatte Weltruf, der große Durchbruch im Konzil war gelungen. Nun war es auf dem deutschen Liturgiekongreß in Mainz (1963). Eine damals noch gewagte Forderung nach der Hausmesse erregte die Gemüter, die Wogen der Zustimmung und Ablehnung gingen hoch. Da bestieg der altgewordene, hochgeehrte Prof. Jungmann das Podium. Lächelnd notierte er einige historische Daten über die Eucharistie am Krankenbett und hatte in seinen abgewogenen Worten den Diskussionsfluß, ohne, wie vorherige Äußerungen, neue Stauung zu bewirken, in sichere Ufer gefaßt. Er dachte voraus, wenn er in die reiche Tradition griff.

Jahre später, wieder einmal hatte ich den nun Achzigjährigen aufgesucht. Wir kamen auf Entwicklungen der neueren Theologie. Er zeigte sich gut informiert, hatte ein sehr verständiges Urteil, guten Rat. Plötzlich schlug er mit der Faust auf den Tisch: „Nein, das ist falsch!" So hatte ich ihn noch nie gesehen.

Beim letzten Besuch will er mich unbedingt zur Hauspforte begleiten. Als ich ablehnte, sagte er: „Jetzt bleibt nur: beten Sie für den alten Jungmann. Wir sehen uns nicht wieder." Betroffen ging ich. Aber so war es.

Balthasar Fischer

J. A. Jungmann als Lehrer

Wer sich unter einem glanzvollen akademischen Lehrer so etwas wie einen Rhetor auf der Lehrkanzel vorgestellt hatte, mußte schon nach den ersten Sätzen von P. Jungmanns Vorlesungen enttäuscht sein. Der schmächtige, feingliedrige Mann, der hier mit fast brüchig zu nennender Stimme zu reden anhob, war kein Rhetor; nicht einmal die Stimme dazu hatte ihm die Natur gegeben. Trotzdem waren Jungmanns Vorlesungen für uns junge Studenten der 30er Jahre so etwas wie ein „Geheimtip" geworden. Wir hatten herausgebracht und sagten es von Mund zu Mund weiter, daß man diesem anspruchslosesten unter unseren Professoren nur eine Weile geduldig zuhören müsse, um dahinterzukommen, daß hier bewußt auf alles „Außenwesen" verzichtet wurde um der Sache willen, die so prägnant und so kühn herauskam, daß wir uns nicht satthören konnten. Mit der Sicherheit „hell in die Zukunft blickender Jugend" (die uns Jungmann in der Einleitung zur „Frohbotschaft" bescheinigt hat) spürten wir, daß die lang verstellten Horizonte, die uns hier aufgeschlossen wurden, einer ganzen Generation aufgehen müßten, wenn die Kirche aus den Katastrophen dieses Jahrhunderts (für die die allabendlichen Hakenkreuzfeuer an der Nordkette ein beängstigendes Symbol waren) gereinigt und verjüngt hervorgehen sollte.

Diese Vorlesungen hatten Glanz, aber es war ein „Glanz von innen". Wenn wir keinen Meister der Rede vor uns hatten, so doch einen Meister der Sprache und der Didaktik, vor allem aber einen Meister seines Faches, das bisher an den hohen Schulen der Theologie so gut wie inexistent gewesen war, und das kaum ein anderer so entschieden wie Jungmann aus jahrhundertelanger Aschenputtel-Rolle herausgeführt hat, so sehr, daß 30 Jahre später ein Ökumenisches Konzil — ein unerhörter Vorgang in der Konzilsgeschichte — die Liturgiewissenschaft für ebenbürtig mit den großen, theologischen Disziplinen erklären konnte.

Prägnanz

Wenn ich nach 30jähriger Lehrtätigkeit im gleichen Fach meine Innsbrucker Kolleghefte mit der Aufschrift „Jungmann" durchblättere — keine stenographischen, aber doch ziemlich wortgetreue Nachschriften, die lange mit dem Placet des Meisters im Kreis der Mitstudenten als Examenshilfen umgingen — so ist das, was zunächst ins Auge springt, die überzeitliche Prägnanz der Aussage.

Ich greife drei Äußerungen zur Quadragesima heraus, die wir damals — zusammen mit dem alten „Sacratissimum Triduum" = Karfreitag-Karsamstag-Ostersonntag in Jungmanns Hörsaal wiederentdeckten; über den liturgiewissenschaftlichen Erkenntnisfortschritt hinaus ein geistliches Ereignis, von dem unser Leben seither geprägt geblieben ist:

„Die Quadragesima — als quadraginta dierum exercitatio eine, ja die Urform ‚Geistlicher Übungen' — ist beherrscht vom Gedanken der Konzentration. Diese Konzentration hat gewiß nichts Überbewußtes oder gar Gewaltsames an sich. Sie besteht eigentlich nur darin, daß die Kirche in dieser Zeit ihr Leben intensiver lebt.

Das Ethos des altchristlichen Fastens ist dadurch gekennzeichnet, daß es kein Fastengebot gibt. Es ist gewissermaßen eine Höflichkeitsverpflichtung; man macht es so, und man muß es so machen. Fasten ist ein ganz selbstverständliches Element des christlichen Lebens. Erst als man das Fasten gesetzlich regeln mußte, begann der Abstieg, der schließlich in unserer minimalen Fastenpraxis endete. Es wäre aber falsch, hinter dieser absteigenden Linie nur die absteigende Kurve des religiösen Eifers zu sehen. Der entscheidende Wandel, der zugrundeliegt, ist ein Wandel der Haltung zum Leib. Hinter der rigorosen altchristlichen Fastenpraxis steht das tiefe, irgendwie platonisch bestimmte Mißtrauen dem Leibe gegenüber, den man doch mehr oder weniger als notwendiges Übel betrachtet. Wir haben seit der ‚Taufe‘ des Aristotelismus, seit Scholastik und Thomas die Achtung vor dem Leibe gelernt: Omnis cognitio incipit a sensibus. Auch die mortificatio muß die Natur schonen: ein gesunder Körper gehört zur gesunden Menschennatur. Trotzdem ist das Fasten nicht nur aus zeitbedingter Emphase des jungen Christentums gewachsen. Schon im Evangelium heißt es: oratio et jejunium. Das Fasten gehört zum christlichen Lebensideal. Es wäre eine unrechte ‚liturgische Frömmigkeit‘, die Aszese, Fasten, Abtötung aus ihrem Bereich verbannen wollte. Die Liturgie selbst würde protestieren. Gerade heute, wo die Normen des Gebotes mehr oder weniger gefallen sind, wäre es an der Zeit, von innen heraus zu neuer Wertschätzung des Fastens zu gelangen.“

Solchen Überlegungen zur Quadragesima braucht nach 40 Jahren (die ein Ökumenisches Konzil mit Äußerungen zur Quadragesima in sich schließen) kein Wort hinzugefügt zu werden. Für den Verfasser hat lediglich — auf dem Hintergrund der leiblichen und geistlichen Erfahrungen einer ärztlich geleiteten 23tägigen Fastenkur (Null-Diät) im Jahre 1971 — das Wort von der Notwendigkeit einer „neuen Wertschätzung des Fastens von innen heraus“ eine Dringlichkeit angenommen, von der er beim Niederschreiben seiner Innsbrucker Vorlesungshefte vor 40 Jahren noch nichts ahnen konnte.

Die gleiche Verbindung von Prägnanz und Ausgewogenheit, die Jungmanns Vorlesungsäußerung zum Fasten kennzeichnet, ist schließlich für eine dritte Überlegung aus dem gleichen Fragenkreis kennzeichnend, die er uns damals vortrug: eine Überlegung zur Rolle des Passions-Themas in der Quadragesima.

Ich muß gestehen, daß ich in der für die Liturgische Bewegung zwischen den beiden Weltkriegen charakteristischen Tendenz zur Abwertung des einst die ganze Quadragesima beherrschenden Passionsmotivs im Laufe meiner 30jährigen Lehrtätigkeit immer zurückhaltender geworden bin: so sehr, daß ich inzwischen die uralte Beschränkung der liturgischen Lesung der Passionserzählungen des Neuen Testamentes auf die Karwoche für einen „Unfall“ der Liturgiegeschichte erkläre. Wie erstaunt war ich beim Wiederlesen meiner Innsbrucker Vorlesungshefte zu entdecken, daß Jungmann hier von Anfang an klarer gesehen und abgewogener geurteilt hat und sich von der verständlichen Absatzbewegung gegenüber einer oft indiskreten Passionsfrömmigkeit nicht so mitreißen ließ, wie es wohl all seine Schüler zeitweilig getan haben. Jungmann hat damals nach Ausweis meiner Vorlesungsnachschriften zu diesem Thema folgendes gesagt:

„Trotz aller Wertschätzung des tieferen und weiteren alten Fastengedankenkreises, in dem die Passio Christi erst am Ende und in den großen Formen altchristlicher Passionsfrömmigkeit aufscheint, sollte man nicht zu streng über die neuere

Auffassung urteilen, die mit dem enger gefaßten Leidensgedanken die ganze
Fastenzeit erfüllt. Wenn auch die Fastenunterweisung des Volkes (Fastenpredigten)
sich am Exerzitiengeist der Fastenliturgie orientieren sollte, so wüßte sie doch (bei
unseren Verhältnissen) die Gedankenfülle kaum zu bändigen, wenn sie nicht einen
wirksamen Einzelgedanken — eben den der Passio Christi — herausgriffe."

Kühnheit

So sehr wir Hörer der 30er Jahre an unserem Lehrer Jungmann Klarheit, Prägnanz und Ausgewogenheit geschätzt haben: fasziniert hat uns, daß dieser stille,
fast scheu zu nennende Gelehrte so kühn sein konnte. Vor allem in der berühmten
Vorlesung „Kirche und Altar" hatten wir das Gefühl einer unerhört kühnen Rück-
besinnung auf das Eigentliche des christlichen Gotteshauses, die so ziemlich all
unsere mitgebrachten Konzepte über den Haufen warf. Nicht Tabernakel und Sakrament machen das Gotteshaus heilig, sondern das heilige Volk Gottes, das es
umschließt.
Am 9. Juni 1934 kam es in dieser Vorlesung zu einem dramatischen Höhepunkt,
an dem wir erlebten, daß dieser stille P. Jungmann bereit war, seine Meinung
kühn zu bekennen, auch wenn er wußte, daß sie der unserer Vorgesetzten im Canisianum, die immerhin seine Mitbrüder in der Gesellschaft Jesu waren, diametral
zuwiderlief.
Am Vortag dieser Vorlesung war im Canisianum das Herz-Jesu-Fest mit dem in
der geistlichen Tradition des Hauses begründeten besonderen Akzent gefeiert werden. Für die übliche abendliche Akademie hatten einige Studenten aus unserem
Kreis, geführt von dem künstlerisch hochbegabten Berliner Karlheinz Schreibmayr
(dem Bruder des Münchener Katechetikers), der bald darauf noch als Theologiestudent gestorben ist, aus Kalikostreifen eine imponierende moderne Darstellung
des Herz-Jesu-Motivs geschaffen. Die nur angedeutete Gestalt des Erlösers wuchs
aus dem die ganze Fläche des Bildes beherrschenden Symbol des Herzens heraus.
Obwohl das Bild von der Stirnseite der Aula groß auf die Versammelten herab-
schaute, wandte sich Pater Regens Michael Hofmann (trotz allem verehrt und geliebt) beim Eröffnungsgebet von seinem Platz ostentativ zur traditionellen Herz-
Jesu-Statue: eine hausoffizielle Ablehnung, die sich im Laufe des Abends noch
weiter konkretisierte und so etwas wie einen kleinen Haus-Skandal heraufführte.
Es traf sich, daß P. Jungmann, der bei der Akademie als Gast zugegen gewesen
war, am nächsten Morgen in der Vorlesung „Kirche und Altar" über Kirchenkunst
zu sprechen hatte. In diesem Zusammenhang sagte er nach Ausweis meiner Nieder-
schrift:
„Grundzug aller Kirchenkunst wird Verklärung sein müssen, jenseits psychologischer Feinheiten und noch so bewundernswerter Getreuheiten, Gültigkeit, Sinnbild-
haftigkeit und damit Herbheit. Vielleicht ist das Sinnbild umso gewaltiger, je
herber es ist. Wir haben gestern einen bedeutsamen Versuch in dieser Richtung im
Canisianum gesehen."
Den ohrenbetäubenden Beifall, den die letzten Worte im Hörsaal auslösten, wird
keiner der Anwesenden vergessen haben.

Lehrer über den Hörsaal hinaus

Vielen wird es gegangen sein wie mir, daß sie J. A. Jungmann schon in den
Innsbrucker Studentenjahren und dann bei den späteren Begegnungen (die bei mir

besonders zahlreich waren) auch außerhalb des Hörsaals im immer wieder groß-
zügig gewährten Privatgespräch als zwar unabsichtlichen, aber höchst eindrucksvollen Lehrer (weit über den engeren Bereich der Wissenschaft hinaus) erlebt haben.
Mir ist ein sommerlicher Nachmittag unvergeßlich geblieben, an dem ich die karge
Jesuitenzelle in der Sillgasse mit dem deutlichen Bewußtsein verließ, daß ich an
dem soeben gehörten Statement meines Meisters noch lange werde zu „kauen"
haben. Er hatte dem staunend aufhorchenden 22jährigen Schüler gesagt: „Im
Grunde ist die Liturgiewissenschaft zum Relativieren da." Gewiß hat er damals
nicht ahnen können, daß noch zu seinen Lebzeiten und unter seiner tatkräftigen
Mitwirkung ein Ökumenisches Konzil die Früchte solchen heilsamen Relativierens
würde pflücken können.
Unvergeßlich ist mir auch die Lebensweisheit geblieben, mit der Jungmann Anfang
1936, von der „Vorladung" nach Rom zurückgekehrt, unser studentisches „Bei-
leid" zu dem Unverständnis beantwortete, das seine „Frohbotschaft" in Rom gefunden hatte („Hic liber nec citandus nec laudandus" stand im Exemplar der
Bibliothek des römischen Generalats): „Wissen Sie, ich habe auf dieser Reise oft
an ein Wort von P. Lippert denken müssen: Man muß im Leben Geduld haben:
nicht nur mit den reifenden Früchten, auch mit dem fallenden Laub."
Besonders gern teilte er — vor allem in den letzten Jahren — von seinen frömmigkeitsgeschichtlichen Einsichten mit, die er dann gottlob noch in dem kostbaren,
nicht genügend beachteten Büchlein „Vom christlichen Beten" skizzieren konnte.
Auf einem langen Spaziergang im Oberinntal, bei dem wir in ein fürchterliches
Gewitter gerieten, hat sich mir die Warnung des alten Lehrers vor der immer
wieder spürbaren Tendenz, in der Frömmigkeit zu addieren statt zu konzentrieren,
tief eingeprägt.
Zuletzt ist der verehrte und geliebte einstige akademische Lehrer uns, die wir ihn
in seinen letzten Jahren jenseits des 80. Geburtstags noch gelegentlich aufsuchen
und sprechen konnten oder Briefe in seiner charakteristischen Gelehrtenschrift
empfingen, die erst mit dem Fast-Erlöschen des Augenlichts ihre alte Prägnanz zu
verlieren begann, zum Lehrer in der Ars moriendi geworden. Mit heiterer Gefaßt-
heit sprach und schrieb er — dankbar für ein ungewöhnlich erfülltes 85jähriges
Leben, das die ausgesäte Saat in ungeahnter Weise hatte reifen sehen dürfen —
vom nahen Sterben. Bonum est cum silentio praestolari Dominum; dieses Zitat
aus den Lamentationen des Karsamstags, das in einem der letzten an mich gerichteten Briefe stand, kennzeichnet vielleicht am besten die stille Bereitschaft des fast
Erblindeten, das Karfreitags- und Karsamstags-Schicksal des Meisters zu teilen —
in der festen Hoffnung auf die österliche Begegnung mit dem, der die Mitte seines
irdischen Lehrens und Lebens gewesen war.

Nikolaus Grass

Der Tiroler J. A. Jungmann

Im Tauferer Tal, das bei Bruneck ins Pustertal mündet, liegt in einem weiten Becken fast 900 m hoch das Dorf Sand, überragt von der prächtigen Burg Taufers, einer der schönsten Burgen Südtirols. Hinter den altersgrauen Türmen und Zinnen der Feste aber blicken die Gletscher des Schwarzensteins und der Löffelspitze herunter. In dieser eindrucksvollen Gebirgslandschaft erblickte am 16. November 1889 beim „Bruggenmüller" in Taufers Josef Andreas Jungmann das Licht der Welt. Sein Vater Josef Jungmann war Jahrzehnte lang Gemeindevorsteher (heute würde man sagen „Bürgermeister") des Ortes und seinem Weitblick und unermüdlichen Einsatz ist es zu danken, daß sich Sand von einem dürftigen Kleinhäuslerdorf gar bald zu einem bekannten Fremdenverkehrsort entwickelte. Weitblick und unermüdlicher Einsatz waren auch vornehmste Eigenschaften, die Josef Andreas von seinem Vater geerbt hatte. Dagegen kann man nicht gerade behaupten, daß ihm der Sinn für Liturgie schon in die Wiege gelegt worden wäre. Denn als er als Gymnasiast des vierten Kurses im bischöflichen Knabenseminar Vinzentinum sich vom Vater ein Buch wünschen durfte, entschied er sich erst nach harter Wahl zwischen einem Pflanzenkundebuch und einem Meß-Schott für letzteren [1]. Nach der Matura legte Jungmann das theologische Studium am Priesterseminar der alten Bischofsstadt Brixen zurück [2]. Am 29. Juli 1913 feierte er gemeinsam mit seinem älteren Bruder Franz, der bereits dem Jesuitenorden angehörte, in der stattlichen, 1527 vollendeten spätgotischen Mariä-Himmelfahrts-Kirche seines Heimatortes, in der er einst als Ministrant gedient hatte, das erste hl. Meßopfer. Die Doppelprimiz der beiden Söhne des Gemeindevorstehers Jungmann gestaltete sich „zu einem der glänzendsten Freudenfeste", die Sand je begangen hatte. „Nach Tausenden kamen die Teilnehmer herbei, die Ortschaft lag im vollsten Festschmuck; überall wehten die Fahnen, die Häuser zeigten reiche Dekorationen und eine Reihe von herrlichen Triumphpforten zierte die Hauptstraße, die der ganzen Länge nach mit Bäumen, Girlanden und Wimpeln eingefaßt war. Herzerhebend war der feierliche Empfang am Vorabend. Wie in einem Triumphzuge wurden die hochw. Herren Primizianten mit Musik zum väterlichen Hause geleitet. Vor demselben konzertierte die Ortskapelle. Abends fand eine großartige Bergbeleuchtung und Häuserilluminierung statt. Am feierlichen Einzuge nahmen 52 Priester, die Honoratioren und die gesamte Beamtenschaft in Uniform sowie sämtliche Vereine und Korporationen teil." Die Festpredigt hielt der Moraltheologe Prof. Albert Schmitt SJ aus Innsbruck über das Thema: „Der Priesterstand und die christliche Familie". Nach der Predigt fand das feierliche Primizamt von Josef Jungmann und gleichzeitig die Primizmesse des Franz Jungmann SJ am Seitenaltare statt, hierauf die Festprozession und um 1 Uhr im Hotel „Post" die Festtafel zu 200 Gedecken [3], wobei die Ortskapelle die Tafelmusik besorgte. Dabei wurde dem Vorsteher J. Jungmann das Ehrenbürgerdiplom überreicht [4]. So wurde also den beiden Neupriestern Jungmann eine besonders feierliche Primiz zuteil [5]. Unser Liturgiker war noch weitgehend in der gerade im Zeitalter der katholischen Reform von den Jesuiten geförderten barocken Sakralkultur [6] verwurzelt, die freilich in der Gegenwart durch geänderte Verhältnisse und vor allem auch durch die von Jungmann später selbst entscheidend beeinflußte Liturgiereform immer mehr zurückgedrängt wird. In den folgenden vier Kooperatorenjahren in Niedervintl (Pustertal) und Gossensaß reiften in Jungmann bereits die Grundgedanken einer neuen Glaubenssicht. Am 1. Dezember 1915 hatte Jungmann sein erstes Buch „Der Weg zur christlichen Glaubensfreudigkeit" im Manuskript vollendet; es ist allerdings erst 1936 unter dem Titel „Die Frohbotschaft und unsere Glaubensverkündigung" im Druck erschienen. Es ist zum Staunen, mit welchem Weitblick schon der junge Kooperator eine Entwicklung vorausahnte, die nunmehr nach einem halben Jahrhundert in Südtirol mit aller Wucht hereingebrochen ist.

In einer kurzen, in der dritten Person verfaßten autobiographischen Notiz berichtet Jungmann von seinem späteren Lebensgang: „1917 in Societatem Jesu ingressus, post ulteriora studia 1923 lauream theologicam obtinuit. Inde Monachii et Viennae scientiis historicis et paedagogicis incubuit et 1925 veniam docendi adeptus est. Denique 1930 professor extraordinarius renuntiatus est pro theologia morali et pastorali, cuius intra ambitum studiis rei liturgicae inprimis incumbendum erit." [7] Aus dem Südtiroler Landkooperator war ein Innsbrucker Universitätsprofessor geworden [8], dessen Name schließlich über den ganzen orbis catholicus hin bekannt wurde.

Von den gewaltigen Aufgaben vor allem der Erforschung der Entwicklung der abendländischen Liturgie und deren Auswertung für die Pastoral ganz und gar in Anspruch genommen, überließ Jungmann in einer Art Arbeitsteilung die Beschäftigung mit der regionalen Liturgiegeschichte Tirols seinem nur wenige Jahre jüngeren Landsmann, dem Brixner Pastoralprofessor DDr. Johannes Baur (1895 bis 1975), dessen Forschungen Jungmann durch wertvolle Ratschläge förderte. Ist doch gerade der Süden Tirols als Grenzland zwischen deutscher und romanischer Kultur nicht nur für die Geschichte und Rechtsentwicklung, sondern auch für die Liturgiehistorie aufschlußreich [9], denn die Quellen synodalen Rechtes setzen bereits mit der von J. Baur erstmals edierten Brixner Synode von 1318 ein und fließen auch weiterhin reichlich [10]. Zudem ist Südtirol, da manche seiner Täler lange abgeschlossen geblieben waren, „wohl jenes Gebiet im deutschen Sprachbereich, in dem sich altüberliefertes religiöses Brauchtum am stärksten erhalten hat" [11]. Bemerkenswert ist in Deutschtirol schon früh ein weitgehender Gebrauch der Volkssprache (z. B. „Herr, ich bin nicht würdig" auch innerhalb der Messe bereits 1609). Ludovico Antonio Muratori beobachtete 1708 auf seiner Reise nach Südtirol (wohl bis Bozen), wie in einer Landpfarrkirche beim Sonntagsgottesdienst nach dem Evangelium der Seelsorger dieses von der Kommunionbank aus noch in deutscher Sprache den Gläubigen vorlas, was übrigens volle Billigung des Modeneser Bibliothekars fand [12], dessen gelehrte Werke auch Jungmann häufig benützte.

Jungmanns besonderes Interesse, ja geradezu eine verhaltene Liebe zu Tirol zeigt sich, wenn er in seinen „Missarum Sollemnia" Beispiele aus „meiner Heimatpfarrei Taufers im Pustertal" [13], vereinzelt auch sonst aus Tirol bringt [14]. Er erwähnt das 1796 und 1809 gemachte Verlöbnis der Tiroler, das Herz-Jesu-Fest am zweiten Sonntag nach Fronleichnam feierlich zu begehen [15], ebenso wie die Ostung vieler alter Friedhöfe „in den meisten Dörfern von Tirol" [16].

In seiner dem Innsbrucker Historiker und Volksforscher Univ.-Prof. Dr. Hermann Wopfner († 1963) gewidmeten Studie „Zum Wort ‚Marterle' " nimmt Jungmann mehrfach Bezug auf Tirol [17]. Für drei vom Verfasser herausgegebene Sammelbände konnte P. Jungmann als Mitarbeiter gewonnen werden: zum Buch „Ostern in Tirol" steuerte Jungmann die auch wiederholt Hinweise auf unser Land, so auf die Ölbergprozession am Gründonnerstag in Sand enthaltende Studie „Brauch und Liturgie in der Heiligen Woche" bei [18], zum Sammelband „Weihnachtskrippen aus Österreich" den einführenden Beitrag über „Weihnachtskrippe und Weihnachtsliturgie" [19] und in der Cusanus-Gedächtnisschrift handelte Jungmann auf meine Bitte über „Nicolaus Cusanus als Reformator des Gottesdienstes" [20]. Bei der glänzend besuchten Jahreshauptversammlung der Görres-Gesellschaft im Oktober 1970 zu Innsbruck sprach Jungmann über den religiösen und geistigen Umbruch um das 12. Jahrhundert [21]. Diesen Vortrag bezeichnete der greise Gelehrte scherzhaft als „seinen Schwanengesang".

Einschlägigen, Tirol betreffenden Neuerscheinungen widmete Jungmann in der von ihm durch Jahrzehnte mit größter Sorgfalt und Umsicht redigierten (Innsbrucker) Zeitschrift für katholische Theologie wiederholt sachkundige und lehrreiche Anzeigen [22].

Wenn der durch die Heranziehung mittelalterlichen Urkundenmaterials (vor allem der mitteilsamen französischen Kartularien) auch um die Liturgiegeschichte verdiente berühmte Münsteraner Kirchenhistoriker Georg Schreiber († 1963) nach Tirol kam, wollte er unbedingt über ihn gerade interessierende Probleme der Sakralkultur Tirols mit Jungmann sprechen; mehrmals traf sich Protonotar Schreiber mit Jungmann bei einer Tasse Kaffee in unserem Landhäuschen bei Hall [23]. Als um 1958 an der Universität Münster i. W. die Liturgieprofessur zur Besetzung kam, erbat sich Schreiber von Jungmann eigens ein Gutachten, das dann auch die Ernennung von Emil Lengeling (1959) empfohlen hat. Jungmanns Name findet sich am Widmungsblatt von Schreibers autobiographischem Buch „Deutschland und Österreich" [24], das „Deutsche Begegnungen mit Österreichs Wissenschaft und Kultur" zum Gegenstand hat.

Während seines mit liebenswürdiger Festigkeit geführten Rektoratsjahres an der Innsbrucker Universität (1953/54) führte Jungmann 1953 erstmals den „Weihnachtsabend der Professoren" ein, der auch ein Bekanntwerden der Mitglieder der verschiedenen Fakultäten erleichterte und der inzwischen zu einer ständigen, beliebten Einrichtung geworden ist. Auch außerhalb der Universität erfreute sich der bescheidene Gelehrte wachsenden Ansehens in Tirol. Bei der am 15. November 1959 veranstalteten Festakademie anläßlich Jungmanns 70. Geburtstag hob Landesrat Prof. Dr. Hans Gamper als Sprecher der Landesregierung in einer launigen Tischrede hervor, daß der Name der Innsbrucker Universität dank der wissenschaftlichen Tätigkeit von P. Jungmann sogar in jenen Gebieten bekannt sei, in denen man „Austria" und „Australia" miteinander verwechselt.

Am 14. Februar 1961 erhielt Jungmann zugleich mit dem berühmten Wiener Völkerrechtslehrer Alfred Verdroß und dem Brixner Kirchenhistoriker Anselm Sparber († 1970) das „Ehrenzeichen des Landes Tirol". Die Gemeinde Taufers aber ernannte am 28. Mai 1967 ihren großen Sohn, der, „obwohl seit seiner Jugend schon abwesend ... dennoch seine Tauferer Heimat nie vergessen und allzeit einer der Unsrigen geblieben ist", zum Ehrenbürger [25].

1 P. J. A. Jungmann ein Achtziger: Kathol. Sonntagsblatt (Brixen), Nr. 46 vom 16. November 1969, 5.

2 Vgl. darüber neuestens *Johannes Baur*, Das Brixner Priesterseminar. Brixen 1975.

3 Die alle Festlichkeiten und Schmausereien anläßlich von Primizen untersagenden Ver-

bote des 15. Jh.s waren glücklicherweise längst in Vergessenheit geraten. Vgl. *Nikolaus Grass*, Cusanus und das Volkstum der Berge. Innsbruck 1972, 82 f.

4 Bericht in den damals sehr angesehenen Neuen Tiroler Stimmen (Innsbruck), Nr. 174 vom 31. Juli 1913, 5.

5 Ausführliche Beschreibung von Primizfeierlichkeiten bei *Johannes Baur*, Volksfrommes Brauchtum Südtirols (Schlern-Schriften 192). Innsbruck 1959, 85—108. Rez. v. *Jungmann:* ZKTh 82 (1960) 130.

6 Vgl. *Franz Grass*, Studien zur Sakralkultur und Kirchl. Rechthistorie Österreichs. Innsbruck 1967; dazu *Jungmann:* ZKTh 91 (1969) 114.

7 Matricula omnium Professorum ... Universitatis Oenipont. p. 17, Handschrift im Universitätsarchiv Innsbruck.

8 Eine ähnliche Laufbahn vom Pustertaler Bauernsohn zum Landkooperator, Jesuiten und Innsbrucker Universitätsprofessor hatte schon Jungmanns Vorgänger, der ganz auf die praktische Seelsorge eingestellte P. Michael Gatterer (1862—1944), durchgemacht, dessen Lehrkanzel Jungmann 1934 übernahm. Vgl. *Engelbert Maass*, P. Michael Gatterer SJ. Klagenfurt o. J. (1962).

9 So hat sich, wie ich in Ergänzung zu *P. Leisching*, Wege zur kirchlichen Trauung im mittelalterlichen Tirol: Festschrift Nikolaus Grass 1. Bd., Innsbruck 1974, 259—283, bald nachzuweisen hoffe, der normannische Brauttor-Vermählungsritus in der Brixner Diözese außergewöhnlich lange erhalten.

10 *Joh. Baur*, Die Brixner Synode von 1318 in ihrer liturgiegeschichtlichen Bedeutung: Festschrift zur Feier des 200jährigen Bestandes des Haus-, Hof- und Staatsarchivs Wien 2. Bd. Wien 1952, 124—151; dazu *Jungmann*, ZKTh 74 (1952) 373; *Gustav Bickell*, Synodi Brixinenses saeculi XV. Innsbruck 1880; *Franz Grass*, Die alten Brixner Synoden: Innsbrucker Diözesansynode 1971—1972. Innsbruck o. J. (1974), 152—164.

11 So *Jungmann* in der Rez. zu *Joh. Baur*, Volksfrommes Brauchtum Südtirols: ZKTh 82 (1960) 130.

12 *Nikolaus Grass*, L. A. Muratori und Tirol: Innsbrucker Beiträge zur Kulturwissenschaft 16 (1971) 427—434, bes. 432 f.

13 Missarum Sollemnia[5] 1. Bd., 161 A. 111; ähnlich 173 A. 21, 206 A. 77 a und 2. Bd. 31 A. 125.

14 Missarum Sollemnia[5] 2. Bd. 18 A. 64, 462 A. 35.

15 *J. A. Jungmann*, Liturgisches Erbe und pastorale Gegenwart. Innsbruck 1960, 408 A. 79.

16 *J. A. Jungmann*, Liturgie der christlichen Frühzeit. Freiburg/Schweiz 1967, 127.

17 Volkskundliches aus Österreich und Südtirol. Hermann Wopfner zum 70. Geburtstag dargebracht (Österr. Volkskultur 1). Wien 1947, 107—111.

18 Schlern-Schriften 169. Bd. Innsbruck 1957, 315—327.

19 Verl. Felician Rauch, Innsbruck 1966, 9 f.

20 Forschungen zur Rechts- und Kulturgeschichte 3. Bd. Innsbruck 1970, 23—31.

21 In erweiterter Fassung veröffentlicht in „Festschrift Nikolaus Grass" 1. Bd. Innsbruck 1974, 213—225.

22 Vgl. z. B. ZKTh 72 (1950) 252 u. 375 f; 73 (1951) 377; 74 (1952) 373; 80 (1958) 480; 82 (1960) 130; 85 (1963) 376; 88 (1966) 88—90, 373 f u. 375 f; 91 (1969) 114; 94 (1972) 486.

23 Vgl. *Nikolaus Grass*, Prälat Georg Schreiber und Tirol: Der Schlern 36 (1962) 342—344.

24 Böhlau Verlag Köln - Graz 1956, über Jungmann, dort 99, 116 u. 180.

25 Bericht in der Südtiroler Zeitung „Dolomiten", 44. Jahrgang (Bozen), Nr. 123 vom 1. Juni 1967, 15.

Josef Gülden

In der „Krise der Liturgischen Bewegung" 1942 — 1944

Im Sommer 1942 erschien im Alsatia-Verlag, Kolmar i. E., ein „Werkbuch zur Gestaltung des Gottesdienstes in der Pfarrgemeinde" unter dem Titel „Volksliturgie und Seelsorge", herausgegeben von Karl Borgmann. Der Band umfaßte die wichtigsten Beiträge zweier Sammlungen. Die eine stammte vom Herausgeber, dem Mitarbeiter im Freiburger Werthmannhaus; die andere lag seit 1939 ungedruckt im Leipziger Oratorium, weil kein Oratorianer mehr Mitglied der damaligen „Reichsschrifttums- und Pressekammer, Berlin" war. L. A. Winterswyl war der Vermittler zwischen den beiden Autorengruppen, schuf auch die Verbindung zu Direktor J. Rossé von der „Alsatia" und schrieb das Vorwort zum Sammelband.

Der erste grundlegende Teil handelte über den „Gesamtzusammenhang des christlichen Gebetslebens" (von R. Guardini), die Träger der Liturgie (von J. A. Jungmann), das „Weihe- und Laienpriestertum, das eine Priestertum der Kirche" (von Eugen Walter), über das „Verhältnis von Liturgie und Seelsorge" (von Th. Gunkel), über „Grundsätzliches und Selbsterlebtes zur Frage: Liturgie und Seelsorge" (von Th. Bogler), „Opferpriester und Seelsorgepriester" (von Jungmann) und über „Theologie und Seelsorge" (von P. Simon).

Der zweite Teil brachte Aufsätze zur volksliturgischen Praxis: an erster Stelle das Ergebnisprotokoll der Laacher (1935), Düsseldorfer (1936 und 1937) und Fuldaer (1939) Beratungen über „Grundsätze und Grundformen der Gemeinschaftsmesse in der Pfarrgemeinde" (von J. Gülden), denen sich auch Pius Parsch (1940) angeschlossen hatte. Diese Richtlinien der Gemeinschaftsmesse waren noch im Satz von den Liturgiereferenten der Fuldaer Bischofskonferenz, den Bischöfen Dr. Stohr von Mainz und Dr. Landersdorfer von Passau, geprüft und bearbeitet worden. Aufsätze über das „Pfarrhochamt" und das „Hören des Wortes Gottes" (von H. Kahlefeld) und die „mystagogische Predigt" (von Guardini) und Beiträge über den Altar und Altargestaltung (von Kahlefeld und W. Krawinkel) und eine Meditation über den „Glauben des Petrus" (von R. Schneider) beschlossen den Band. Zwei Verfasser konnten damals unter dem Naziregime ihre Beiträge im Buch nicht unterzeichnen: K. Tilmann über die „Einführung der Pfarrgemeinde in die Liturgie" und L. Wolker über „Pfarrjugendseelsorge und Liturgie".

Das Buch fand in den wenigen katholischen Zeitschriften, die damals noch erscheinen konnten, fast einmütige Zustimmung. Bischof Petrus Legge von Meißen schrieb unter dem 4. Nov. 1942: „Der Band bietet einen vollendeten Überblick über den bisher gehobenen Reichtum der liturgischen Frömmigkeit und das Leben der Liturgie in der Pfarrgemeinde ... Der theoretische und auch der praktische Teil des Buches bezeugen, daß es heute eine liturgische Gemeinde und eine liturgische Wissenschaft gibt, deren Gesamthaltung und Auffassung überaus einheitlich ist und deren Ergebnisse auf gesicherten dogmatischen und liturgiegeschichtlichen Fundamenten ruhen" (Brief des Bischofs an J. Gülden). Er empfahl, „das Werk abschnittweise auf den Priesterkonferenzen zu besprechen; die ‚Unbeweglichen' werden aufgerüttelt und die ‚Heißsporne' lebenserfahrener". — Den Teilnehmern am „Ersten

Deutschen Liturgischen Kongreß" des Jahres 1950 in Frankfurt a. M. ist vielleicht noch das Bekenntnis von P. Duployé OP in Erinnerung, daß die Borgmannbände — der hier besprochene und der im Jahr 1943 folgende: „Parochia — Handreichungen für die Pfarrseelsorge" — für die französische liturgische Arbeit im und nach dem Krieg von grundlegender Bedeutung geworden seien.
Die 1. Auflage von „Volksliturgie und Seelsorge" (10.000 Ex.) war schnell vergriffen. Vor dem Erscheinen der Nachauflage erhielt aber der Verlag Ende 1942 von kirchlicher Seite ein Verbot. Am 15. Jänner 1943 erschien das bekannte Rundschreiben von Kard. Bertram an alle Mitglieder der Fuldaer Bischofskonferenz: „Betreffs: Liturgische Angelegenheiten" auf Grund eines Auftrags vom Berliner Apostol. Nuntius (vom 11. Jan. 1943), nachdem in Rom die erste „gemischte Plenarsitzung" der Ritenkongregation und der „Kongregation für außerordentliche kirchl. Angelegenheiten" sich mit der Liturgischen Bewegung in Deutschland befaßt hatte, aus der sich „verschiedene Gefahren für die kirchliche Disziplin, für das kirchliche Leben und sogar für den Glauben . . . ergeben könnten." Erzbischof Gröber von Freiburg, der inzwischen die Denkschrift mit den 17 Punkten seiner „Beunruhigung über die Situation der Kirche in Deutschland" herausgegeben hatte, hielt am 8. Februar 1943 vor dem versammelten Klerus eine Rede: „Zu modernen Strömungen in der Theologie und religiösen Literatur der Gegenwart". Er sprach über umstrittene dogmatische Fragen und über Irrlehren und Irrwege der Liturgischen Bewegung. Das letzte Thema begann er mit einer radikalen Ablehnung der Lehre vom allgemeinen Priestertum, für das es im Evangelium „keinen Hinweis" gebe; 1 Petr 2,3ff bringe „nur" alttestamentliche Zitate; auch die Tradition wisse „nichts vom allgemeinen Priestertum im modernen Sinne". Er fuhr fort: „Da muß ich leider, leider ein Buch nennen, in dem ein sehr verdienter Priester meiner Diözese (gemeint war Eugen Walter) einen bedauernswerten Beitrag geschrieben hat. Dieses Buch hat mir die Augen geöffnet: Borgmanns Volksliturgie und Seelsorge. Darin lese ich: ,Getragen wird der Gottesdienst . . . von der Gemeinde der Gläubigen unter der Führung der bestellten Amtsträger.' Das ist falsch! Der Priester trägt den Gottesdienst. Er ist von Christus berufen. Er hat das Sakrament der Weihe empfangen. Er ist in die Gemeinde gesandt. Er trägt den Gottesdienst, nicht die Gemeinde."
Das Zitat stammte aus dem Aufsatz „Christus — Gemeinde — Priester" [1]. Ebenso auch der nächste Satz: „Die gläubige Gemeinde ist eine priesterliche Gemeinde." — Gegen Jungmanns These vom Subjekt der Liturgie, die er schon in seinem Buch „Die liturgische Feier" (Regensburg 1939) vertreten und ausführlich erklärt hatte, war, wie ich am 3. Febr. 1943 auf meiner im Auftrag des Bischofs von Meißen, Petrus Legge, unternommenen Informationsreise zu mehreren deutschen Bischöfen bei Prof. Riebartsch in Hildesheim erfuhr, auch schon sein Mitbruder P. W. Sierp SJ aufgetreten. „Christus — Gemeinde — Priester" sei ebenso falsch, wie wenn man zitieren würde: „Christus — Konzil — Papst". Zu Jungmanns Satz von der Beteiligung der Gläubigen am Opfer als priesterlicher Akt sagte Erzbischof Gröber: „Das gilt im Sinne des geistigen Mitopferns, ganz gewiß, aber sonst? Unmöglich! Falsch! Ein ,priesterlicher Akt'? Nein!"
Gröber griff auch Jungmanns Hinweis auf die Pluralform der Darbringungsgebete im Canon Missae an [2]. „Das ,offerimus' bezieht sich auf den Bischof und die Priester, die in der Urkirche das Opfer gemeinsam darbrachten; darum das ,Wir'! Das Volk opfert nur geistig mit; die Laien ,offerunt spirituale sacrificium'. Es handelt sich um kein aktives Mitopfern. Sonst sind wir bei Luther." Mit Recht lehnte er

das mißverständliche Wort vom „ratifizieren" des Kanons durch das „Amen" der Gläubigen ab, das er im Beitrag von Walter über das Weihe- und Laienpriestertum gefunden hatte [3], sofern man es als „gültig machen" verstand, was aber nicht die Absicht des Verfassers war. Selbst Walters Berufung auf das Tridentinum, über das „Opfer der Kirche" [4] war dem Erzbischof verdächtig: „Das Opfer wird von den Gläubigen nicht aktiv dargebracht ... Die Gemeinde war wohl immer dabei, aber es braucht sie nicht. Die Gemeinde hat nur das Amen gesagt, weiter nichts." In der Folge lehnte er kategorisch die Gemeinschaftsmesse als „Mittel zur Propaganda der Irrlehren vom Laienpriestertum und vom Mitopfern der Gläubigen" ab und verbot sie für die Erzdiözese Freiburg: „Ich hatte grundsätzlich nichts gegen sie einzuwenden, bis ich das Buch von Borgmann gelesen habe. Seitdem bin ich ihr Gegner ... Jetzt habe ich gemerkt, daß man sie zum ‚Mitopfern' gebraucht. Darum werde ich nie zugeben, daß Gemeinschaftsmessen in meiner Diözese stattfinden".

(Ich zitiere aus meiner eigenen stenograph. Mitschrift dieser Rede, bei der ich in Freiburg zufällig anwesend war. In meiner Tasche trug ich das neue Manuskript zum 2. Borgmann-band „Parochia", das in vier Wochen in Leipzig gesammelt worden war, um durch Aufweis der volksliturgischen Arbeit in der Praxis die Vorwürfe zu widerlegen. Ich war auf dem Weg nach Kolmar.)

Ich besuchte am Vormittag dieses Tages seiner Rede den Erzbischof — auf den Rat seines Nachfolgers, der mir sagte: „Der einzige ‚Haeretiker' in bezug auf das allgemeine Priestertum ist unser Erzbischof; der glaubt nämlich überhaupt nicht daran. Gehen Sie zu ihm, damit er weiß, daß einer von Ihnen seine Rede hört; dann ist er in der Form milder." Erzbischof G. erklärte mir, unsere Auffassung vom Laienpriestertum sei falsch. „Ich schätze P. Jungmann; aber diese Sätze gehen nicht. Das Buch kommt auf den Index." Allerdings fügte er hinzu: „Ich habe Euch nicht angezeigt."

Ich fuhr nach Hainstetten, Post Viehdorf (Niederdonau), der Zufluchtsstätte P. Jungmanns nach der Vertreibung der Jesuiten aus der Sillgasse und dem Canisianum in Innsbruck. Er zeigte mir eine Postkarte seines in Rom lebenden Bruders, der bei P. Tromp SJ am Entwurf der Enzyklika „Mystici corporis" arbeitete. Der Schreiber bedankte sich bei P. Jungmann für die Übersendung des Buches „Volksliturgie und Seelsorge". Sie hätten daraus den Satz über das Mitopfern der Gläubigen in den Enzyklika-Entwurf übernommen. In der Tat wird diese These im endgültigen Text mit voller Klarheit ausgesprochen [5], nachdem sie Papst Pius XI. schon in seiner Herz-Jesu-Enzyklika vom 8. Mai 1928 zitiert hatte [6], eine Stelle, die wir damals im alten Brevier in der Matutin vom Montag der Herz-Jesu-Oktav lesen mußten. Mit noch größerem Nachdruck verkündigte sie bekanntlich Pius XII. in „Mediator Dei" vom 20. November 1947 [7], deren Text in die Liturgiekonstitution des II. Vaticanums (Art. 10 u. 48) übernommen wurde.

Damals bereiteten wir in Hainstetten als Beilage für unser Buch „Volksliturgie und Seelsorge" zwei „Klarstellungen" vor, die — für einen Beilagezettel schon gedruckt — vor mir liegen. Die eine betraf die umstrittene Stelle in Jungmanns Artikel „Christus—Gemeinde—Priester" und lautete: „Daß der Gottesdienst von der Gemeinde der Gläubigen getragen wird, darf natürlich, wie auch aus dem Zusammenhang hervorgeht, nicht mißverstanden werden. Es handelt sich ja um die hierarchisch gegliederte Gemeinde, um die Gemeinde, die geführt ist von den durch Christus bestellten und bevollmächtigten Amtsträgern. Es kam darauf an herauszustellen, daß der so bevollmächtigte Priester nicht nur im eigenen Namen, sondern als Sprecher und Vertreter der um ihn versammelten Gläubigen betet und opfert, was ja auch durch die Pluralform der Gebete zum Ausdruck kommt." Die zweite Klarstellung deutet den Ausdruck „ratifizieren" im Sinne des hl. Augustinus: „Amen dicere subscribere est" — als „sich zu eigen machen", wie es im Artikel selbst schon hieß [8], und wies auf de la Taille hin: „Qua significatione testificantur se ratam habere, quantum in ipsis est, oblationem suo nomine factam, proindeque eam speciali titulo faciunt suam et offerunt" [9].

Diese Beilage ist nicht mehr zum Zuge gekommen; denn die Nachauflage blieb verboten. Als die Wogen der Auseinandersetzung sich schon wieder geglättet hatten und P. Jungmann in Hainstetten ruhig weiter an der Vorbereitung seines Lebenswerkes „Missarum Sollemnia" saß, erhielt Kardinal Bertram in Breslau ein Schreiben der Apostolischen Nuntiatur vom 20. April 1944, darin es hieß: „Die oberste Kongregation des Hl. Offiziums... (im Original des Archivs fehlt eine Ecke des Briefes, in der wohl stand: „... hat die Neu-) herausgabe des von Karl Borgmann veröffentlichten und ... (fehlt: „... im Al) satia-Verlag zu Kolmar i. E. gedruckten Buches ,Volksliturgie und Seelsorge' verboten, weil dasselbe sowohl wegen einiger die kirchliche Lehre betreffenden Behauptungen, als wegen des Geistes, von dem es durchweht ist, zu Beanstandungen Anlaß bietet..." Dann folgt das Verbot von weiterer Polemik und Einführung neuer liturgischer Gebräuche „via facti".

Zu diesem Brief enthält die Akte im Indexheft (I A 25) des „Archivium c czesów Kardynala Adolfa Bertrama" unter dem Buchstaben „l" („Liturgie") Nr. 30 („Liturgische Bewegung 1944") die handschriftliche Notiz des Kardinals: „20. April 1944. S. Offizium gegen Borgmann, „V. und Seelsorge" und gegen neue liturgische Gebräuche... (Abschriften für Köln, Paderborn, Wien, Freiburg, Bamberg, München. Ferner an das Generalvikariat Breslau, Bischof von Mainz, Passau und Wienken).

Im gleichen Archiv liegen in der Mappe: I. A 25—l Nr. 28 „Liturgische und theologische Neuerungen" mehrere lange Gutachten zum „Rundschreiben des Erzbischofs Konrad Gröber von Freiburg i. Br." vom 18. Jänner 1943, verfaßt von Mons. Dr. Kastner, Prof. Koch und Dr. Ramatschi, Breslau: „Betreff der Liturgischen Bewegung und Glaubenswissenschaft", in denen auch von den Beanstandungen an Stellen des 1. Borgmannbandes die Rede ist. Kastner z. B. schreibt über umstrittene Stellen im Artikel von L. Wolker: „Sie klingen doch im Zusammenhang anders als herausgelöst..." — Zu seiner eigenen These über die „Mahlgestalt der Eucharistiefeier" hatte R. Guardini noch während der Drucklegung des 1. Borgmannbandes eine lange, noch heute aktuelle Anmerkung gemacht [10].

Die Antwort auf alle Angriffe, nicht nur auf das Buch, sondern auf die Grundsätze und die damalige Praxis der volksliturgischen Arbeit in Deutschland, soweit sie vom Oratorium ausgegangen war, bildet der 2. Borgmannband „Parochia", der Mitte 1943 in Kolmar erschien. Die Fahnen dieses Bandes waren — nachdem das Manuskript auf dem Postweg zuerst vier Wochen bei der Gestapo verschwunden war — von Bischof Landersdorfer, Präl. Wolker, Dr. Stakemeier, Prof. Brinktrine und Regens Präl. Rasche (Paderborn) durchgearbeitet worden; Kardinal Faulhaber und der Bischof von Passau hatten zur Absicherung des Buches drei eigene Beiträge zur Verfügung gestellt.

In einer ausführlichen Besprechung der „Parochia" von Dr. Theoderich Kampmann [11] bedauert der Verfasser, daß „die Gruppe Jungmanns" nur mit dem einen Beitrag von Karl Rahner über den „Pfarrer" vertreten sei. Wer aber das Vorwort

zum Band (besonders gleich den 2. Abschnitt auf S. 8) las, stieß darin auf die
Hauptanliegen Jungmanns für unsere pastoralliturgische Arbeit, wie wir sie seit
dem Studium in Innsbruck in den 20iger Jahren und aus seinen Schriften kennengelernt hatten. Das Vorwort stammte wie die Herausgeber-Arbeit vom Unter-
zeichneten dieses Berichtes. P. Jungmann hat übrigens auch selbst an einer Predigt-
reihe der „Parochia" mitgearbeitet, wie S. 11 des Vorwortes angemerkt wurde.
Er stellte eine Skizze über den Kanon als „Oblatio", über die Eucharistie als
„Opfer der Kirche" zur Verfügung. Der Raum reicht leider nicht zum Abdruck
seines Briefes vom 19. März 1943, in dem er die Behandlung dieser „Hauptfrage",
des Opfers der Kirche, („das im Band nicht aufscheint") vermißt und dann die
Skizze Nr. 3: „Oblatio Ecclesiae" zur Ergänzung ankündigt. Sie wurde — noch
etwas ergänzt — wörtlich abgedruckt [12]. — In meinen „Parochia"-Akten findet
sich auch noch eine Einigungsformulierung zwischen Jungmann und Guardini über
die Opfer- oder Mahlgestalt der heiligen Messe: „Der Ritus der heiligen Messe —
und das ist ihre Gestalt — ist der eines heiligen Mahles, das die Kirche vor Gott
darbringt und das auf dem Opfer Jesu Christi beruht." Schließen möchte ich mit
dem Bekenntnis, daß die Gründergeneration des deutschen Oratoriums nach Romano Guardini am meisten J. A. Jungmann für ihre Arbeit in der liturgischen Erneuerung verdankt. Mit ihm erlebten wir in den Tagen des Konzils, wie die Ergebnisse seines mühevollen Lebenswerkes weltweit in der Kirche Annahme fanden
und wie „aus biblischem Bewußtsein und im Sinne ältester Überlieferung die lang-
gehegte ängstliche Sorge — nicht nur in bezug auf das Verhältnis von allgemeinem
und besonderem Priestertum — überwunden wurde." So konnte P. Jungmann im
Herderschen Lexikon-Kommentar zum Artikel 48 der Liturgiekonstitution (Bd. I,
S. 52) schreiben.

1 *J. A. Jungmann,* Christus — Gemeinde — Priester: K. Borgmann (Hg.), Volksliturgie und Seelsorge. Kolmar i. E. 1942, 27.

2 Ebd. 28.

3 *E. Walter,* Weihe- und Laienpriestertum, das eine Priestertum der Kirche: K. Borgmann (Hg.), Volksliturgie und Seelsorge. Kolmar i. E. 1942, 40.

4 Dekret: De sacrificio missae: „... ut dilectae sponsae suae ecclesiae visibile... relin-
queret sacrificium." Ebd. 41.

5 Vgl. AAS 35 (1943) 232 f.

6 Vgl. AAS 28 (1928) 171 f.

7 Vgl. AAS 29 (1947) 555.

8 *E. Walter,* s. Anm. 3, 38.

9 Mysterium fidei. ³1931, 343.

10 *R. Guardini:* K. Borgmann (Hg.), Volksliturgie und Seelsorge. Kolmar i. E. 1942,
159—161.

11 *Th. Kampmann,* Theologie und Glaube 35 (1943) 45—47.

12 *K. Borgmann* (Hg.), Parochia. Kolmar i. E. 1943, 143.

Angelus A. Häußling OSB

Dienst für die Kirche

Die „Klassiker" der Liturgischen Erneuerung, nach eigenem Verständnis Erforscher der früheren Kirchengeschichte, um für die künftige breiteren Boden zu gewinnen, sind selbst unerwartet schnell, dank des auch hier epochegliedernden Konzilsspruches, Objekt der Kirchengeschichtsschreibung geworden. Daß dabei die Dankbarkeit persönlicher Verehrung mehr als die Sonde kritischer Deskription den Stil färbt, gehört zur Geschichtsschreibung in einer Institution, die uns gerade der Konsens dieser „Klassiker" — etwa, nach unparteiischem Alphabet: Odo Casel, Romano Guardini, Ildefons Herwegen, Josef Andreas Jungmann, Pius Parsch, Johannes Pinsk, Ludwig Wolker — als die im Geiste Christi lebende, in den Seelen der Glaubenden erwachte Kirche verstehen ließ. Es muß ja auch dem um den Glauben fragenden Christen ein Exempel abgeben, hier belegt zu bekommen, wie Männer unterschiedlichster Charaktere und divergierendster Herkunft, unbeschadet der eigenen, gelegentlich pointiert eigenen Meinung, gemeinsam an einem Werk bauten, das immerhin ein Papst „wie einen Durchgang des Heiligen Geistes durch Seine Kirche" pries [1] und das ein Konzil sanktionierte. Die Querverbindungen unter den „Klassikern" und wie der eine den anderen erlebte, in Grenze und Größe anerkannte, das Gespräch aufnahm und nicht abreißen ließ, des anderen Anliegen sich aneignete, das nachzuzeichnen ist nützliche Kirchengeschichtsschreibung, nützlich wegen der Überschaubarkeit des Raumes und der Nähe der Erinnerung, nützlich als Exempel; wie Provinzielles sich ins Universale weitet, oder theologisch gesagt: wie ein Aufbruch in Ortskirchen und einzelnen Glaubenden und Wissenden schließlich die Universalkirche prägt. Wie zwischen J. A. Jungmann und der Abtei Maria Laach, vertreten durch ihren Abt Ildefons Herwegen, bald eine Querverbindung geschaffen wurde, tragfähig bis zum Tode Jungmanns, ist an anderer Stelle dieses Buches ausgeführt [2]. Aber auch wie der eine den anderen erlebte, kann dankbare Pietät in diesem Buch beschreiben, fügten es doch die Umstände, daß der letzte der zahlreichen von J. A. Jungmann betreuten Schüler ein Mönch jener Abtei war — der freilich schon der Generation nach Ildefons Herwegen zugehört —, und es schien mir immer, als sähe der verehrte Professor in diesem zufälligen Faktum eine persönliche Zugabe zu den Freuden seines gesegneten Lebensabends, die den Verkehr vertrauter gestaltet haben mochte, als es bei dem sonst bescheidenen, das Persönliche scheuenden Mann üblich war. Diesem Angeld von seiten des Lehrers entsprach auf seiten des Schülers, daß es weniger um das Erlernen des liturgiewissenschaftlichen oder gar des pastoraltheologischen ABC ging, als um das vertiefende Einüben in die ekklesiale und spirituelle Bedeutung der Liturgie als ganzer. Unter diesem Vorentscheid steht die Begegnung des Jesuitenprofessors Jungmann und des Benediktiners von Maria Laach, die es nun in dankbarem Zeugnis aktenkundig zu machen gilt.

Das gute Andenken des großen Mannes wird dem Wissenden nicht geschmälert, wenn ich feststelle, daß mir anfangs eher die Grenzen seiner Persönlichkeit ins Bewußtsein traten, wohl auch forciert durch die stets enttäuschende Begegnung mit der

Realität nach den durch die Fama hochgespannten Erwartungen. Professor Jungmann war gewiß der große Gelehrte, zweifelsfrei ausgewiesen spätestens durch „Missarum Sollemnia" (deren Letztausgabe meine Handlangerdienste dienen durften). Aber er war nicht der Gelehrte einer akademischen Tradition, einer „Schule" in dem präzisen Sinn des Wortes, auf eine Methodik der Wissenschaft eingeschworen und die Adepten in strenger Lehrzeit Stufe für Stufe in das heilige Wissen aufnehmend. Einige Sonderstudien in München, ein Semester als Gast bei Franz Joseph Dölger in Breslau und ein kürzerer Aufenthalt in Bonn bei Anton Baumstark, das war alles, was den künftigen akademischen Lehrer qualifizieren konnte. „Ich bin als Wissenschaftler Autodidakt", bekannte er einmal, und mir schien ein Bedauern daraus zu sprechen (oder ein leises Staunen, daß er trotzdem so viel Anerkennung fand?), ohne daß er sich damit viel aufhielt. So konnte er ungerührt bis in die fünfte Auflage von „Missarum Sollemnia" handschriftliche Quellen aus beschreibenden Verzeichnissen zitieren, perfektionistischer Wissenschaftlichkeit ein Greuel (und, Jungmann wohl bewußt, unter normalen Verhältnissen nicht verantwortbar), oder mit verblüffend wenig Apparat ein Thema gelehrt zu traktieren beginnen. Es blieben ihm eben Vorteile und Schattenseiten einer gelehrten Schule fremd. Und doch: Nie habe ich einen Gelehrten erlebt, der das Humboldtsche Ideal des akademischen Lehrers — lehrend als beispielhafte Forscherpersönlichkeit — so realisierte wie der Autodidakt Jungmann. Seine Vorlesungen, vom unreifen Hörer leicht als langweilig abgetan, waren dem Mitforschenden durch seine souverän auswählende Stoffdarbietung ein Genuß, seine akademischen Seminare an der seinerzeitigen Innsbrucker Fakultät ohne Vergleich. Und kaum ein anderer Theologieprofessor hat ähnlich breit seine Schüler angeregt, nicht zur Reduplizierung der Ideen des Lehrers, sondern zur Entfaltung der eigenen Fähigkeiten, auch auf Gebieten, die dem Lehrer fernlagen. Er konnte Fragen mitteilen, weil er sich selbst Fragen stellte und zu beantworten sann, geführt — um es hier schon anzudeuten — vom „Geheimnis" seiner Persönlichkeit, dem Dienst an der Kirche.

Erstaunt hat mich immer, daß viele, auch solche, die es besser wissen sollten, Jungmann so oft als einen oder gar den Inaugurator der Liturgischen Bewegung feierten, oder ihn als den Mann priesen, der diesen romantischen Liturgismusbetrieb erst mal auf den Boden klarer Prinzipien und vernünftiger Ideen stellte, aus elitärer Versponnenheit in den Dienst an der konkreten Kirche holte, so, als wäre ohne Jungmann alles übrige unerheblich geblieben. Gelegentlich sind solche Aussagen zu evident Schutzbehauptungen, sich nachträglich noch den Anteil am Verdienst zu sichern trachtend, nachdem man lange genug es nur zur Gegenarbeit — auch gegen Jungmann — brachte. Jungmann selbst lehnte, zu Recht, solche Einschätzung ab. Weil er es aber in der ihm eigenen Bescheidenheit tat, nahm man's ihm nicht recht ab. Er jedenfalls wollte weder Odo Casel noch Pius Parsch konkurrieren, noch sie korrigieren, sondern, wie diese, nach Kräften am zugewiesenen Platz der Kirche dienen. Es fände aber zweifellos seinen Beifall, wenn die Verehrer Jungmanns auch die Relativität seines Einflusses konstatierten, um dann umso leuchtender das herauszustellen, was er, und nur er, als das Besondere in den Strom der Liturgischen Erneuerung einbrachte und was nicht mehr verloren gehen darf. Wer Jungmann näher kennenlernen konnte, hatte sich ohnedies zu wundern, wie es diesem Mann möglich war, so fast ganz aus der Theorie heraus die Funktion der Liturgie in der Kirche und für die Kirche zu erfassen und darzustellen. Niemals hatte er längere Zeit in einer Gemeinschaft gelebt, in der die Liturgiefeier in der

Mitte des täglichen Lebens stand. Die Bereicherung, die aus der Feier selbst kommt, die Anspannung der besten Kräfte, die das tägliche Opus Dei erst ermöglicht, die Wechselwirkung von Gottesdienst und den Banalitäten des Alltags, die Bewährung der Willigkeit zum gemeinsamen Gebet durch harte Pflichtenkonkurrenz und unvermeidliche Phasen der Lustlosigkeit — all das kannte er nicht aus eigener Erfahrung, und es ist doch so notwendig, um Liturgie zu verstehen. Das ließ dann viele seiner Äußerungen dem Wissenden naiv und lebensfern erscheinen und hat ihm selbst gewiß auch den Zugang zu manchen Phänomenen vergangener und gegenwärtiger Liturgiefeier versperrt. Unvergeßlich, als ich einmal am Vortag von Christi Himmelfahrt, am frühen Nachmittag, bei dem Professor vorbeischaute: Er hatte gerade das Brevier geschlossen, die Matutin war pünktlich antizipiert — wie im Brixener Seminar gelernt —, und er äußerte spontan: „Schauen Sie doch diese Psalmenauswahl: nur wegen des Wortes ,exaltabo' ist Psalm 29 genommen; die Antiphon zeigt's ja: ,Exaltabo te, Domine, quoniam suscepisti me'." [3] Vor Verwunderung konnte ich fürs erste nicht antworten: so ist es also, auch bei einem berühmten Liturgieprofessor, wenn man Brevierbeten nicht anders einübte denn als private Rezitation! Daß die Antiphon Selbstbekenntnis und Gebet des erhöhten Christus formuliert, also „suscepisti" das Stichwort abgibt, brauchte dort nicht erst erklärt zu werden, wo eine Kommunität im gemeinsamen Gebet von selbst die Strukturen der Offiziumselemente profiliert. Ich verwunderte mich sehr [4]. Dies hat mich oft fragen lassen, was für Professor Jungmann „Liturgie" eigentlich bedeutete. Nicht wie er das Pänomen „Liturgie" definierte; das hat er ja programmatisch und nicht ohne schließlichen Erfolg dargelegt. Was war ihm selbst „die Liturgie"? Er gab freimütig zu, daß er nicht von ihrer Feier geprägt war. Er war als Zelebrant bekanntermaßen hilflos und praxisfern. Seine spirituellen und theologischen Leitgedanken hatten nicht im Erleben der liturgischen Feier ihre Herkunft und ihren Ort. Er nahm sie gewiß ernst, er ließ sich von ihren ehrwürdigen Texten ansprechen. Das Gloria in excelsis etwa konnte er interpretieren, wie es nur einem Menschen möglich ist, der nicht nur viel über diesen Text weiß, sondern in ihm die Entscheidung des eigenen Lebens gültig verbalisiert findet. Noch von seinem letzten Krankenlager, drei Wochen vor seinem Tod, interpretierte er seine Situation anhand eines Textes aus dem gerade fälligen (alten!) Brevier [5]. Aber mag etwa bei Odo Casel dank der täglich geübten Feier der Liturgie [6] die genial einheitliche theologische Deutung der christlichen Existenz dem objektiven Betrachter zu „liturgisch" erscheinen, dann war bei Jungmann, dem es in gleicher Weise um eine einheitliche theologische Erschließung des ganzen christlichen Lebens ging, in diesem Gesamtkonzept, trotz „Missarum Sollemnia", die Liturgie nicht frei von papierner Blässe, und das wohl, weil er selbst sie eher als theologisches Postulat denn als aus Erfahrung prägende Realität erkennen gelernt hatte.
Gerade aber diese Fähigkeit und Willigkeit, von Einsichten sich führen zu lassen und mit der zähen Festigkeit des Tiroler Bergbauern den erkannten Weg zu Ende zu gehen, gerade das scheint mir der hervorstechende Zug in Jungmanns Persönlichkeit zu sein. Sie war differenziert dank der Offenheit, Altes und Neues, Verlorenes und zu Gewinnendes, Fehlendes und Notwendiges in Geschichte und Gegenwart wahrzunehmen; sie war trotzdem in sich geschlossen dank der Beharrlichkeit, sich in den Dienst einer lohnenden Aufgabe nehmen zu lassen, einer Aufgabe, die freilich seinen didaktischen Fähigkeiten entgegenkam und seiner einmaligen Gabe, große Stoffmengen zu übersehen und klar darzustellen, ohne sie zu simplifizieren [7]. Der Schlüssel zu seiner Persönlichkeit ist aber wohl das, was ihm zu selbst-

verständlich und zu persönlich war, um darüber zu reden, und was auch nicht beredet werden kann: die rückhaltlose Hingabe in den als konkrete Aufgabe gestellten Dienst der Kirche. Er war — als letzte nach anderen Möglichkeiten — schließlich Professor der Pastoraltheologie und Priestererzieher. In diese Aufgabe brachte er seine ganze Persönlichkeit ein, samt den Fragen, die ihn schon als Kooperator bewegten und deren Publikation noch den Professor namhaft machte. Er übte „phantasievollen" Gehorsam, wie das heute genannt würde. Diese Aufgabe trug ihn: sie gab ihm zugleich so etwas wie ein begründetes Sendungsbewußtsein und die Gelassenheit, sich auch gegenüber Unverständnis zu behaupten und unverdrossen auf lange Sicht vorauszuarbeiten. Die innere Struktur seiner individuellen, existenziellen Erkenntnis [8] darf wohl mit einigem Recht so formuliert werden: in lebendiger Gläubigkeit wird die „drückende Starre" [9] traditioneller Kirchlichkeit erfahren; die Möglichkeit eines lebendigeren Glaubens, die es aus innerer Evidenz doch geben muß, wird in der frühen Kirche entdeckt [10]; von ihr aus gesehen fehlt der Kirche der Gegenwart Wesentliches: der Reichtum inhaltlich gefüllter Verkündigung, die unmittelbare Hinwendung zu Gott durch Christus kraft des Heiligen Geistes in einem lebendigen Gottesdienst; also gilt es, Fehlentwicklungen, vor allem verfestigte Schlagseiten aus antihäretischen Reaktionen, in die Fülle zurückzubringen und die Grundstrukturen freizulegen, deren Kenntnis neues Gestalten ermöglicht; stärkender Beleg dafür, daß die Zukunft der Kirche gewonnen werden kann, ist das historisch aufweisbare Faktum, daß trotz allen Verengungen zu allen Zeiten der Geist Gottes sich Gestalt schuf, vor allem in der Frömmigkeit des Volkes, daß es also innerhalb der Kirche keine absoluten Fehlentwicklungen gibt, daß das Bestehende durchaus Ansatz der ersehnten lebensnotwendigen Fülle sein wird.

Dieser seiner existenziellen Grundentscheidung gefolgt zu sein, macht die Größe der Persönlichkeit Jungmanns aus, macht ihn als Christ zu einem Vorbild, und das ist es, was die Kirche und uns alle in ihr bereichert hat. Hier ordnen sich auch seine wissenschaftlichen Beiträge ein, die pastoraltheologischen, katechetischen, liturgiewissenschaftlichen.

Der liturgischen Erneuerung hat die milde Kraft der synthetischen Darstellung, in diesem Maß nur seiner geistlich geschlossenen Persönlichkeit möglich, den unerläßlichen Beitrag eingebracht, überzeugend die Geschichtlichkeit und damit die Relativität der Gestalt der nachtridentinischen Katholizität, der Verkündigung, der Liturgie, der Frömmigkeit, aufzuweisen, zugleich aber auch den konkreten Ansatz von Reformen anzuzeigen. Überzeugend war diese Darlegung, weil Jungmann alles, auch die sekundären, problematischen Formen subjektiven, „liturgiefernen" Betens ernsthaft zu integrieren verstand, so daß in dieser Deduktion jeder sich angenommen sah und zum Umlernen willig wurde. In unseren Kreisen, von der klassischen, uns täglich lebendigen Liturgiefeier ausgehend, geriet die Neuzeit leicht in den Sog des prinzipiellen Urteils und Aburteilens, und die Mißverständnisse kamen denn auch rasch. Ehrlich mußten wir angesichts von „Missarum Sollemnia" zugeben: Jungmann „hat eine erstaunliche Gabe, alle irgendwie auftauchenden Erscheinungen in das liturgische Geflecht einzuweben. In solchem Maß habe ich sie leider nicht und so ist es mir unmöglich, die ‚Partikularrechtlichen Schlußsegnungen' und noch weniger die leoninischen Preces n a c h der Messe als Bestandteile der Messe aufzufassen. Aber ohne diese erstaunliche Kombinationsgabe wäre wohl ein so wertvolles Werk nicht geworden, das aus tausend und abertausend kleinen Notizen besteht, aber sich nicht in ihnen verliert." [11] Gewiß, „erstaunlich" ist das Phänomen „Missarum Sollemnia", aber was die Wissenschaft als „Kombinationsgabe" klassifizieren muß, ist im Grunde die Spiritualität Jungmanns, in wissenschaftliche Methodik sich niederschlagend. In der Spiritualität dieses durchaus individuell geprägten Dienstes in der Kirche ist der Priester aus Tirol für die Weltkirche bedeutend geworden.

Rückhaltloser und phantasievoller Dienst für die Kirche in der konkret zugewiesenen Aufgabe — ich meine, Jungmann, nach dem gewohnten Moment des bedächtigen Nachdenkens, Zustimmung nicken zu sehen: „Das könnte so sein." Und er möchte dann vielleicht noch zugefügt haben, das sei für einen Jesuiten nun doch nichts Besonderes. Es war mir beschieden, acht Jahre in und bei Häusern der Gesellschaft Jesu zu verbringen und zahlreiche Jesuiten in den unterschiedlichsten Aufgaben kennen und schätzen zu lernen. Keiner aber schien mir das im besten Sinn Jesuitische so ausgeprägt zu realisieren wie Pater Jungmann, eben den rückhaltlosen und phantasievollen Dienst in der konkret zugewiesenen Aufgabe, getragen von der zuverlässigen Spiritualität eines dem gekreuzigten Herrn verbundenen Christen, ausgewiesen durch die Großmut des Herzens, die nicht nach Bestätigung, Erfolg, Nutzen zu fragen braucht, die sich freut, zurücktreten zu können, weil andere das gleiche tun und es sogar besser tun, ausgewiesen aber auch durch die Peinlichkeit, das Unansehnliche ernst zu nehmen, und seien es nur die langjährigen Plackereien, bis jedes Vierteljahr ein Heft „Zeitschrift für katholische Theologie", mit seriösen Rezensionen und dem Minimum an Druckfehlern, vorlag. Wenn jemand einwendet, es gäbe bei Jungmann doch so vieles, was gar nicht typisch jesuitisch sei — Liturgie als Arbeitsfeld, Geistesgeschichte bis hin zu Musik und bildender Kunst [12] als Kronbeleg seiner theologischen Wissenschaft —, dann sei dem Jesuitenschüler im Benediktinerorden gestattet, doch gerade in der Weite für das Untypische hoffentlich etwas typisch Jesuitisches anerkennen zu dürfen.

Andere mögen Pater Jungmann intensiver als Lehrer, als Gelehrten, als Berater, als Mitarbeiter, als Hausgenossen, als Freund erfahren und achten gelernt haben. Dem letzten seiner Schüler, dem Mönch eines traditionsreichen Ordens, ist es liebe Pflicht, seine geistliche Persönlichkeit herauszustellen. Seine Schriften mögen sich überholen, die Ergebnisse seiner weitgestreuten Arbeit sich relativieren, der Kreis der Schüler sich lichten, die übrigen seinen Namen vergessen, der Preisgesang mancher Feierreden auf ihn sich als voreilig herausstellen; aber sein eigentliches Erbe ist das Beispiel seines Dienstes in der Kirche, und dieses Erbe darf niemals aufhören zu leben. Wir müssen nun in der Kirche und der theologischen Wissenschaft leben ohne sein klärendes, helfendes Wort, und der Geist Gottes wird uns gewiß schon zurechtkommen lassen. Aber wir können nicht leben, wenn uns nicht das Beispielhafte seines Lebens bleibt.

1 *Pius XII.*, Ansprache an den Pastoralliturgischen Kongreß von Assisi am 22. September 1956 (AAS 48 [1956, 711—725] 712), von J. A. Jungmann gern angeführt.

2 S. den Beitrag von E. v. Severus.

3 Breviarium Romanum, In Ascensione Domini, Ad Matutinum (2. Psalm der 2. Nokturn).

4 Immerhin muß zugute gehalten werden, daß unmittelbar vor dem genannten Psalm 29 der Psalm 20 mit der Antiphon „Exaltare, Domine, in virtute tua..." vorangeht, das gleiche Wort also nacheinander in durchaus verschiedenem Sinn steht, der nivellierende Trend der Privatrezitation die Verschiedenheit der Texte aber verschleiert.

5 Aus einem Brief vom 3. Jänner 1975 an den Verfasser: Es gibt jetzt „Schöneres: jene altera vita, von der Augustinus zum Fest des hl. Johannes (in unserem alten Brevier!) schreibt..." (Anspielung auf Breviarium Romanum, die 27 decembris: S. Joannis Apostoli et Ev., Ad Matutinum, Homilie der 3. Nokturn).

6 Die tägliche Liturgiefeier als Ansatzpunkt der theologischen Frage O. Casels beschreibt etwa *V. Warnach* in der Einleitung zu O. Casel, Das christliche Opfermysterium. Zur Morphologie und Theologie des eucharistischen Hochgebetes. Graz 1968, 31. Für die Arbeit von Pius Parsch, den Presbyter der Gemeinde St. Gertrud in Klosterneuburg, ließe sich gewiß Gleiches konstatieren.

7 K. Mohlberg OSB († 1963), der verdiente Liturgiewissenschaftler, seinem Temperament nach nicht voreilig die Bedeutung anderer Gelehrten lobend, hat gerade diese Fähigkeit Jungmanns überaus hoch geschätzt, wie er mir mehrfach versicherte. Besonders das Buch Jungmanns „Liturgie der christlichen Frühzeit bis auf Gregor den Großen" (Deutsch), Freiburg/Schweiz 1967, fand seine rückhaltlose Anerkennung. Er fügte dann freilich ein besonderes Lob auf jenen Satz im Vorwort der 5. Auflage von Missarum Sollemnia hinzu, wo Jungmann („allzu bescheiden" immerhin) bekennt, er fasse doch nur die Arbeiten der bisherigen Liturgiehistoriker zusammen (Bd. 1, 11).

8 Wir verstehen diesen Begriff hier in dem Sinne, in dem ihn Karl Rahner, vor allem in der Interpretation der ignatianischen Exerzitien, einführte und dessen Explikation ein theologisches Desiderat bleibt; vgl. (als erste Erörterung) K. Rahner, Die ignatianische Logik der existenziellen Erkenntnis. Über einige theologische Probleme in den Wahlregeln der Exerzitien des hl. Ignatius: Ignatius von Loyola. Seine geistliche Gestalt und sein Vermächtnis. 1556—1956. Hg. von Friedrich Wulf. Würzburg 1956, 343—405.

9 So J. A. Jungmann im Nachruf 1954 rückblickend auf Pius Parsch, zitiert bei *N. W. Höslinger*, Wegbereiter der neuen Liturgie. Zum Gedenken an Josef Andreas Jungmann: Bibel und Liturgie 58 (1975) 32 (—36).

10 Hier trifft sich der geistige Weg Jungmanns mit dem von John Henry Newman. Auf eine andere Parallele macht aufmerksam *F. M. Willam,* Pater Josef Andreas Jungmann, † 16. Jänner 1975 (sic!) — Werden und Wirken: Anzeiger für die katholische Geistlichkeit 84 (1975) 118—122, bes. 118. 120.

11 *Odilo Heiming OSB* (Studienkollege Jungmanns bei Fr. J. Dölger) in der Besprechung von „Missarum Sollemnia": Archiv für Liturgiewissenschaft 7/1 (1961) (209—) 211. Jungmann schätzte diese Besprechung hoch ein.

12 Auf dem inneren Verständnis für Kunst und Künstler beruhte wohl die auffallende und persönlich gestimmte Verehrung, die Jungmann meinem Mitbruder Theodor Bogler († 1968) bezeugte. Zwei Jahrzehnte hindurch brachte gemeinsame Kommissionsarbeit regelmäßige Begegnungen. Zumal auf Reisen las Jungmann gern in den Publikationen Th. Boglers.

Philipp Harnoncourt

Drei Begegnungen

Wenn ich auch nicht zum unmittelbaren Schülerkreis von P. A. Jungmann gehöre — ich habe weder bei ihm Vorlesungen gehört noch bei ihm doktoriert oder habilitiert —, so darf ich in ihm doch einen meiner Lehrer sehen, dem ich sehr viel verdanke. Nicht nur, weil ich seit meiner Studentenzeit zu den begeisterten Lesern seiner zahlreichen Publikationen zähle, sondern weil es eine Reihe von Begegnungen gibt, die für mich richtungweisende Anstöße für liturgiewissenschaftliche Arbeiten enthielten.

Meine erste persönliche Begegnung mit J. A. Jungmann liegt mehr als zwanzig Jahre zurück, steht aber noch ganz lebendig in meiner Erinnerung: Ich war im Juli 1954 in Graz zum Priester geweiht worden und hatte eben meine erste Kaplansstelle in Arnfels — einem kleinen Markt an der steirisch-jugoslawischen Grenze — angetreten, da erhielt ich von meinem Pfarrer die Erlaubnis, am Zweiten Internationalen Kongreß für Kirchenmusik in Wien vom 4. bis 10. Oktober 1954 teilzunehmen. Seit meinem Münchener Studienjahr (1952/53) und der dort erfolgten Begegnung mit Prof. Joseph Pascher hatte mich ein lebhaftes Interesse an Fragen der Liturgie und der Verwendung von Musik und Gesang im Gottesdienst erfaßt, und ich war auf der Suche nach einem Thema für eine liturgiewissenschaftliche Dissertation.

An den ersten Tagen war ich von den Veranstaltungen des Kongresses bitter enttäuscht. Die Referate ließen jeden Bezug zum gottesdienstlichen Leben der Gegenwart vermissen, und die überaus zahlreichen „musikalischen Hochämter" und geistlichen Konzerte empfand ich lediglich als Demonstration der künstlerischen Leistungsfähigkeit in- und ausländischer Chöre. Dann aber kam jener denkwürdige 7. Oktober — er war ein Donnerstag —, an dem der Kongreß das Thema „Liturgie und Volksgesang" behandelte und dazu nach Klosterneuburg, dem Sitz des Volksliturgischen Apostolats von Pius Parsch, übersiedelte, der am 11. März desselben Jahres gestorben war. Nach einem Besuch seines Grabes in der St.-Gertruds-Kirche feierte Bischof Franz Zauner von Linz mit den Kongreßteilnehmern in der Stiftskirche eine Gemeinschaftsmesse (missa lecta!) mit einstimmigem deutschem Ordinarium und mehrstimmigem deutschem Proprium von Josef und Hermann Kronsteiner. Im Anschluß daran hielt J. A. Jungmann seinen Vortrag zum Thema dieses Tages.

Ich war tief beeindruckt von der klaren und konsequenten Konzeption der liturgie-theologischen Gedankenführung, vom pastoralen Engagement und von der bescheiden unaufdringlichen Sprechweise des fast unscheinbar zu nennenden Gelehrten. Mit gespannter Aufmerksamkeit hörte ich zu, und ich könnte noch heute das damals Gehörte ziemlich genau nacherzählen. Zur Liturgie gehört unabdingbar die Mitfeier der Gemeinde, weil sie Gottesdienst der Kirche ist; weil sie aber Gottesdienst der Kirche ist, wird sie und muß sie immer auch die höchsten Möglichkeiten der Kunst in Anspruch nehmen, auch auf die Gefahr hin, die direkte Teilnahme

der versammelten Gemeinde zu beeinträchtigen. Diese Spannung wird immer un-
entrinnbar bleiben.

Allein dieses Referates wegen hatte es sich gelohnt, zum Kongreß gefahren zu sein.
Umso größer war die Enttäuschung — um nicht zu sagen die Verbitterung —, daß
die daran anschließende Diskussion überhaupt nicht auf Jungmanns Konzeption
einging, sondern sich fast ausschließlich mit Erlaubtheit oder Unerlaubtheit der
morgendlichen Meßfeier auseinandersetzte und schließlich in Resolutionen münde-
te, die von Rom eine Einschränkung des Privilegs des „Deutschen Hochamts" und
ein absolutes Verbot von Vertonungen des Meßproprium in der Volkssprache ver-
langten [1]. Nach dieser Diskussion fuhr ich von Wien nach Hause; der Kongreß
hatte für mich jegliche Anziehung verloren. Ich war aber überaus froh, P. Jungmann kennengelernt zu haben.

Fast zehn Jahre später kam ich zum zweiten Mal mit J. A. Jungmann in Kontakt,
diesmal aber nur schriftlich: 1961 hatte ich von Bischof Josef Schoiswohl den Auftrag erhalten, den Diözesankalender des Bistums Graz-Seckau gemäß den Weisun-
gen des „Codex Rubricarum" vom 25. 7. 1960 und der „Instructio de calendariis
particularibus... ad normam et mentem Codicis Rubricarum revisendis" vom
14. 2. 1961 zu bearbeiten. Um zunächst einmal Klarheit darüber zu erhalten, wie
der damals bestehende Diözesankalender überhaupt zustandegekommen war —
es sollten schließlich keine Eigenfeste aus dem Kalender gestrichen werden, ohne
zu wissen, warum und wie sie hineingekommen waren —, stellte ich Untersuchungen zur Entwicklung der Eigenkalender an. Da zur Frage der Rechtmäßigkeit von
Eigenkalendern keine Literatur zu finden war, wandte ich mich an J. A. Jungmann, der mich einerseits auf eine hochinteressante und umfangreiche Studie des
Jesuiten Charles Guyet [2] aufmerksam machte und andererseits sein großes Interesse an der Fragestellung bekundete, denn die Diskussion um die Reform des Heili-
genkalenders im Zuge der Liturgiereform des II. Vatikanums war damals bereits
voll im Gang.

Aus diesen Untersuchungen ist im Jahr 1963 meine Dissertation entstanden [3], und
P. Jungmann nahm den grundsätzlichen Teil derselben: „Diözesanfeste in der liturgischen Gesetzgebung. Ein Beitrag zur Diskussion um die Reform des Heiligen-
kalenders" sogleich in die „Zeitschrift für katholische Theologie", deren Redaktion
er damals innehatte, auf [4], um die darin enthaltenen Reformprinzipien möglichst
rasch noch in die Beratungen des zuständigen coetus einbeziehen zu können, wie er
mir brieflich mitteilte. Daß es ihm mit dieser Intention ernst war, bekundete er
auch dadurch, daß er in seinem Kommentar zur Liturgiekonstitution ausdrücklich
auf diese Studie Bezug genommen hat [5].

Im Jahr 1965 traf ich anläßlich einer Kontaktsitzung der Liturgischen Kommissionen des deutschen Sprachgebietes im katholischen Bildungshaus Puchberg bei
Wels erstmals zu persönlichen Gesprächen mit J. A. Jungmann zusammen. Ich war
damals auf der Suche nach einem Thema für meine Habilitationsschrift, und ich
bat ihn, meine Päne mit ihm besprechen zu dürfen. Etwa eine Stunde gingen wir
miteinander spazieren, und ich legte ihm mein Konzept vor, die katholischen Kir-
chengesangbücher des Reformationsjahrhunderts auf ihre pastoralliturgischen Intentionen untersuchen zu wollen. Ich war überrascht, wie rasch und klar Pater
Jungmann die Möglichkeiten und Grenzen dieses Projektes aufzuzeigen vermochte
obgleich er meinte, über die Quellenlage nicht Bescheid zu wissen. Während er auf
der einen Seite dringend empfahl, den örtlichen und zeitlichen Rahmen eng und
eindeutig abzustecken, um nicht in uferlosen Quellenstudien stecken zu bleiben

wollte er auf der anderen Seite die Fragestellung so ausgeweitet haben, daß mit den pastoralliturgischen Intentionen auch die frömmigkeitsgeschichtlichen Aspekte des Kirchenliedbestands zur Darstellung kommen sollten.

Im Zuge dieses Gespräches und aus einigen ihm folgenden Briefen wurde mir deutlich, wie selbstverständlich und unerläßlich es für Pater Jungmann war, Liturgiefeier immer als öffentlichen Vollzug des Glaubens und somit auch als Glaubensverkündigung in der Gemeinde zu sehen. Die bloße Entwicklung der Formen zu untersuchen und aufzuzeigen, genügte ihm nicht. So erwies sich der große Liturgiehistoriker immer auch, ja eigentlich zuerst als Pastoraltheologe, dem es mehr um das Verständnis für die Feier der Liturgie ging als um die Kenntnis ihrer formellen Entwicklung, und für den die Feier der Liturgie immer Verkündigung der Heilstaten Gottes und Teilnahme an den Heilstaten Gottes durch die Gemeinde der Gläubigen bedeutete.

1 Vgl. Kongreßbericht, vorgelegt vom Exekutivkomitee. Wien 1955, 193—211. 339—345. 398—402; *Ph. Harnoncourt*, Katholische Kirchenmusik vom Caecilianismus bis zur Gegenwart: Traditionen und Reformen in der Kirchenmusik. Festschrift zum 75. Geburtstag für Konrad Ameln. Kassel 1974, 78—133.

2 Heortologia, sive de festis propriis locorum et ecclesiarum. Venedig 1729.

3 Das Calendarium proprium in der heutigen Diözese Seckau von 1596 bis 1962. Hektograph. Dissertation. Graz 1963.

4 ZKTh 86 (1964) 1—46.

5 LThK, Suppl. I: Das Zweite Vatikanische Konzil. Konstitutionen, Dekrete und Erklärungen, Freiburg i. Br. 1966, 93 f.

Norbert Höslinger

Der „Volks"-Liturgiker

P. Jungmann wirkte die längste Zeit seines Lebens als akademischer Lehrer; er wurde berühmt durch seine wissenschaftlichen Arbeiten. Das könnte zum Schluß führen, daß Jungmanns Interesse allein im Historischen oder Spekulativen gelegen wäre. Seine Verdienste als Liturgiehistoriker und Liturgietheologe liegen aber gerade auch darin, daß er durch seine Arbeiten mitgeholfen hat, die Liturgie in der Kirche zu einer echten „Volks"-Liturgie [2] zu machen.

In diesem Zusammenhang ist es sicher interessant, von einer Begegnung des Theologiestudenten Jungmann mit dem etwas älteren Pius Parsch, den man wohl als Begründer der „Volksliturgie" ansehen darf, zu erwähnen. Jungmann selbst berichtet: „Es war in den Sommerferien 1912, da weilte ein junger, schwächlich aussehender, sehr erholungsbedürftiger Priester, der soeben Doktor der Theologie geworden war, durch einen älteren Freund empfohlen, zur Erholung in meiner Heimatpfarre in Südtirol. Bald war der Kontakt hergestellt. Auf gemeinsamen Spaziergängen begannen verwandte Saiten mächtig zu erklingen: Aufgaben der religiösen Vertiefung und der Überwindung drückender Starre standen vor uns und weckten die gemeinsame Begeisterung; sie ließen uns in eine kommende Lebensarbeit hinausschauen, für die unsere hochstrebende Gebirgswanderung fast symbolisch war. Als der junge Herr dann an einem Sonntag Predigt und Amt übernahm, war die klare, eindringende Art seiner Rede und die andächtige, fast überfeierliche Weise seines Zelebrierens ein kleines Ereignis in der Gemeinde. Dann entschwand Name und Gestalt des jungen Priesters wieder aus meinem Gesichtskreis — bis anderthalb Jahrzehnte später Pius Parsch und sein Werk des Volksliturgischen Apostolats von Klosterneuburg vor mir stand und zu neuen Begegnungen einlud." [3]

In diesen Zeilen ist nicht nur das gemeinsame Anliegen der beiden Priester, schon in ihren jungen Jahren, dokumentiert; es zeigt auch den pastoralen Ansatz Jungmanns, der sein ganzes Leben hindurch immer „der Seelsorge dienen" wollte [4].

Jungmann begann auch seine Tätigkeit in der praktischen Seelsorge: als Kooperator in seiner Heimatdiözese Brixen. Die Fächer, die man ihm übertrug, waren Gebiete der praktischen Theologie: Katechetik, Pädagogik und Liturgik. In seinem berühmt gewordenen, in der ersten Zeit seiner wissenschaftlichen Tätigkeit entstandenen Buch „Die Frohbotschaft und unsere Glaubensverkündigung" (1936) beurteilt er weitverbreitete Frömmigkeitspraktiken als nicht mehr zeitgemäß. Gerade diese Kritik zeigt, daß er unter der damaligen Situation der Pastoral, die sich durch enge Gesetzauslegung und Traditionalismus in „drückender Starre" befand, gelitten hat, wie das schon aus dem Gespräch, das er mit Pius Parsch als Theologe geführt hat, hervorging.

Wenn er selber auch kein Praktiker war [5], so unterhielt er doch stets lebendige Kontakte mit Priestern, die in der Seelsorge standen, vor allem mit solchen, die Träger der Liturgieerneuerung waren. So war er wiederholt Redner auf liturgischen Kongressen und durch viele Jahre hindurch Mitglied der Bundesdeutschen und Österreichischen Liturgiekommission. Gerade hier zeigte sich sein Interesse an der Liturgischen Erneuerung, der er bewußt verpflichtet war.

Seine Forschungen, auch die historischen, sah er immer im Hinblick auf die Praxis. Liturgiegeschichte war bei ihm nicht Selbstzweck; ihm ging es nicht um Wiederherstellung urchristlicher Liturgieformen, wie man es den ersten Pionieren der liturgischen Bewegung — manchmal nicht zu Unrecht — vorwarf; er sah vielmehr die große Linie „stetiger Überlieferung und organischer Entwicklung" [6]. Er selbst sagt dazu: „Möge das neue Konzil jener Wendepunkt werden, von dem an alle historischen Erklärungen der Liturgie nur mehr eine herabgesetzte Bedeutung haben, weil die Liturgie eine Gestalt empfängt, die durch sich selbst spricht und umständlicher Erklärungen nicht mehr bedarf." [7]

Sein pastorales Grundanliegen bricht auch durch in seinem geduldig geführten Kampf um den Liturgiebegriff. Liturgie ist für ihn überall dort zu sehen, „wo die Kirche als Volk Gottes betend vor Gott hintritt", also zum Beispiel auch „in einer Abendandacht, die der Pfarrer mit seiner Gemeinde nach den Vorschriften des Diözesangebetbuches hält" [8]. Noch ist mir in Erinnerung, wie auf einer Sitzung der Liturgischen Kommission Österreichs in Salzburg im Jahre 1958 über die Instructio „De Musica sacra et sacra Liturgia" vom 3. 9. 1958 gesprochen wurde. Im Mittelpunkt des Gespräches stand die Definition von Liturgie, die als Gottesdienst beschrieben wurde, der „secundum libros a Sancta Sede approbatos" gehalten wird. Jungmann hörte schweigend zu und erst, als er direkt angesprochen und gefragt wurde, was er davon halte, sagte er: „Nach dieser Definition hat es vor Pius V. keine Liturgie gegeben." Er schrieb kurz darauf dazu in aller Offenheit, daß es sich „um eine unangenehme Einschränkung" handle; führte aber dann aus: „Nun kommt es auf den Namen ‚Liturgie' natürlich nicht an..., wohl aber kommt es darauf an, den Gottesdienst, den wir mit den Gläubigen halten, als eine lebendige Einheit zu erfassen. Es soll nicht so sein, daß nur alles das, was in den Büchern schrieben wurde, der „secundum libros a Sancta Sede approbatos" gehalten wird. daß aber alles übrige Wildwuchs bleibt, sondern hier wie dort muß derselbe Geist wirksam sein, wenn auch in verschiedener Weise." [9] In der Liturgiekonstitution wurden dann auch tatsächlich von den „pia exercitia" die „sacra exercitia" unterschieden, die gottesdienstlichen Feiern der Teilkirchen im Auftrag der Bischöfe [10].

Pius Parsch hat nach Erscheinen von „Missarum Sollemnia" auch auf die in diesem Aufsatz hervorgehobene Komponente im Schaffen Jungmanns hingewiesen: „Der bekannte Liturgiewissenschaftler Prof. Jungmann SJ hat der katholischen Welt eine große Geschichte der römischen Messe geschenkt, wie sie bisher noch nicht geschrieben wurde... Das Werk wird für Jahre hinaus das bleibende Standardwerk über die Messe sein. Aber auch vom Standpunkt der Volksliturgie möchten wir dieses Werk hochstellen. Zuerst ist es nicht ein kalt wissenschaftliches Buch, das nur dem Historiker und Wissenschaftler etwas sagt; es ist auch mit dem Herzen geschrieben, ich möchte sagen mit dem Herzblut eines frommen Gottesgelehrten und Priesters, der ehrfürchtig das große Vermächtnis des Herrn durchforscht, um es der Welt zu überreichen. Ferner sieht Jungmann nicht die Messe als reine Priesterliturgie, als ein Tun des Priesters am Altar an, sondern als Gemeinschaftshandlung, zur der das Volk notwendig gehört und gedacht wird. Dadurch steht die Messe auch volksliturgisch vor uns, und die aktive Teilnahme des Volkes wird ein wesentlicher Faktor für das Verständnis des großen Bauplanes und der kleinsten Teile und Glieder. Welch ein großer Unterschied zwischen der Meßerklärung Eisenhofers, der die Volksliturgie nicht kennen will, und der Jungmanns!

Und noch ein besonderer Vorzug: Die früheren Meßerklärungen hielten die gegenwärtige Gestalt der Messe für fertig und unumstößlich, sie übersahen die Menschlichkeiten und Schwächen der Messe, die Rudimente und Rückbildungen, wagten es nicht, Werturteile auszusprechen. Jungmann geht da andere Wege. Von heißer Liebe zum Vermächtnis des Herrn getrieben, legt er in sanfter, ehrfürchtiger Weise den Finger auf die Stellen der Messe, die vervollkommnungsfähig sind ... So ist denn das Werk Jungmanns nicht bloß rückschauend eine vollkommene Geschichte der Meßfeier, es gibt auch ausschauend Werturteile und Winke für die Messe der Zukunft." [11]

Im selben Jahr, in dem Pius Parsch am 11. März gestorben war, erhob Jungmann im Stift Klosterneuburg seine Stimme anläßlich des 2. Internationalen Kongresses für Kirchenmusik in Wien-Klosterneuburg im Oktober 1954. Nachdem eine von Bischof Zauner (Linz) gehaltene Messe auf Grund volksliturgischer Gestaltung beim Präsidenten des Kongresses, Prälat Higino Anglès, Anstoß erregt hat, führte Jungmann in seinem Referat „Liturgie und Volksgesang" nach einigen historischen Erläuterungen aus: „Es ist also nicht unerhört, daß auch im Lateinischen Gottesdienst Texte und näherhin Gesänge in der Volkssprache eingeschaltet werden. Liturgie und Volkssprache schließen einander nicht mehr aus." [12] Von Kongreßteilnehmern, die das volksliturgische Anliegen vertraten, wurden diese Worte als mutiges Bekenntnis des bescheidenen und demütigen Gelehrten aufgefaßt.

Abschließend möchte ich den Auszug aus einem Brief bringen, den mir Prof. Jungmann geschrieben hat, nachdem ich die Redaktion von „Bibel und Liturgie" übernommen hatte. Die Zeilen sind ein Zeugnis für sein pastorales Verständnis und sein Erfassen der Situation.

„Ich glaube, daß man sich über die neue Wendung in der Entwicklung dieses verdienten Organs nur freuen darf. Es geht eine schärfere Luft durch die Blätter. Alles ist realistischer geworden. Nicht mehr die kleine Gemeinde von St. Gertrud mit ihrer hohen liturgischen Kultur bestimmt den Ton, sondern der in harter Arbeit stehende gottsuchende junge Großstadtchrist. Ich glaube, daß es gut ist so. Pius Parsch hat die heute erstarkende pastoralliturgische Phase der liturgischen Bewegung eingeleitet — mit einem erstaunlich weitreichenden Radius. Hier wird dieses Ideal weiteren Kreisen mundgerecht gemacht und zugleich biblisch ausgeweitet." [13]

Wir erleben es heute, daß auf Grund der Liturgiekonstitution des II. Vatikanums das große pastorale Anliegen Jungmanns seine Erfüllung findet. Möge auch weiterhin in der Praxis sein Grundsatz gelten: „Liturgie ist Gottesdienst der Kirche" [14]

---

1 Dieser Beitrag folgt im wesentlichen meinem Aufsatz „Wegbereiter der neuen Liturgie": BiLi 58 (1975) 32—36.

2 Die Begriffe „Volksliturgiker" und „Volksliturgie" werden heute nicht mehr verwendet; sie waren zeitbedingt und haben sich nicht durchgesetzt. Pius Parsch selbst, der vermutet, Urheber dieser Begriffe zu sein, weiß um ihre Problematik (vgl. P. *Parsch*, Volksliturgie, ihr Sinn und Umfang. Klosterneuburg ²1952, 5). Im vorliegenden Beitrag werden die Begriffe aber bewußt gebraucht, um einerseits eine vielfach nicht beachtete Linie bei Jungmann zu betonen, anderseits, um den Zusammenhang des Schaffens Jungmanns mit der „Volksliturgischen Bewegung" von Pius Parsch aufzuzeigen.

3 *J. A. Jungmann,* „Pius Parsch": Der große Entschluß, 9 (1954) 220.

4 *W. Croce,* „Josef Andreas Jungmann SJ": LJ 10 (1960) 2.

5 Jungmann selbst bezeichnet sich einmal als „Theoretiker, der den jugendpädagogischen Alltag fast nur aus der Ferne kennt" in dem Aufsatz „Liturgie als Schule des Glaubens": *J. A. Jungmann*, Liturgisches Erbe und pastorale Gegenwart. Innsbruck 1960, 437.

6 *J. A. Jungmann*, Messe im Gottesvolk. Freiburg i. Br. 1970, 5.

7 *J. A. Jungmann*, Missarum Sollemnia. Wien ⁵1962, 11.

8 *J. A. Jungmann*, Liturgie und „pia exercitia": LJ 9 (1959) 80.

9 Ebd. 86.

10 LK, art. 13.

11 *P. Parsch*, Ein Standardwerk über die Messe: Lebe mit der Kirche, 1948/49, 44 f.

12 *J. A. Jungmann*, Liturgie und Volksgesang: ders., Liturgisches Erbe und pastorale Gegenwart. Innsbruck 1960, 454.

13 Archiv von „Bibel und Liturgie", Klosterneuburg.

14 Vgl. *J. A. Jungmann*, Wortgottesdienst im Lichte von Theologie und Geschichte. Regensburg 1965, 13 und 23.

Johannes Hofinger SJ

Erneuerung der Katechese

„Lieber P. Hofinger! Dies wird wohl mein letzter Brief sein. Anlaß ist, daß ich vor einigen Wochen vom Verlag Fides Ihr neues Opus ‚Our Message is Christ' erhalten habe... Zur Hälfte habe ich's auch schon gelesen. Ich bin mir dabei bewußt geworden, wie altertümlich meine Katechetik war, besonders weil ich die Kinder im paradiesischen Zustand vorausgesetzt habe. Ich kann jetzt nur mehr mühsam lesen, trotz Lupenbrille, und bin zu Fr. Gabl in die Krankenabteilung gezogen, wo ich als Einsiedler lebe zwischen Zeit und Ewigkeit, ganz froh der Stunde gewärtig ‚dum venerit et pulsaverit'... Das Anklopfen auch schon in Form gelegentlicher Kreislaufstörungen... Ich freue mich, daß Sie noch in voller Kraft weiterwirken können... Im Gebete bleiben wir vereint" (Brief vom 24. Oktober 1974).

Das war ganz Pater Jungmann: Sein selbstloses Interesse an der Arbeit seiner Freunde und Jünger, seine Geneigtheit, andere gelten zu lassen, seine Spiritualität, sein christlicher Wirklichkeitssinn und sein feiner Humor.

47 Jahre vorher hatten wir uns das erste Mal kurz getroffen. Ich war damals ein Novize und habe mich auf der Reise nach München für zwei Tage im Jesuitenkolleg von Innsbruck aufgehalten. Es blieb mir unvergeßlich, wie sich der junge Professor in der Erholung um den hilflosen Novizen annahm und ihn für wissenschaftliche Arbeit zu interessieren verstand.

Doch erst 5 Jahre später zu Beginn meiner theologischen Studien kam es zu enger Zusammenarbeit. Ich wurde P. Jungmann zugewiesen als Hilfskraft für seine Arbeit als Schriftleiter der Zeitschrift für katholische Theologie, ein Auftrag, der für mein späteres Wirken entscheidende Bedeutung erlangen sollte.

Es war angenehm, mit P. Jungmann zu arbeiten: Trotz großer Zurückhaltung doch ein durchaus persönlicher Kontakt, nie „Betrieb", sondern hingebende Arbeit aus Interesse an der Sache, dabei immer Rücksicht und viel Verständnis für den anderen und Sinn für Humor. Ich fühlte mich bestimmt nie mit Arbeit überladen oder irgendwie unter Druck. Die Arbeit bestand zum größten Teil im Mitlesen und Verbessern der Korrekturbogen; doch bot sie auch interessanten Einblick in die Korrespondenz mit den Autoren, die zur theologischen Zeitschrift beitrugen. Dabei lernte ich von Meister Jungmann Akribie und Sinn für die Einzeldinge, jedoch immer im Zusammenhang mit dem Ganzen. Er sah es offensichtlich gern, daß sich sein Sekretär für die Probleme interessierte, die in der Zeitschrift behandelt wurden, und war immer bereit, sich auf Diskussion darüber einzulassen. Tatsächlich lernte ich vom persönlichen Gedankenaustausch mit ihm viel mehr als von seinen Vorlesungen und Schriften. Als Doktorand war ich mit Vorlesungen überladen und habe viele seiner Vorlesungen „geschwänzt". Er hat es bemerkt und empfunden, doch hat das an unserem trauten Verhältnis nichts geändert. P. Jungmann war eben überaus edel und aller Kleinlichkeit abhold. Tatsächlich fand ich seine Nachmittagsvorlesungen über Liturgie totz ihres hochwertigen Gehaltes etwas ermüdend. Erst viele Jahre später entdeckte ich, daß P. Jungmann auf wichtigen Tagungen als Konferenzredner, auch was den Vortrag anbelangt, Erstklassiges bieten konnte. Unvergeßlich wird allen Teilnehmern in dieser Hinsicht sein grundlegendes Referat auf dem internationalen Kongreß in Assisi (1956) sein. Der ganz ungewöhnliche Beifall, den er dafür erntete, war zweifellos mitbedingt vom machtvollen Ethos, mit dem er seiner Überzeugung beredten Ausdruck verlieh.

Im akademischen Lehramt hat P. Jungmann sein Bestes wohl in der meisterhaften Leitung des katechetischen und liturgischen Seminars geleistet. Die Bibliothek seines Seminars zeichnete sich durch Reichhaltigkeit, gediegene Auswahl und musterhafte Ordnung aus. Vor allem aber war es die treffende Art, wie er die Themen stellte, behandeln ließ und dann dazu, zwar zurückhaltend, aber richtungweisend Stellung nahm, was den Seminarübungen unter ihm so hohen Wert verlieh. Gleich im ersten Jahr meiner theologischen Studien (1932/33) behandelte er im katechetischen Seminar den Zielgedanken und die Zentralidee christlicher Unterweisung. Ich war mir damals noch nicht der Bedeutung seiner Fragestellung bewußt. Doch rückblickend sehe ich nun, wie jenes Seminar für mein späteres katechetisches Denken und Schaffen den Grund gelegt hat.

Im Seminar von P. Jungmann lernte man vor allem, die Geschichte sinnvoll und fruchtbringend zu „befragen" und aus der Vergangenheit die Gegenwart zu verstehen und die rechte Orientierung für die Zukunft zu gewinnen. Die Feststellung des geschichtlichen Tatbestandes und das Wissen um die Vergangenheit war für P. Jungmann nicht Selbstzweck, sie waren nur die notwendigen Voraussetzungen für die rechte Einsicht in die Werte und Aufgaben der Gegenwart. Dabei hat er aber immer betont, daß ein Befragen der Vergangenheit eine solide Kenntnis der Vergangenheit voraussetzt, die nur durch unvoreingenommene und unverdrossene geschichtliche Forschung gewonnen werden kann. Dafür hat er selber in seinem Lebenswerk das beste Beispiel gegeben. Er war davon überzeugt und hat das auch oft geäußert, daß die Katechese genau so wie die Liturgie von soliden historischen Studien viel gewinnen könnte.

Wie sehr P. Jungmann eine sinnvolle Erschließung der Geschichte der Katechese zu schätzen wußte und begünstigte, habe ich selber besonders bei meiner Arbeit über die Geschichte des Katechismus in Österreich erfahren. Studienreisen der Doktoranden waren zu jener Zeit noch keineswegs an der Tagesordnung und wurden von Obern, wenigstens in unserer Provinz, nicht allzu gern gesehen. Um mir Gelegenheit zu bieten, das geschichtliche Material für die Geschichte des Katechismus zu sammeln, hat P. Jungmann hochherzig meine Studienreise in die verschiedenen Klöster mit Geldern des katechetischen Seminars finanziert und mir die Bedingung gestellt, die Studienreise dazu zu benützen, für die Bibliothek des katechetischen Seminars eine reiche Auswahl alter Katechismen zu erwerben. So entstand die historische Abteilung der Seminarsbibliothek, die eine der reichhaltigsten Fundgruben für die Erforschung der Geschichte des Katechismus darstellt.

Im letzten Jahr meiner theologischen Studien, als ich selber unter ständigem Kontakt mit P. Jungmann an der Fertigstellung der Geschichte des Katechismus arbeitete, verfaßte er „Die Frohbotschaft und unsere Glaubensverkündigung". Im Umgang mit ihm konnte man damals bei all seiner edlen Zurückhaltung deutlich merken, wie ihn dieses Buch innerlich beschäftigte, wie er sich seiner Bedeutung bewußt war und trotz der Neuheit seiner Gedanken eine gute Aufnahme erhoffte. Im Gespräch hat er mir damals verraten, daß die Grundgedanken des Buches auf Überlegungen fußten, die ihn bereits als jungen Kaplan vor seinem Eintritt in die Gesellschaft Jesu beschäftigt hatten. Es war ganz seine Art, solche Gedanken in jahrelangem Studium und betender Überlegung sich vertiefen und ausreifen zu lassen.

Er war Realist genug, um Widerstand gegen seine Schau christlicher Verkündigung und moderner Seelsorge zu erwarten. Daß dieser Widerstand, wenn auch nicht in erster Linie, selbst von maßgebenden Mitbrüdern kam und er dabei auch bei P. General Ledochowsky nicht das nötige Verständnis fand, hat P. Jungmann schwer getroffen. Es war überaus bezeichnend für seine ganze Art, daß er in dieser schwersten Zeit seines Lebens selbst Freunden gegenüber größte Zurückhaltung bewahrte. Soweit ich aus seinen gelegentlichen Bemerkungen entnehmen konnte, hat ihn am meisten geschmerzt, daß es auch mit P. General zunächst mehr zu einer Art Verhör und Beschuldigung als zu einer wirklichen Aussprache kam. P. Ledochowsky war zu intelligent, um nicht schließlich die große Bedeutung des Buches zu erfassen. Doch war es dann bereits zu spät. Als er sich bemühte, den Weg für das Buch freizulegen, gab ihm der leitende Kardinal des Sacrum Officium zu verstehen, P. Jungmann solle ein neues Buch schreiben. Man stieß sich also nicht mehr am Inhalt des Buches, war aber im Stil der römischen Kurie von damals noch immer nicht geneigt, getane Mißgriffe einzugestehen und gutzumachen. P. Jungmann hat mir das viele Jahre später mehr als einmal erzählt, als ich ihn zu wiederholten Malen drängte, die „Frohbotschaft" neu herauszugeben; es geschah bezeichnenderweise jedes Mal mit einem verzeihenden Lächeln, ohne die leiseste Bitterkeit.

Um einer formellen Verurteilung des umstrittenen Buches zuvorzukommen, hatte P. General Ledochowsky angeordnet, das Buch aus dem Buchmarkt zurückzuziehen. Mehr als diese Zurücknahme aus dem Buchhandel hat im Buch ausgesprochenen Anliegen der kerygmatischen Erneuerung die anschließende Kontroverse über die kerygmatische Theologie geschadet. In der „Frohbotschaft" hatte Jungmann nur darauf hingewiesen, wie sich die übliche scholastische Schultheologie für die Verkündigung tatsächlich oft ungünstig ausgewirkt hat. Eine durchgreifende Erneuerung der Verkündigung verlangte ohne Zweifel, daß diese ungünstigen Einflüsse klar gesehen, ehrlich eingestanden und in der Ausbildung der berufenen Künder der Frohbotschaft wirksam behoben würden. Mehr als das hat P. Jungmann in der „Frohbotschaft" nirgends gesagt. Einige seiner jüngeren Mitbrüder, selber zünftige Theologen, haben daraus den Schluß gezogen, daß man für die Ausbildung der Seelsorgspriester eine Studienordnung brauchte, die in allen theologischen Fächern ganz pastoral eingestellt wäre. Das Konzil hat bekanntlich diese Forderung später aufgegriffen und zum Leitgedanken seiner Reform der seminaristischen Studien gemacht (O. T., n. 4, 13—21).

Damit hat das Konzil aber in keiner Weise einer doppelgeleisigen Theologie das Wort gesprochen. Bald nach dem Erscheinen der „Frohbotschaft" hatte P. Jungmann für kurze Zeit in der von ihm geleiteten Zeitschrift für katholische Theologie Beiträge aufgenommen, die neben einer kerygmatisch uninteressierten „absoluten" Theologie an der Universität für eine kerygmatisch ausgerichtete Theologie der seminaristischen Studien eintraten. Man hatte leider noch nicht die Formel gefunden, die K. Rahner später geprägt hat: Jede Theologie, die ihre Aufgabe wirklich ernst nimmt, steht im Dienst des Glaubens und der Verkündigung und muß darum kerygmatisch ausgerichtet sein.

Wie P. Jungmann etwa 20 Jahre nach dem Erscheinen der „Frohbotschaft" Sinn und Aufgabe kerygmatischer Theologie gesehen hat, hat er mit der Reife des anerkannten Meisters im Anhang seiner „Katechetik" kurz dargelegt. Aus mehrfachen Äußerungen im persönlichen Gedankenaustausch konnte ich deutlich ersehen, daß er diesem Anhang besondere Bedeutung beimaß und als seine späte Antwort auf die Kontroverse um die „Frohbotschaft" und die kerygmatische Theologie betrachtete.

Unterdessen hatten sich die Anregungen der „Frohbotschaft" auf katechetischem Gebiet längst durchgesetzt und zu einer neuen Phase der katechetischen Erneuerung geführt. Die erste Phase der katechetischen Bewegung war bekanntlich in erster Linie um eine Reform der katechetischen Methode bemüht. Unter dem Einfluß P. Jungmanns lernte man verstehen, daß mit der methodischen Erneuerung die katechetische Aufgabe noch keineswegs gelöst war. Das Hauptinteresse wendete sich nun dem Inhalt der Katechese zu und führte zu einer überaus heilsamen Besinnung auf den eigentlichen Kern der christlichen Botschaft. Nun handelte es sich nicht mehr bloß um eine Erneuerung der Kinderkatechese, sondern um die Leitgedanken jeder echten Glaubensverkündigung.

Ja noch mehr; man wird wohl sagen dürfen, daß kaum irgend ein anderes Buch so sehr wie P. Jungmanns „Frohbotschaft" dem Grundanliegen des Zweiten Vatikanischen Konzils, einer umfassenden pastoralen Erneuerung, vorgearbeitet hat. In seiner „Frohbotschaft" finden sich wohl zum ersten Mal in so klarer Zusammenschau die Grundlinien einer umfassenden pastoralen Reform dargelegt und sowohl aus der Geschichte des Christentums als auch aus der Situation der Gegenwart begründet. In diesem Programm bilden die biblische, liturgische und kerygmatische Erneuerung eine organische Einheit und müssen in diesem ihrem Zusammenhang mit dem Ganzen gesehen und bewältigt werden.

Es ist bis jetzt vielleicht nicht genügend bekannt, daß P. Jungmanns Anregungen zu einer umfassenden pastoralen Erneuerung schon früh in den Missionen, besonders in der chinesischen Mission, ein starkes Echo gefunden und von dort aus in späteren Jahren den englischen Sprachraum stark beeinflußt haben.

P. Jungmann unterhielt regen Kontakt mit seinen Freunden in der Mission und zeigte großes Interesse an ihrer Arbeit. Ich selber habe das wohl am meisten erfahren. Als ich im Jahre 1939 in den Collectanea Commissionis Synodalis in lateinischer Sprache eine Reihe von Artikeln über die rechte Gliederung des Katechismus veröffentlichte, hat sich Pater Jungmann in jener harten und arbeitsreichen Zeit die Mühe genommen, den Inhalt dieser Artikel den deutschen Katecheten in einer zusammenfassenden deutschen Bearbeitung vorzulegen: „Die Gliederung des Katechismus in geschichtlicher Beleuchtung" (Katechetische Blätter, 1941, 89—97). Bezeichnend war auch die schelmische Art, wie er mir damals zur „silbernen" Latinität meiner Artikel gratulierte. Die unliebsamen Erlebnisse im Zusammenhang mit der „Frohbotschaft" und der kerygmatischen Theologie sowie die Aufregungen in der Zeit nach dem „Anschluß" hatten seinen guten Humor nicht ersticken können.

Gleich nach dem Krieg konnten wir ihm aus der Mission melden, daß die „Frohbotschaft", die in der Heimat noch immer als „Tabu" galt und nicht öffentlich verkauft werden konnte, unterdessen in guter zusammenfassender Wiedergabe in der „Missionskorrespondenz Kaomi" der Steyler Patres erschienen war (1945). Noch während des Krieges war in China auch ein Textbuch dogmatischer Theologie erschienen, das, ohne auf die Kontroverse um die kerygmatische Theologie einzugehen, das Anliegen P. Jungmanns zu verwirklichen suchte und als beachtliche Leistung auf diesem Gebiet betrachtet werden muß. Trotz der Ungunst der Zeiten erlebte das Werk 1958 bereits seine dritte Auflage: Theses dogmaticae, Studium Biblicum OFM. Hongkong. Der Verfasser des Werkes, P. Maurus Heinrichs OFM, hatte in Innsbruck doktoriert, bevor er in die Mission ging.

Nachdem wir China hatten verlassen müssen, haben Freunde P. Jungmanns ihre Arbeit in den Philippinen fortgesetzt. Dort kam es im Jahre 1953 zur Gründung des East Asian Pastoral Institute (zuerst unter dem wenig einladenden Namen Institute of Mission Apologetics) und von dort haben P. Jungmanns Anregungen zu einer tiefgreifenden katechetischen Erneuerung ziemlich rasch weite Verbreitung im englischen Sprachraum gefunden. P. Jungmanns Beitrag zur liturgischen Erneuerung war um jene Zeit im englischen Sprachraum bereits hinreichend bekannt, doch auf katechetischem Gebiet war P. Jungmann noch ziemlich unbekannt und jedenfalls nicht anerkannt. Die Vorlesungen über kerygmatische Erneuerung, die ich im Sommerkurs von 1954 an der Notre Dame University (Southbend, Indiana) hielt, waren wohl die ersten dieser Art im englischen Sprachraum.

Erst im Jahre 1962 war es uns möglich, eine englische Übersetzung der „Frohbotschaft" herauszubringen. Das Buch hatte seit der Zurücknahme aus dem Büchermarkt nicht mehr erscheinen können; es war auch zu keiner Übersetzung in eine andere wichtige Sprache gekommen. Als wir schließlich von Manila aus eine englische Übersetzung veranlaßten, hat P. William Huesman SJ die Übersetzung und englische Bearbeitung übernommen. Auch dann hatten wir noch immer mit Schwierigkeiten in Rom zu rechnen. Doch kam es nur noch zu leisen Äußerungen des Mißfallens ohne wirkliche Behinderung.

Soweit ich weiß, hat kein Buch die katechetische Bedeutung P. Jungmanns so eingehend dargestellt wie die englische Ausgabe seiner „Frohbotschaft". Sie war als Jubiläumsausgabe (1936—1961) gedacht, obwohl das Buch erst 1962 kam. P. Huesman hat mit seiner Einführung und Übersetzung eine ausgezeichnete Arbeit geleistet. Er hat dem Buch auch einen recht sinnvollen Namen gegeben: The Good News — Yesterday and Today (New York 1962, Sadlier). Im Anhang bringt das Buch vier Essays, in denen die pastorale Bedeutung der „Frohbotschaft" näher gewürdigt wird. Mir fiel die Aufgabe zu, die Bedeutung der „Frohbotschaft" für die katechetische Erneuerung darzustellen. P. Paul Brunner SJ behandelte den Beitrag der „Frohbotschaft" zur liturgischen Erneuerung, P. Domenico Grasso SJ befaßte sich mit den Anregungen, welche die „Frohbotschaft" zu einer Erneuerung der Theologie gegeben hat, und Rev. Gerard Sloyan von der Catholic University of America in Washington würdigte schließlich noch eigens die Bedeutung der „Frohbotschaft" für die katechetische Erneuerung in den Vereinigten Staaten.

Jedermann wird leicht verstehen, daß „Good News — Yesterday and Today" P. Jungmann große Freude bereitet hat. Als es dann im Jahre 1967 zum Internationalen Katechetischen Kongreß von Manila kam, haben wir die Freude erlebt, P. Jungmann im Fernen Osten begrüßen zu dürfen. Seine Teilnahme am Kongreß in Manila hat P. Jungmann noch im Alter von 77 Jahren die größte Reise seines Lebens gebracht und sein lebenslanges Interesse an der katechetischen und liturgischen Erneuerung in der Mission gekrönt.

Es war einige Jahre nach dem Abschluß des Konzils, als die Arbeit an der liturgischen Erneuerung zu einem großen Teil beendet war, da gestand mir P. Jungmann einmal in schlichtester Weise, daß er nun seine Lebensaufgabe erfüllt und auch sein schriftstellerisches Werk einigermaßen „abgerundet" sah und daß er es noch mit einem Buch über die „Gebetsideale der Kirche" abschließen möchte. Das Buch kam dann im Jahre 1969 unter dem Titel „Christliches Beten in Wandel und Bestand" beim Verlag Ars Sacra heraus. In der Ungunst jener Jahre hat es leider nicht die Beachtung gefunden, die es verdient hätte. P. Jungmann ist darin seiner Eigenart, seiner Methode und dem Grundthema seines Forschens und Wirkens treu geblieben, der Ausrichtung des Menschen auf Gott im Gebet als dem Sinn und der Erfüllung seines Lebens.

Das Buch ist nicht bloß ein beredter Zeuge von P. Jungmanns eigener Geistigkeit, sondern zugleich auch seine klare, doch mehr indirekte Antwort auf die Geistesströmung, die gleich nach dem Konzil machtvoll einsetzte und auf dem Gebiet religiöser Erziehung und selbst im Gottesdienst die innerweltlichen Werte und das menschliche Zueinander ungebührlich betont hat. P. Jungmann hat darunter nicht wenig gelitten und hat das im engeren Freundeskreis auch deutlich merken lassen, doch immer mit der ihm eigenen Zurückhaltung und Mäßigung. In all den Jahren trauten Umganges und regen Gedankenaustausches mit ihm kann ich mich nur an einen einzigen Fall erinnern, in dem er sich mit der Erregtheit tiefer Enttäuschung und mit unverkennbarer Bitterkeit geäußert hat. Auch da kurz und bündig, ohne dabei länger zu verweilen. Es war bei meinem letzten Besuch im Jahre 1971, als er auf den Mangel an religiöser Haltung und Ordenszucht im Kreise der eigenen Mitbrüder zu sprechen kam.

Erst in den letzten 10 Jahren seines Lebens merkte ich, wie sehr P. Jungmann an seiner Südtiroler Heimat und an seiner Heimatgemeinde Taufers hing. Nicht daß er in seinem Alter viel davon gesprochen hätte. Man mußte es aus seinen gelegentlichen Bemerkungen erschließen. Erst dann merkte ich, wie er unter der Abtrennung Südtirols litt; doch kann ich mich nicht entsinnen, aus seinem Mund je ein scharfes Wort über Italien gehört zu haben.

In den letzten Jahren hat P. Jungmann immer mehr an Schwerhörigkeit gelitten. In seiner Feinfühligkeit fürchtete er, andern lästig zu fallen. Ich habe ihn nie über seine Schwerhörigkeit klagen hören, doch hat er sie mehrfach in seinen Gesprächen und Briefen erwähnt und sie bewußt dazu benützt, sich in bescheidener Zurückgezogenheit auf das Kommen des Herrn in einem christlichen Tod vorzubereiten. Das Thema des Todes hatte bei P. Jungmann einen durchaus österlichen Klang. Noch aus der Zeit meiner theologischen Studien erinnere ich mich an gelegentliche Bemerkungen P. Jungmanns, die auf Grund seiner österlichen Einstellung eine besondere Wertschätzung der volkstümlichen „Guten-Tod-Andacht" bekundeten. Er hat das Ostergeheimnis nicht bloß erforscht, sondern vor allem auch selber gelebt.

P. Jungmann hat seinen Beruf als Sämann gesehen. In ungewöhnlichem Ausmaß hat er durch Wort und Schrift andere befruchtet und bereichert, am meisten sicherlich diejenigen, die das Glück hatten, enger mit ihm zusammenzuarbeiten.

Josef Innerhofer

Familie und Jugendzeit

P. J. Jungmann entstammte einem alten angesehenen Tauferer Geschlecht [1]. In der Familienchronik spricht sein Vater die Vermutung aus, „daß zur Zeit der Blüte des Kupfer-Bergwerks ‚Ahrner Handel' [2] der erste Jungmann von auswärts ins innere Tal gewandert ist", wahrscheinlich nach St. Johann. In den Traubüchern der Pfarre Taufers scheint erstmals im Jahre 1700 ein Josef Jungmann auf. Aber schon Jahrzehnte vorher (von 1659 an) werden in den Aufzeichnungen der Schuhmacher-Zunft des Landesgerichtes Taufers „Schuhmachermeister" Jungmann öfters als Zeugen genannt. 1815 erstand Johann Jungmann, der Urgroßvater des Liturgiewissenschaftlers, bei einer Versteigerung das Bruggenmüller-Anwesen in Sand in Taufers und damit wurde aus der Schuster- eine Müller-Familie, die gleichzeitig auch eine kleine Landwirtschaft betrieb.

Wie aus der Familienchronik weiter hervorgeht, waren die Jungmann durchwegs rechtschaffene und fleißige Leute, gemeinnützig und besonders aufgeschlossen für alles Neue, gleichzeitig aber doch wieder fest in den alten Traditionen verwurzelt. Eine gesunde Religiosität prägte das Familienleben.

Der Vater, Josef Jungmann, brachte es nach Jahren großer Not — die Mühle und seine Felder waren durch eine Überschwemmung schwerstens heimgesucht worden — mit Fleiß und Geschick zu einem bescheidenen Wohlstand. Wegen seiner Aufgeschlossenheit und seines gemeinnützigen Sinnes wurde er 1898 zum Bürgermeister gewählt und blieb es, bis ihn die faschistische Regierung 1925 absetzte. Zeitweise war er sogar Abgeordneter im Landtag zu Innsbruck. Trotzdem er nur die Volksschule besucht hatte, besaß er eine erstaunliche Allgemeinbildung, die er sich als Autodidakt im Laufe der Jahre angeeignet hatte. Besonders interessiert war er für Geschichte. Er verfaßte nicht nur eine ausführliche Familienchronik, sondern schrieb auch eine Chronik des Dorfes. Von ihm dürfte sein Sohn Josef Andreas Sinn und Freude für geschichtliche Forschungen geerbt haben.

Josef Andreas wurde am 16. XI. 1889 als viertes von sieben Kindern geboren und auf den Namen seines Vaters (Josef) und seines Paten (Andreas) getauft. Seine Mutter, Maria Aschbacher, stammte vom Bergmeisterhof auf Zösen in Lappach [3], mußte jedoch infolge des frühen Todes ihres Vaters noch als Kind den Heimathof verlassen und sich den Lebensunterhalt bei einem Großbauern verdienen. Am 15. 1. 1883 holte sie Josef Jungmann als Gattin dann auf das Bruggenmülleranwesen. Es war eine überaus harmonische Ehe. Die Mutter erwies sich als eine vielseitige und arbeitsame Frau. Die Kinder wurden zwar streng aber mit viel Liebe erzogen.

Mit Vorliebe erinnerte sich der spätere Universitätsprofessor an die freundliche Bauernstube daheim mit der warmen Ofenbank. Wie nach dem täglichen Abendrosenkranz die ganze Familie noch eine zeitlang zusammengesessen sei und „gefeiert" habe. Der Vater erzählte von vergangenen Tagen, jemand las eine Geschichte vor und ganz besonders wurde beim Bruggenmüller viel gesungen und musiziert. Es war nämlich eine ausgesprochen musikalische Familie. In einem Brief an seine ältere Schwester Maria berichtete er noch wenige Monate vor seinem Tode folgende Begebenheit: „Es war am Abend nach dem Rosenkranz. Wir saßen auf der Ofenbank und hatten gesungen. Franz [4] hatte die Gitarre und war bemüht, den Gesang recht und schlecht zu begleiten. Da klagte ich: Und ich kann (wegen meiner krummen Finger) kein Instrument spielen!" Josef Andreas hatte nämlich seit seiner Geburt zwei gelähmte Finger an seiner linken Hand. Dies hatte ihn zeit seines Lebens etwas belastet und er suchte sie vor anderen stets zu verdecken. — „Darauf", so erzählte Jungmann weiter, „schaute mein Vater mich ernst an: ‚Seppl, du kannst schon zufrieden sein, du hast schon sonst genug mitbekommen'."

Im übrigen hatte der Vater mit dem Seppl bereits seine festen Pläne: Da sein um 5 Jahre älterer Bruder Franz — ebenfalls sehr begabt — Priester werden wollte und deshalb an das bischöfliche Knabenseminar Vinzentinum nach Brixen geschickt worden war, sollte Seppl als zweitältester — zwei ältere Schwestern waren bereits im Kindesalter gestorben — einmal das Bruggenmülleranwesen übernehmen und — wie er — in der Dorfgemeinschaft eine führende Stellung einnehmen. Deshalb zog der Vater ihn schon früh zur Mitarbeit heran. Zuerst waren es nur kleinere Schreibarbeiten. Allmählich aber vertraute er ihm auch die Führung der Gemeindebuchhaltung, der Protokolle über die Ratssitzungen u. a. an. Bei der praktischen Arbeit in der Mühle zeigte Josef Andreas weit weniger Geschick als am Schreibtisch. Da passierte es ihm immer wieder, daß er das Mehl in den Schäfflein überlaufen ließ, weil er stets in irgend eine Lektüre vertieft war.

Seine Freude am Gottesdienst der Kirche mag wohl geweckt worden sein durch die Tatsache, daß in Taufers die kirchlichen Feste sehr würdig und mit großer Anteilnahme gefeiert wurden. Auch war das religiöse Brauchtum dort überaus vielgestaltig und lebendig. Im Mai 1972 schrieb er an seine Schwester: „Ich habe Fronleichnam an vielen verschiedenen Orten mitgefeiert, einmal auch in Amerika; in Innsbruck bin ich viele Jahre mitgegangen (heuer kann ich leider nicht mehr), aber so schön wie in Taufers habe ich es eigentlich nirgends gefunden." Und im Dezember 1973: „Ich denke jetzt oft an den Advent unserer Kinderjahre, als Ministrant beim Rorate, aber auch an unser ‚Klöckelsingen' von Haus zu Haus (an den Donnerstagen, wenn ich nicht irre), wenn es schon dunkel ist. Die Hausmutter hatte schon die ‚Nussen' bereit, zur Belohnung für unseren freilich recht armseligen Gesang. Ob es diesen Brauch wohl noch gibt? Mir ist erst spät der tiefe Sinn dieses Brauches klargeworden ... Es ist ein schönes Gegenstück am Abend zum Rorate am Morgen." Diese Schwester Maria, die 5 Jahre jünger war als er und der er zeitlebens sehr zugetan blieb, mußte ihn des öftern über alte Tauferer-Bräuche informieren, die er dann in seinen wissenschaftlichen Arbeiten verwerten konnte. Am Ostermontag 1938 schreibt er ihr dazu: „Überhaupt die alten Bräuche und die schönen Lieder — ihr wißt gar nicht, wie kostbar die sind und wie schade es um sie ist."

Besonders gut verstand sich das Seppele mit dem alten Knecht Elias daheim. Des öftern sang er dem Knecht ein Lied vor. Einmal kam er wieder zu ihm und sagte: „Heut' kann ich was Schönes!" Und er sang die ganze lateinische Präfation. Und Elias darauf: „Ist ganz recht, Seppele, aber nur so zu singen, ist das viel zu heilig. Das können nur die Geistlichen in der Kirche singen. Mußt schauen, daß du einmal einer wirst." Und Josef Andreas erzählte später, das sei einer der ersten Anlässe gewesen, ernstlich über den Priesterberuf nachzudenken. So kam es, daß er gelegentlich den Wunsch äußerte, seinem Bruder Franz ins Vinzentinum zu folgen. Der Vater war aber nicht sonderlich erbaut, daß auch das Seppele nach Brixen wollte. Und da die Mutter bereits von der Todeskrankheit gezeichnet war, gab er ihm zu bedenken, ob nicht wenigstens er bei ihm bleiben möchte. Dieser aber versicherte, er werde in seinem Studium so fest beten, daß die Mutter sicher wieder gesund werden würde. Der Vater ließ also den Sohn schweren Herzens nach Brixen ziehen. Leider starb die Mutter bereits wenige Wochen später, am 14. Jänner 1902. Ihre letzte Sorge war: „Was wird wohl aus unserem Seppele noch werden?" Am Gymnasium zählte er stets zu den besten, half aber bereitwillig den schwächeren Mitschülern. Gerne unterhielt er sich über wissenschaftliche Themen, in praktischen Dingen hingegen war er weniger geschickt. Im übrigen fiel er mit seiner ruhigen friedfertigen Art kaum auf. Er kannte praktisch nur die Arbeit und half in den Ferien dem Vater stets bei seinen Schreibarbeiten. Ja, den 6. Kurs machte er privat zu Hause, um dem Vater mehr helfen zu können.

Dem Vinzentinum war er sein Leben lang in Dankbarkeit zugetan. Während der Konzilsarbeiten in Rom schrieb er einmal an das Professorenkollegium: „... daß ich mir wohl bewußt bin, wieviel ich dem Vinzentinum zu verdanken habe. Neben der Behütung in den Jugendjahren (den ‚Sturm und Drang' habe ich besonders mit Hans Messner und Bruno Griesser durchgelebt — im besten Sinne!) war es besonders die gute sprachliche Ausrüstung, die man gerade bei Gelegenheiten wie hier gut gebrauchen kann, und die Anregung zu historischem Denken, die ich besonders von Prof. Piristi (seine Führung durch Homer und Livius) und Prof. Resinger empfing."

Die Berufsentscheidung nach dem Abitur dürfte ihm kaum besonders Schwierigkeiten bereitet haben. Obgleich sein Bruder Franz, der auf ihn sonst einen großen Einfluß ausgeübt hatte, 6 Jahre zuvor in den Jesuitenorden eingetreten war, ging Josef Andreas den Weg „über's Brüggele", wie man den Eintritt in das Priesterseminar von Brixen damals bezeichnete. Auch als Theologe machte er dem Vater immer noch die Gemeindeabrechnung. Er war ein begeistertes Mitglied der marianischen Kongregation und wurde von seinen Mitschülern als strenger Abstinenzler nicht ungern geneckt. Dies nahm er mit gelassener Heiterkeit hin.

Die Priesterweihe im Jahre 1913 empfing Josef Andreas nicht mit seinen Mitschülern am 29. Juni im Dom zu Brixen, sondern zusammen mit seinem Bruder Franz am 27. Juli in Innsbruck. Die zwei Tage später in Taufers gefeierte Doppel-Primiz wurde zu einem richtigen Dorffest, über das die Bevölkerung noch Jahrzehnte später zu erzählen wußte. Bei dieser Gelegenheit wurde auch dem Vater in Anbetracht seiner Verdienste für die Gemeinde das Ehrenbürgerrecht verliehen. Beide jungen Priester waren mit demselben Eifer für das Reich Gottes beseelt und gönnten sich nur einige wenige Tage zu Hause. Franz fuhr bald zurück nach Innsbruck und machte sich später im Presseapostolat und als Pfarrer der Kirche am Hof in Wien verdient. 1938 war er zeitweise Vizeprovinzial. Humorvoll schrieb Josef Andreas seiner Schwester: „Ich muß ihm jetzt sogar folgen!" Er starb 1963 in Kalksburg (Wien).

Die beiden Brüder verstanden sich sehr gut miteinander. Aber in ihrer nüchternen und vom selben Arbeitseifer geprägten Art, nahmen sie sich nur selten Zeit füreinander, wie auch für ihre Angehörigen zu Hause. Josef Andreas kam selten auf Urlaub und dann nur für kurze Zeit, „um die Leute", wie er erklärte, „zu sehen und zu grüßen". Er hatte immer Angst, Zeit zu vertrödeln. Fleißig war er dafür aber im Briefschreiben und ließ besonders seine Schwester Maria an seinen Arbeiten und Erlebnissen teilnehmen. Gleichzeitig nahm er aber auch lebhaften Anteil an allem, was in seiner Familie und in seinem Heimatorte Sand in Taufers sich ereignete. Stets freute er sich, trotz seines Zeithungers, wenn ihn jemand aus Sand besuchte. Noch drei Jahre vor seinem Tode versicherte er seiner Schwester: „Ich freue mich über alle Nachrichten. Meine Gedanken sind ja jetzt, wo ich wirklich an den ‚Ruhestand' glauben muß, viel öfter daheim; nicht umsonst steht die Mo- ritzner-Kirche immer noch auf meinem Schreibtisch und in meinem Brevier dient als ‚Lesezeichen' immer noch eine Karte mit (Konrads?) Fotographie vom Inneren der Pfarrkirche." [5]

Am 14. August 1913 trat Josef Andreas seinen ersten Seelsorgsposten als Koopera- tor in Niedervintl im Pustertal an. Es war für ihn ein denkwürdiger Augenblick, an den er sich noch Jahrzehnte später genau erinnern konnte. Er freute sich auf die Arbeit im Reiche Gottes. Aus dem Noviziat in St. Andrä i. L. schrieb er 1918: „Ich denke noch immer gerne an jene Zeiten, besonders in Vintl zurück; sie wären mir um 1000 Gulden nicht feil — nicht etwa, weil die 1000 Gulden für einen Pa- ter keinen großen Wert haben, sondern weil ich dort im Verkehr mit den Leuten und mit den guten Kindern und überhaupt in der schönen Seelsorge, die dort war, so viel gelernt und so manches erfahren habe . . ." Allerdings gab es in dieser Seel- sorge nicht nur Erfreuliches. Ja, es war gerade die unerfreuliche Erfahrung eines oberflächlichen Traditionschristentums, die Jungmann zu seinen bahnbrechenden Forschungsarbeiten angeregt hat. In der autobiographischen Schrift, die am An- fang dieses Bandes steht, hat er ja selbst darüber berichtet [6].

Ein scheinbar nebensächliches Ereignis gab P. Jungmann den Anstoß, seine Über- legungen niederzuschreiben. Als Kooperator in Vintl mußte er nachmittags eine Sebastianiandacht halten. Sie bestand darin, daß er auf einem Seitenaltar, der dem hl. Sebastian geweiht war, vor dem ausgesetzten Allerheiligsten mehrere Ave- Maria vorzubeten hatte. „Dies hat mich so sehr verdrossen", bekannte er dem Schreiber dieses Beitrages einmal, „daß ich anschließend gleich auf mein Zimmer gegangen bin und meine Gedanken und Beobachtungen niederzuschreiben begann". Der Ausbruch des Ersten Weltkrieges zwang ihn, vorerst das begonnene Werk zu unterbrechen. Aber während des Jahres 1915 wurde die Urschrift zu dem späteren Buch „Die Frohbotschaft und unsere Glaubensverkündigung" fertiggestellt [7]. Diese Urschrift ging in Brixen und später im Jesuitenorden durch verschiedene Hände. Bei einer Durchsuchung seines Zimmers durch die Gestapo 1939 wurde sie beschlagnahmt und nach Berlin geschickt, wo man sie wahrscheinlich verbrannte. Ein Auszug davon konnte durch einen Mitbruder über die Wirrnisse des Krieges gerettet werden.

Nach über 2 Jahren seelsorglichen Einsatzes in Niedervintl wurde Jungmann am 1. 12. 1915 als Kooperator nach Gossensaß versetzt, einer Pfarrei, die an den Brenner grenzte, der damals allerdings noch nicht Nordtirol von Südtirol politisch trennte. Als der Pfarrer starb, wurde er dort Provisor. Damit war es mit dem Schreiben vorläufig zu Ende, weil ihm die vielfältigen Aufgaben sowieso keine Zeit mehr dazu ließen. Er machte dabei wohl auch die Erfahrung, daß ihm die wirtschaftliche Verwaltung der Pfarrei, besonders wegen seiner Gutherzigkeit, doch nicht liege, was seinen schon länger in ihm erwachten Wunsch, seinem Bruder Franz in den Jesuitenorden nachzufolgen, wahrscheinlich erst richtig zur Reife brachte. Fürstbischof Egger von Brixen gab seine Einwilligung zum Eintritt in den Jesuitenorden ungern. Sein Vater war jedoch über diesen Schritt seines Sohnes eher beruhigt. Scherzend meinte er: „Bei dem ist besser, daß er ins Kloster geht. Sonst müssen wir ihn noch verköstigen."

So trat Josef Andreas 1917 in St. Andrä im Lavanttal ins Noviziat der Jesuiten ein. Und er hat es nie bereut. „Ich bin in meinem Element, studiere was nur der

Kopf fassen kann und bin ein glücklicher Mensch", so schrieb er vier Jahre später von Innsbruck an seine Schwester Maria. Und 51 Jahre später (12. 12. 1971): „Ich habe schon ein wenig gearbeitet. — Entsprechend dem Grundsatz, den ich als Bub einmal gehört habe und der mir großen Eindruck gemacht hat: Die Jesuiten müssen immer arbeiten, auch wenn sie schon alt sind, solange sie nur können! Schließlich haben wir das auch von unserem Vater lernen können. Sich für andere plagen, solange man kann." Und wer Pater Jungmann persönlich gekannt hat, der weiß, daß er seinem Vater diesbezüglich wie auch in dessen einfacher und tiefer Gläubigkeit sein Leben lang treu geblieben ist.

1 Das Tauferer Tal ist ein nördliches Seitental des Pustertales in Südtirol.
2 Im 16. Jahrhundert.
3 Ein Bergweiler auf über 1500 m Höhe, ca. 15 km von Taufers entfernt.
4 Der ältere Bruder des Josef, der wenig später in den Jesuitenorden eingetreten war.
5 Konrad war ein Neffe Jungmanns.
6 S. oben 12 f.
7 Ebd.

Joachim Kettel

Mit Pater Jungmann in der Südtiroler Heimat

Nach sechs Jahren Studium in Innsbruck und vom zweiten Semester an bis zum letzten im Sommer 1956 Hörer in den Vorlesungen und Übungen Pater Jungmanns war der Wunsch in mir wach geblieben, die engere Heimat des Lehrers einmal näher kennenzulernen, vielleicht sogar mit ihm zusammen. Zehn Jahre dauerte es, bis sich der Wunsch erfüllte. Die Korrespondenz war in den Jahren nach Innsbruck nie abgerissen. Am 22. 5. 1966 schrieb Pater Jungmann am Ende eines langen Briefes: „Wenn Sie wieder einmal durch Innsbruck kommen, wird es mich freuen, Sie wiederzusehen." Für meine Sommerferien stand ein längerer Aufenthalt an der Adria bevor. Ein Wagen stand inzwischen zur Verfügung. So konnte der Plan einer Fahrt mit Pater Jungmann durch Südtirol und in das heimatliche Tauferer Tal mit dem Geburtsort Sand konkret angesprochen werden. Ursprünglich war eine Woche Fahrt vorgeschlagen worden, um die einzelnen Stationen, an die der alte Lehrmeister so manche Erinnerungen knüpfte, besuchen zu können: Sand im Tauferer Tal, Brixen, Niedervintl und Gossensaß. Der jugendliche Überschwang hatte allerdings die 77 Jahre des kommenden Reisegefährten und die physischen Anstrengungen, die das Konzil abgefordert hatte, nicht in die Rechnung mit eingesetzt. In der Antwortkarte auf die Einladung zur Südtirolfahrt stand deshalb unter dem Datum vom 4. 6. 1966: „Vielen Dank für die großzügige Einladung. Ich nehme sie dankbar an; aber 1 — 2 Tage werden wohl genügen. Das Nähere wird sich ergeben."

Das Nähere war zunächst das Abholen im Kolleg in der Sillgasse. Für den 2. 8. 1966, 13 Uhr, war die Abfahrt in Innsbruck verabredet worden. Pünktlich auf die Minute (wie immer) stand Pater Jungmann an der Pforte bereit und brauchte nur noch einzusteigen. Einziges Reisegepäck: eine ziemlich mitgenommene braune Aktentasche, die ihn wahrscheinlich schon oft begleitet hatte. Vielleicht stammte sie sogar noch aus den ersten Tagen des Noviziats. Möglicherweise hatten sie und ihr karger Inhalt (von dem noch zu reden sein wird) im Jahre 1949 die große Reise über den Atlantik mitgemacht, als Pater Jungmann an der Notre Dame University in South Bend im Staate Indiana im Rahmen der dortigen „Liturgical Summer School" Vorlesungen über die Liturgie der christlichen Frühzeit hielt.

Der Vorschlag war, nicht die übliche Strecke über den Brenner zu fahren, sondern einen reizvollen Umweg: über den Reschenpaß, Graun, Mals, durch den Vintschgau, über Meran, um nach einem Abstecher zum Sandhof von Andreas Hofer in Richtung Pustertal zu gelangen und so schließlich das Tauferer Tal und Sand zu erreichen, wo im dortigen Pfarrhaus ein Quartier in Aussicht stand.

Der Plan hätte sich auch ohne größere Schwierigkeit verwirklichen lassen. Aber in der Gegend von Stams „öffneten sich die Schleusen des Himmels". Es goß ohne Unterlaß. Das zwang zu behutsamem Fahren und erst am späten Nachmittag war Meran erreicht. Inzwischen hatte es etwas aufgeklart und es reizte, die ursprüngliche Strecke einzuhalten. Aber oberhalb von Meran hatte es sich abermals so zugezogen, daß langsames Fahren geboten war. Das Anwesen des Sandwirtes konnte man gerade noch im Regendunst ausmachen. Dann gab es nur noch ein Kriechen in Richtung Jaufenpaß, auf dessen Scheitelpunkt es so neblig war, daß der Fahrer an einer Kehre nicht mehr die Richtung ausmachen konnte, in welche die Kurve ging. Aussteigen und im Licht der Scheinwerfer, die inzwischen aufgeblendet waren, die Richtung suchen. Zwischendurch hatte sich ein zweites Auto eingefunden, dem es ähnlich ergangen war wie uns. Behutsam schlichen beide Fahrzeuge hintereinander den Jaufenpaß abwärts und leuchteten sich gegenseitig heim. Pater Jungmann vertraute ganz der Kunst des Fahrers und führte die angesponnenen Gespräche weiter. Es ging um Kindergottesdienst, nachkonziliare Meßreform, Sakramentenliturgie und vieles andere mehr.

Zwischendurch fragte er einmal behutsam an, ob wir denn heute wohl noch in Sand ankommen würden? Ob es nicht sinnvoller sei, das kurze Stück bis Innsbruck zurückzufahren. Er habe einen Schlüssel vom Kolleg, könne auch zu später Stunde noch ins Haus und wir sollten morgen bei besserem Wetter dann auf dem Direktweg das Fahrtziel ansteuern. Hier meinte der Fahrer, das sei ihm seinerseits nach der vielen Kurverei zuviel. In Sterzing finde sich bestimmt ein Gasthof, der uns für die Nacht aufnehme und ein Abendessen bekämen wir gewiß auch. So war's denn auch. Zu fortgeschrittener Abendstunde bereitete die Wirtsfrau noch ein reichhaltiges Mahl. Mit einem Viertele Tiroler Roten wurde auf den glücklichen Abschluß des Tages angestoßen. Dann führte uns die Wirtin in ein geräumiges Zimmer mit zwei Betten. Die beiden müden Reisenden bereiteten sich auf die Nachtruhe vor, und aus der oben genannten Aktentasche erschienen außer dem Brevier nur die allernotwendigsten Utensilien. Die sprichwörtliche Bescheidenheit P. Jungmanns feierte wieder einmal einen Triumph. Jeder saß noch eine Weile auf der Bettkante und betete sein Brevier zu Ende. Schließlich sagte Pater Jungmann: „Gute Nacht! Bis morgen! Schlafen Sie gut!"

Am Morgen bezahlten wir unseren Obolus für die Nächtigung und machten uns in Richtung auf die nächste Kirche auf, „um an eine Messe zu kommen". Die Franziskanerkirche lag am Weg. Leider hatten die Patres noch nicht (im Unterschied zu Innsbruck) die Konzelebration eingeführt. So zog ein jeder an einen Seitenaltar. Der Pater Guardian lud anschließend ins Refektorium zum ortsüblichen Frühstück ein, mit Brot, Butter und der großen Schale Kaffee. Das unverhoffte Kommen Pater Jungmanns löste bei den jüngeren Patres freudige Überraschung aus. Die älteren nahmen nicht sonderlich Notiz von ihrem weltbekannten Landsmann. Das morgendliche Gespräch hätte sich wahrscheinlich noch stundenlang hingezogen und es hätte auch bestimmt noch manchen Erfahrungsaustausch erbracht. Aber wir wollten ja ins Tauferer Tal. Das Wetter war uns an diesem Tage mehr als hold. Über Südtirol stand ein strahlend blauer Himmel. Über Franzensfeste war der Eingang des Pustertales rasch erreicht. Auf dem Weg in Richtung Bruneck, von wo aus das Tauferer Tal nach Norden in rechtem Winkel abbiegt, zeigte Pater Jungmann auf das kleine Dorf Niedervintl, wo er im Frühsommer 1913, kurz nach der Primiz, seine erste Kaplansstelle angetreten hatte und wo die ersten, später (im wahrsten Sinne des Wortes) so folgenreichen Gedanken zu Papier gebracht worden sind, die schließlich 1936 in das Buch „Die Frohbotschaft und unsere Glaubensverkündigung" mit eingingen.

Am fortgeschrittenen Vormittag des 3. 8. waren wir in Sand. Die erste Aufwartung galt dem Pfarrer, der uns einen Begrüßungstrunk anbot und seine Häuserin aussandte, um der Familie zu sagen, der Pater sei eingetroffen und käme nach dem Mittagessen einmal reinschauen. Vor dem Mittagessen schauten wir uns noch die Pfarrkirche an, eine spätgotische Hallenkirche am Ende des Tauferer Tales und von Dimensionen, wie man sie in dieser Taleinsamkeit nicht vermutet hätte. Hier war Pater Jungmann getauft worden, hatte er seine Erstkommunion und schließlich auch die Primiz gefeiert. Er war wieder einmal zu Hause. — Die Pfarrköchin hatte mitten in der Woche ein Kaninchen geschlachtet und ein Mahl bereitet, das zu bewältigen selbst einem Fußwanderer nach langem Tagesmarsch Mühe bereitet hätte. Wieviel mehr zwei Autoreisenden, die sich kaum angestrengt hatten. Abschied vom Pfarrhaus und Rundgang durch die Familie. Zuerst zum Elternhaus, wo (1966) der älteste Bruder Pater Jungmanns den Stammsitz der Familie bewirtschaftete, eine Mühle, verbunden mit einem Hof. Ein nicht unbeträchtliches Anwesen, das einer großen Familie das Einkommen gesichert hat. Es gab nach längerer Zeit ein herzliches Wiedersehen der Geschwister, und man erlebte den sonst in seinen Äußerungen so kargen Pater Jungmann einmal von einer ganz anderen Seite. Zwar kein Überschwang, aber doch die Freude des Wieder-einmal-daheim-Seins, das Vertrautsein im Haus der Kindheit und Jugend. Im guten Zimmer hing ein Familienphoto vom Primiztag im August 1913. Am (rechten?) Arm des Neupriesters Jungmann die Schleife mit den Myrtenzweigen, ein Brauch, der wohl in Südtirol bis heute noch üblich ist. An der Seite Pater Jungmanns noch ein Geistlicher, der sich als Bruder herausstellte; ebenfalls Jesuit; also ein zweiter Pater Jungmann, von dem wir in Innsbruck nie etwas gehört hatten. Er hat, so wurde erzählt, die meiste Zeit seines Ordenslebens in Wien gewirkt und war damals schon verstorben.

Verabschiedung von der Familie des Bruders, mit der man eine gute Stunde verplaudert und das Neueste aus dem Kreis der Familie besprochen hatte.

Dann zum Haus einer Schwester, deren Gatte eine Fleischerei führte. Hinter dem Laden ein großer Wohnraum, in dem sich im Handumdrehen wieder die ganze Familie einfand, auch eine Reihe von Neffen und Nichten aus den benachbarten Straßen und Gassen, die den berühmten Onkel begrüßen und auf einen Plausch dableiben wollten. Pater Jungmanns Schwester bot eine überreiche Jause an. Rotwein wurde aufgetischt. Dabei hatten wir gerade ein üppiges Mittagessen hinter uns. Der Fahrer mußte auf Bitten des Reisegefährten und der Gastgeberin zuliebe noch einmal reichlich zulangen. Inzwischen war es 15 Uhr geworden. Wir wollten aufbrechen, und festhalten wollte man uns in Anbetracht der geplanten Fahrt durch die Dolomiten nicht. So forderte die Schwester alle Anwesenden in der großen Wohnstube auf niederzuknien, sie bat den Bruder um den priesterlichen Segen. Nachdem sich alle bekreuzigt hatten, gab er jedem die Hand und sagte in die Runde: „So, nun macht's alle gut. Haltet's weiter recht zusammen. Behüt euch alle Gott." Und hier wurde einem bewußt: Pater Jungmann war mehr als der berühmt gewordene geistliche Sohn der Familie, der vielgenannte Professor in Innsbruck, von dessen Büchern der Pfarrer berichtete: Er war der geistliche Patriarch, der um jeden in der Familie wußte, die Sorgen aller mit in sein Gebet nahm und alle mit einem guten Wort und seinem Segen beschenken wollte.

Letztes Winken, und unser Wagen rollte aus Sand wieder in Richtung Bruneck. Bei der Abfahrt hatte man den Pater und Onkel noch auf einen jungverheirateten Sohn der Schwester aufmerksam gemacht, der in Welsberg (zwischen Bruneck und Toblach) wohnte. Wir sollten doch, wenn es ginge, bei ihm auch reinschauen und Grüße ausrichten. Wir trafen beide an. Der Neffe überrascht zwar, aber doch sichtlich stolz, die angeheiratete Nichte (sie kannte den geistlichen Onkel noch nicht) eher ein wenig verlegen wegen des unverhofften berühmten geistlichen Besuchers.

Es war nur ein kurzes Innehalten in Welsberg. Dennoch war am Ende des Aufent-
halts das Klima gelöst und fröhlich. Pater Jungmann verließ auch hier die Woh-
nung nicht ohne sein Segenswort und das Kreuzzeichen, besonders über die junge
Ehefrau, die ein Kind erwartete und der er ein herzliches Wort für eine glückliche
Geburt zurückließ. In Taufers in der Familie, hier in Welsberg, immer war Pater
Jungmann ganz spürbar das, was er kurze Zeit in Südtirol gewesen war: der
Kaplan, der Seelsorger, der nichts anderes hatte sein und bleiben wollen. — Die
gute Flasche Wein, die der Neffe dem Onkel eigens in den Arm legte und ihn herz-
lich bat, sie auch wirklich sich ganz allein zu gönnen, sollte nach der Rückkehr in
Innsbruck noch ein besonderes Schicksal erleben.
Das Ende der Reise ist rasch erzählt. Bei strahlender Augustsonne ging es über
Toblach in die Dolomiten hinein, die Pater Jungmann aus unmittelbarer Anschau-
ung nicht kannte. Mit Hilfe der Karte hatten wir uns für die Route Misurinasee,
Cortina, Falzaregopaß, Pordoijoch, Sellajoch, St. Ulrich im Grödental, Kastel-
ruth, Brixen, Innsbruck entschieden. Die Eindrücke von unterwegs brauchen wohl
kaum eigens beschrieben zu werden. Auf der Höhe des Falzaregopasses war
Zeit für eine Kaffeepause, die reichlich in der Sonne genossen wurde. Pater Jungmann schaute immer wieder begeistert in die Runde der überwältigenden Bergwelt.
Man hatte den Eindruck, er erlebte die Erfüllung eines langgehegten Wunsches.
Daß man auf der Fahrt über die genannten Pässe, die ja rasch aufeinander folgen,
schnell Übung als Autofahrer bekommt, fiel zwischendurch auch dem verehrten
Lehrer auf. Als wieder einmal eine nicht gerade breite Kehre elegant genommen
war, meinte er trocken: „Sie können das aber schon ganz gut nach so kurzer Zeit,
wenn man Ihnen zusieht, wie Sie das hinkriegen!" Der abweisende Bau des Brixener Knabenseminars, der etwas außerhalb der Stadt am Wege lag, war Anlaß zu
einigen Bemerkungen über den Wandel zwischen damaliger und heutiger Seminar-
erziehung. Die Zeit, in der Pater Jungmann Rektor des Canisianums war, lag ja
gerade erst vier Jahre zurück, und er hatte unmittelbar mitbekommen, was inzwischen anders und besser gemacht wurde.
Zur Kirche in Gossensaß, an der Pater Jungmann auf seiner zweiten Kaplanstelle
vom Dezember 1915 bis zum Eintritt in die Gesellschaft Jesu im Jahre 1917 tätig
war, haben wir kurz hinaufgewunken. Zur Zeit des Abendessens trafen wir wieder
im Innsbrucker Kolleg in der Sillgasse ein. Pater Jungmann wurde von einigen Mitbrüdern etwas launig befragt, ob er denn das Abenteuer auch gut überstanden
habe. Worauf er ungefähr zurückgab, man sollte es ihm mit seinen 77 Jahren erst
einmal nachmachen, an einem Nachmittag drei große Pässe in den Dolomiten zu
bewältigen.
Auf dem Weg zu seinem Zimmer lief er dem Pater Minister in die Arme. Und bei
dieser Gelegenheit wechselte die gute Flasche Wein aus Welsberg den Besitzer. Pater
Jungmann händigte sie ihm ganz selbstverständlich aus, so wie er es im Noviziat
eingeübt hatte. Die Frage, die er wohl auf meinen Mienen gelesen hatte, ob das
denn wohl so sein müsse, überging er geflissentlich, und ich wagte es nicht mehr
sie auszusprechen. Der Pater Minister war wahrscheinlich so überrascht, daß ihm
gar nicht mehr der Gedanke kam, dem alten Mitbruder das Angebinde wieder zurückzugeben. Ehe er noch begriffen hatte, was er in der Hand hielt, war Pater
Jungmann bereits um die nächste Ecke verschwunden und auf der Stiege zum
nächsten Stockwerk.
Am Morgen des 4. 8. gab es nach der Konzelebration in Gemeinschaft mit den
Patres des Kollegs noch ein fröhliches Frühstück zum Abschied und ein herzliche

Aufwiedersehen. Es hat nur noch ein Wiedersehen gegeben, zufällig am Rande einer Tagung, wo der eine, von Innsbruck kommend, gerade eingetroffen war, der andere, am Ende eines Einkehrtages, im Aufbruch nach Hause.
Das war unser letztes Zusammentreffen. Für mich begann im Hinblick auf den höheren Schuldienst ein Zusatzstudium in Geschichte. Pater Jungmann erfuhr durch die weitere Korrespondenz davon. In seinem letzten Brief, der mich erreichte, schrieb er: „Nun leben Sie wohl. Es freut mich zu wissen, daß Ihre Glaubensverkündigung nun auch einen stärkeren geschichtlichen Einschlag haben wird. Es ist der Gedanke, der meine eigene Lebensarbeit begleitet hat: denn Geschichte bedeutet Pietät." Die Südtirolfahrt war ein Stück Anschauungsunterricht dazu.

Bruno Kleinheyer

Zur Übersetzung des Canon Romanus unter der Leitung J. A. Jungmanns

In einem Gedenkband für J. A. Jungmann darf wohl ein Hinweis auf jene Übersetzung des Canon Missae [1] nicht fehlen, für die im wesentlichen er verantwortlich
gezeichnet hat. Anderen mag es vorbehalten sein, später einmal aus archivarischen
Materialien zu ergänzen und möglicherweise auch zu berichtigen, was hier allein
auf der Grundlage bisheriger Veröffentlichungen vor dem Vergessen bewahrt werden soll.
Auf dem Ersten Deutschen Liturgischen Kongreß in Frankfurt a. M. hatte der
Sekretär der Liturgischen Kommission der Fuldaer Bischofskonferenz und Leiter
des Liturgischen Instituts Trier, Dr. Johannes Wagner, am 21. Juni 1950 in seinem
Bericht „über Stand und Aufgaben der liturgischen Erneuerung in Deutschland"
u. a. ausgeführt:
„Seit Jahren schon wurden Schritte unternommen, die unheilvolle Spaltung in den
deutschen Meßbuchausgaben zu beseitigen. Auch in dieser Hinsicht sind gewisse
Erfolge zu verzeichnen. Vor allem ist es gelungen, die Mönche der Abtei Beuron,
die das Schott-Erbe verwalten, und P. Urbanus Bomm zur gemeinsamen Arbeit
zusammenzuführen. Die erste Etappe wird das Meßantiphonar sein. Mit den Jahren sollen die Perikopen folgen, für deren Neufassung kaum die allerersten Schritte getan sind ... Das dritte werden die sakramentarischen Teile des Meßbuches
sein, Orationen, Präfationen und der bisher so voller Mängel übersetzte Kanon
Hierzu haben die philologischen und theologischen Vorarbeiten begonnen." [2]
Mit diesen Sätzen wird erstmals öffentlich auf den Vorgang hingewiesen, um den
es hier geht.
Die in den Ausführungen Wagners als mangelhaft qualifizierte Übersetzung war
Ende der zwanziger Jahre von einem Kreis interessierter und für die liturgische
Erneuerung engagierter Fachleute auf Initiative des damaligen Pfarrers von Sankt
Aposteln in Köln, Dr. Joseph Könn, erarbeitet worden [3]. Als „Einheitsüberset-
zung" war sie gedacht; als solche war sie in die Diözesangebetbücher [4] und in die
Volksmeßbücher der Benediktiner von Beuron und Maria Laach aufgenommen
worden.
Wer konnte 1950 mehr geeignet erscheinen als J. Jungmann, jene philologischen und
theologischen Vorarbeiten zu leisten, von denen auf dem Kongreß in Frankfurt be-
richtet werden konnte? Jungmanns Hauptwerk „Missarum Sollemnia" war zwei
Jahre zuvor erschienen; in der Arbeit der Gremien war Jungmann ein Mann der
ersten Stunde: im Herbst 1939 war er in die Arbeitsgemeinschaft zur Lenkung der
Liturgischen Bewegung, im Jahr darauf von den bischöflichen Referenten für
Fragen der Liturgie in die Liturgische Kommission berufen worden! [5]
Als 1953 die „Neue deutsche Übersetzung des Kanons" als Vorschlag der Liturgi-
schen Kommission veröffentlicht wurde, wird denn auch in den Begleittexten J. A.
Jungmann als einziger namentlich genannt. Es heißt da, daß bereits 1950 ein erster
Entwurf nebst Gegenvorschlägen allen Mitgliedern der Liturgischen Kommission
zugegangen sei, daß dann ein engerer Ausschuß unter Leitung von Prof. Jung-

mann den jetzt vorgelegten Text erarbeitet habe und daß die Kommission am 15. März 1952 das Ergebnis dieser Arbeit gutgeheißen habe [6].

In der Vorbemerkung zum Übersetzungsvorschlag wird kurz auf den Stellenwert jenes „Einheitstextes" von 1929 Bezug genommen; dann heißt es weiter dazu: „Offenbare, viel kritisierte Mängel der Kanonübersetzung, die so schmerzlich empfunden werden, daß, fast unbemerkt von der Öffentlichkeit, die Herausgeber der deutschen Meßbücher seit geraumer Zeit von sich aus und jeder in seiner Weise ein paar Veränderungen am ursprünglich vereinbarten Text vorgenommen haben, drängen in der Tat nach der Festlegung eines neuen Textus receptus." [7]

Der Übersetzung des Hochgebetes (Präfation und Canon Missae), die J. A. Jungmann federführend erstellt hat, sind einige kurze fachliche Anmerkungen beigegeben, durch die gleichsam die Brücke geschlagen wird zwischen den Ergebnissen seiner wissenschaftlichen Arbeit auf der einen und dieser neuen Übersetzung auf der anderen Seite.

Das weitere Schicksal dieses Übersetzungsvorschlags wird man am ehesten verstehen, wenn man sich über die Auseinandersetzungen um das schon damals angestrebte deutsche Einheitsgebetbuch informiert, speziell über die in diesen Jahren verpaßte Chance, zu einem einheitlichen Antiphonar zu kommen für die beiden führenden Volksmeßbücher und damit auch für die Diözesangebetbücher [8]. In diesen Strudel wird die Kanonübersetzung der Gruppe um J. A. Jungmann hineingezogen.

Ende 1953 schon veröffentlicht Bonifatius Fischer OSB in der Hauszeitschrift der Beuroner Benediktiner einen scharfen Artikel gegen den Übersetzungsvorschlag der Liturgischen Kommission [9]. Zwar wird darin nur die erste Kanonstrophe, das „Te igitur" mit dem „in primis" in etwa gründlich untersucht, nur für diesen Abschnitt ein Gegenvorschlag unterbreitet. Gleichwohl heißt es zusammenfassend, „daß der Übersetzungsvorschlag nicht eine solch gründliche neue Durcharbeitung des lateinischen Textes darstellt, daß es gerechtfertigt erscheinen könnte, ihn an die Stelle des bisherigen Einheitstextes zu setzen. Leider liegt das nüchterne Bemühen um den Wortsinn der liturgischen Texte bei uns noch immer sehr im argen; und doch kann nur darauf eine richtige Übersetzung sich gründen. Legen wir lieber zunächst die Hand daran, diese notwendigen Fundamente zu graben, bevor wir die Fassade des zukünftigen Gebäudes mit allerlei Feinheiten verzieren. Bis die nötigen Vorarbeiten geleistet sind, ist es besser, die bisherigen Texte weiter zu benutzen, da sie sich einmal eingebürgert haben. In dieser Forderung treffen sich die Anliegen der soliden Wissenschaft mit denen der praktischen Seelsorge." [10]

Der Schnelligkeit der Abwehr eines vermeintlichen Angriffs auf einen vermeintlich geheiligten Besitzstand entspricht in diesem Aufsatz die Dürftigkeit der Argumente. Auf dem Hintergrund der durchaus berechtigten Anmerkung zur neuen Übersetzung, daß nämlich „eine genauere Begründung der gewählten Auffassung des lateinischen Wortlautes . . . in den meisten Fällen aus J. A. Jungmann, Missarum Sollemnia, zu entnehmen" sei [11], ist diese Form des Versuchs, die neue Übersetzung zu disqualifizieren, schon mehr als erstaunlich.

Gleichwohl — und das scheint Prof. Jungmanns Wesen zu charakterisieren — hat der so Angegriffene seine Replik auf den, wie Jungmann sagt, mit „kategorischer Schärfe" vorgetragenen Angriff erst veröffentlicht, nachdem „eine mündliche Aussprache im kleinen Kreis" stattgefunden hatte [12]. Gemildert wird die Replik auch noch dadurch, daß Jungmann sich nicht allein mit seinem Beuroner Kritiker auseinandersetzt, sondern auch auf die inzwischen erschienene französische Übersetzung des Ordinarium Missae und auf einige eben erschienene wissenschaftliche Arbeiten zu Detailfragen eingeht. Eher milde, jedenfalls versöhnlich erklärt sich der Verfasser von Missarum Sollemnia bereit, den einen oder anderen Vorschlag Fischers zu übernehmen. Wo freilich wissenschaftliche Erkenntnisse ihn dazu nötigen, bleibt er unerbittlich bei seiner Auffassung.

Hier ist nicht der Ort, auf diese Kontroverse im einzelnen einzugehen, nicht einmal der Raum, die Qualität des Übersetzungsvorschlags der Gruppe Jungmann wenigstens andeutungsweise zu würdigen. Daß er dem „Einheitstext" von 1929 in mancher Hinsicht nicht nur gleichwertig war, daß er mit Recht von der Liturgischen Kommission akzeptiert und der Öffentlichkeit als Diskussionsgrundlage unterbreitet worden ist, daran kann es keinen Zweifel geben. Diese Übersetzung hätte ein besseres Schicksal verdient gehabt.

Es ist aus heutiger Perspektive mehr als verwunderlich, daß nach der Abwehr der Attacke aus der Gruppe derer, „die das Schott-Erbe verwalten" (J. Wagner), durch den am meisten Betroffenen keinerlei Spuren weiterer Verhandlungen um diese eben noch so dringlich erachtete Revision der Kanonübersetzung zu finden sind. Bis 1967 bleibt der „Einheitstext" von 1929 in possessione, bis zur Zweiten Instruktion zur Liturgiekonstitution. Da es jetzt möglich ist, den Canon Romanus laut und in der Muttersprache vorzutragen, ist der Augenblick gekommen, das Vorhaben der frühen fünfziger Jahre unter anderen Voraussetzungen zu verwirklichen. Wo zu dieser Phase der Übersetzung literarische Äußerungen vorliegen, nachträgliche Informationen über den Verlauf der Übersetzungsarbeit, werden — und das rundet das Bild — jene Vorgänge von 1953/54 mit keinem Wort mehr erwähnt [13], ebensowenig in der Zeit der jüngst beendeten Revision des Textes von 1967 für das am 23. 9. 1974 approbierte Deutsche Meßbuch. Wer aber aufmerksam diese Übersetzungen von 1974 und von 1967 mit einerseits dem Kölner Text von 1929 und andererseits mit dem Übersetzungsvorschlag der Deutschen Liturgischen Kommission, d. h. der Gruppe um J. A. Jungmann, von 1952 vergleicht, wird sehr wohl feststellen, daß die damalige Arbeit durchaus nicht vergebens getan war, wenngleich — und das muß bei der nachträglichen Beurteilung jener Übersetzung immer wohl beachtet werden — die Voraussetzungen, unter denen vorkonziliar eine Übersetzung zu erstellen war, sich von der nachkonziliaren Situation doch sehr unterschieden. Das Ethos, mit dem J. A. Jungmann die Ergebnisse seiner wissenschaftlichen Arbeit in die Praxis umzusetzen suchte, ist auch für die nächste Generation die Norm, an der pastoralliturgische Arbeit gemessen wird.

1 Neue deutsche Übersetzung des Kanons. Ein Vorschlag der Liturgischen Kommission: LJ 2 (1952) 135—139 (dieser Teilband II/1952 ist wahrscheinlich erst anfangs 1953 erschienen, wie das Datum des Imprimatur — 10. 11. 1952 — und der Vermerk des Druckers — 1953 — andeuten).

2 *J. Wagner*, Über Stand und Aufgaben der liturgischen Erneuerung in Deutschland: J. Wagner — D. Zähringer OSB (Hg.), Eucharistiefeier am Sonntag. Reden und Verhandlungen des Ersten Deutschen Liturgischen Kongresses. Trier ³1953, 97—104, hier 103. Der Bericht wurde, „um präzisere Angaben vermehrt" und stellenweise leicht verändert, unter dem Titel „Liturgisches Referat — Liturgische Kommission — Liturgisches Institut" abgedruckt: LJ 1 (1951) 8—14.

3 Vgl. *L. Wolker*, Das neue Erlebnis und die neue Verkündigung des Mysteriums in der Jugend: F. X. Arnold — Balth. Fischer, Die Messe in der Glaubensverkündigung (Festschrift J. A. Jungmann). Freiburg i. Br. 1950, 269—282, hier 271; nach W. fand

die Einigung über den Einheitstext für die deutsche Gemeinschaftsmesse „etwa im Jahre 1928" statt; ebenso datiert *Th. Schnitzler*, Niederlagen und Vorwärtsdrängen des deutschen Einheitsgebetbuches: LJ 13 (1963) 193—202, hier 194. In der Vorbemerkung zum Übersetzungsvorschlag der Lit. Kommission (o. Anm. 1) heißt es, diese Zusammenkunft habe erst 1929 stattgefunden. Damit würde übereinstimmen, daß die 34. Aufl. des Schott von 1929 (Vorwort 5. 10. 1928) diesen Einheitstext des Ordo Missae noch nicht hat.

4 Vgl. dazu *J. Hacker*, Die Messe in den deutschen Diözesan-Gebet- und Gesangbüchern (Münchener Theologische Studien II/1). München 1950, bes. 121—123.

5 Vgl. *J. Wagner*, Liturgisches Referat ... (Anm. 2), 10 f.

6 LJ 2 (1952) 135.

7 Ebd.; weder die in Anm. 6 genannte erste Fußnote noch diese Vorbemerkung, deren Tenor dem eingangs zitierten Passus aus dem Bericht ‚Über Stand und Aufgaben...' entspricht, wird der Feder J. A. Jungmanns entstammen.

8 Vgl. dazu den in Anm. 3 zitierten Aufsatz von *Th. Schnitzler* bes. 197—199.

9 Deutsche Liturgie und liturgisches Deutsch: Benediktinische Monatsschrift 29 (1953) 470—480.

10 474—478 — Zitat 478; übrigens wird J. A. Jungmann als für die neue Übersetzung hauptsächlich Verantwortlicher in dem Aufsatz nicht genannt.

11 LJ 2 (1952) 135, Anm. 1.

12 Zur neuen Übersetzung des Canon Missae: LJ 4 (1954) 35—43.

13 Vgl. dazu Gottesdienst, Nullnummer und 1 (1967) 10 f. 22. 27—29. 33 f.

Walter Krawinkel

Im Seminar bei Pater Jungmann

Als zum Studienjahr 1926 die Theologische Fakultät die renovierten Räume neben der Trinitatiskirche wieder beziehen konnte, trug die Tür eines Seminarraumes die Aufschrift „Liturgiegeschichtliches Seminar" oder so ähnlich. In diesem Raum befand sich eine Handbibliothek pastoralen und liturgiewissenschaftlichen Charakters, die aber im verschlossenen Raum kaum frequentiert wurde. Das veranlaßte einen Studenten, zu Pater Jungmann zu gehen und ihn zu fragen, ob dieser Raum nicht nahelege, ein Studienseminar über liturgiewissenschaftliche Fragen einzurichten. „Wenn sich drei Interessenten finden sollten, kann man damit anfangen" erhielt er zur Antwort. So kam es dazu, daß Pater Jungmann mit drei Studenten dieses Studienseminar mit der Arbeit über die Abschnitte der Apologien des Justinus, die über die gottesdienstliche Versammlung der Christen im 2. Jahrhundert handeln, begann. Mit Überraschung und Freude erkannte man, daß die Grundstruktur der Meßfeier mit Wortgottesdienst und Eucharistiefeier und die Unterscheidung der Aufgaben des Vorstehers, des Lektors, des Diakons und der Gemeinde auch in der heutigen Liturgie zu finden war. Das „Gebet für alle und jeden, wo immer sie sich befinden", auf das Justinus so stark hinweist, war nur noch in den Fürbitten des Karfreitags im Römischen Missale zu finden, oder erinnerte das „Oremus" vor der Gabenbereitung noch an diese Oratio fidelium? Eine andere Überraschung war die starke Bedeutung, die Justinus dem „Amen" der Gemeinde zumißt, das er unter Hinweis auf die hebräische Herkunft des Wortes als wichtige Zustimmung der Gemeinde zu Gebet und Tun des Vorstehers versteht. Diese Selbstverständlichkeiten waren damals 1926 keineswegs allgemein bekannt. Das nächste Thema des Studienseminars war der Vorschlag des Hippolyt für das Eucharistische Hochgebet aus der „Apostolischen Überlieferung". Beim Vergleich mit dem Missale Romanum von 1570 kam klar heraus, daß der damals „1. Hauptteil der Messe" genannte Offertoriumsteil mit dem „Amen" vor der Präfation endete und daß mit den 3 Akklamationen „Dominus vobiscum", „Sursum corda" und „Gratias agamus domino" und den zugehörigen Gemeindeantworten der 2. Hauptteil, wie man damals sagte, seinen Anfang hatte, und daß dieses Gebet der Gratiarum actio in einem großen Bogen den Dank für das ganze Heilswerk zum Ausdruck brachte. Bei Hippolyt ist es ein einziges Gebet, nicht eine Addierung verschiedener Gebete. Die einzelnen Gedanken sind an das „Gratias agamus per Christum" durch Relativsätze angeschlossen. Daher war man auch geneigt, das „Qui pridie" des Einsetzungsberichtes als echten Relativsatz und nicht als bedeutungslosen relativen Anschluß zu werden. Die deutliche Ähnlichkeit der abschließenden Doxologie „Per ipsum" und das auch von Hippolyt betonte „Amen" zeigten wiederum, daß man auch in der Erklärung des Römischen Kanons mit dem Paternoster den Kommunionteil der Messe zu beginnen hat. Das dritte Thema war der Erste Ordo Romanus, der eine Beschreibung der Eucharistiefeier, aber keine Texte darbot. Aus der Analyse dieser rubrikenähnlichen Beschreibung kam man zu der These, daß die Rubriken nicht so sehr vom kanonistisch-rechtlichen Gesichtspunkt zu werten waren, sondern Hinweise für den sachlich richtigen Vollzug der Feier geben wollten.

Richtige Rubrikenerfüllung ist also nicht bei einer ängstlichen Buchstabenerfüllung gegeben, sondern dann, wenn der behandelte Inhalt richtig zum Ausdruck kommt. Das haben wir aus den Quellen gelernt, an die uns P. Jungmann herangeführt hat. Der Schreiber dieser Zeilen verdankt ihm entscheidende Impulse, die er für die spätere pastoralliturgische Arbeit in der Pfarrgemeinde und darüber hinaus empfangen hat.

Hans Bernhard Meyer SJ

Nachgelassene Zusätze zum Kommentar der Liturgiekonstitution

Wer wie der Verfasser dieser Zeilen durch viele Jahre hindurch mit P. Jungmann zusammenarbeiten durfte, weiß, daß er nicht nur — wie es viele Beiträge dieser Gedenkschrift bezeugen — ein eminent fleißiger, selbstlos der Sache dienender Wissenschaftler war, sondern daß er auch mit zäher Hartnäckigkeit, ja mit einer Art bäuerlicher Schläue Ansichten zu vertreten und Ziele zu verfolgen wußte, von deren Richtigkeit er überzeugt war. Wenn er dabei Erfolg hatte, aber auch wenn anderen etwas gelang, das seinen Intentionen entsprach, dann konnte er sich fast spitzbübisch darüber freuen, ohne daß es ihm freilich jemals in den Sinn gekommen wäre, so etwas an die große Glocke zu hängen.

Im Nachlaß fand sich ein Exemplar seines Kommentars zur Liturgiekonstitution [1], das P. Jungmann selbst mit handschriftlichen Zusätzen versehen hat, die diese Eigenschaft deutlich erkennen lassen. Diese für P. Jungmann charakteristischen und sachlich wichtigen Zusätze seien hier vorgestellt und kurz kommentiert. P. Jungmann hat sie selbst wie folgt charakterisiert: *„Nichtdiskutierte Entscheidungen* in der Liturgiekonstitution, die von den Vätern im allgemeinen nicht beachtet wurden, und die doch von großer Tragweite geworden sind."

Die ersten beiden Zusätze gehören sachlich eng zusammen:

„1) Eucharistie = *actio* eucharistica = sacramentum (Überschrift von c. II) — diese Gleichung ist zur Geltung gekommen durch meinen Vorschlag in der Kommission, die ursprüngliche Überschrift zu tilgen; s. Kommentar S. 50, vgl. S. 62."

„2) ,Concelebratio' ohne ,sacramentalis' — ebenfalls durch Tilgung der ursprünglichen Überschrift; s. Kommentar ebd."

Es war immer ein Anliegen Jungmanns — und hierin wußte er sich mit der Mysterientheologie einig —, die Eucharistiefeier als „actio", d. h. als in ihrer Ganzheit die Person und das Werk Jesu vergegenwärtigendes Geschehen darzustellen und die scholastische Engführung des einseitig auf das materia-forma-Schema konzentrierten Sakramentsbegriffs zu überwinden. Daher lag es in seinem Interesse, daß die ursprünglich unter zwei Überschriften nebeneinanderstehenden Abschnitte des Liturgieschemas „De Missa" und „De concelebratione sacramentali" schließlich unter dem übergreifenden Titel „De sacrosancto Eucharistiae mysterio" zum Kap. 2 der Liturgiekonstitution zusammengefaßt wurden. Dabei blieben die beiden Überschriften zunächst noch als Untertitel stehen. Jungmann schlug deren Streichung vor und drang damit durch. Auf diese Weise wurde die dem zweiten Untertitel zugrundeliegende Unterscheidung zwischen Ritus und Sakrament (concelebratio ritualis und sacramentalis [2]) eliminiert und Jungmann konnte die oben erwähnte Gleichung aufstellen: Eucharistie(*feier*) = *actio* eucharistica = sacramentum (d. i. ss. Eucharistiae *mysterium*). Außerdem hatte die Tilgung des zweiten Untertitels zur Folge, daß das von französischen gegen deutsche Liturgiker verteidigte Verständnis der Konzelebration als eines an das Mitsprechen der Konsekrationsworte (= forma sacramentalis) gebundenen Aktes durch die Liturgiekonstitution nicht sanktioniert wurde — ohne daß die Verfechter dieser Auffassung es bemerkt hätten, wie Jungmann mit stiller Genugtuung in einer handschriftlichen Randnotiz zu seinem Kommentar bezüglich der Überschrift des 2. Kapitels der Liturgiekonstitution feststellt [3].

Der dritte Zusatz lautet:

„3) ‚*per* ritus et preces‘ soll das Mysterium verständlich werden (Art. 48) — dieser Vorschlag von Kardinal Bea, der in der Kommission sofort übernommen wurde, war die Grundlage dafür, daß der Kanon in die Reform einbezogen werden konnte und mußte; vgl. Kommentar S. 52 b; LJb 1967 1 f.“

Über die Entstehung und Tragweite der durch Kardinal Bea veranlaßten und von P. Jungmann begrüßten Änderung am Text der Vorbereitenden Kommission hat er sich selbst an den von ihm angegebenen Stellen ausführlich geäußert, vor allem in seinem Artikel „Um die Reform des Römischen Kanons: LJ 17 (1967) 1 f; daher erübrigt sich hier ein längerer Kommentar. Die kaum von jemandem bemerkte Einfügung des Wörtchens „per“ in den ursprünglichen Entwurf hat nach Jungmanns Auffassung den Weg für eine Reform des Kanons freigelegt [4].

Auch der vierte Zusatz betrifft eine wichtige, nicht auf P. Jungmann selbst zurückgehende Entscheidung:

„4) Volkssprache auch für die forma sacramentorum (Art. 63) — die dafür im Konzil immer wieder geforderte Ausnahme fiel am Ende dadurch weg, daß die Zulassung der Volkssprache *nur* für die Eheschließung getilgt wurde. Man wurde sich nicht bewußt, daß durch die neue Formulierung jede Ausnahme aufgegeben wurde; vgl. Kommentar S. 65.“

P. Jungmann hat in seinem Kommentar an der von ihm selbst angegebenen Stelle das Zustandekommen dieser wichtigen Änderung geschildert [5], die buchstäblich in letzter Minute, einen Tag vor der Abstimmung über die gesamte Konstitution am 22. 11. 1963, von den Konzilsvätern gebilligt worden ist. Eine handschriftliche Bemerkung P. Jungmanns zu seinem Kommentar hält fest: „Die Änderung geht zurück auf Martimort; ... wahrscheinlich haben nur wenige Bischöfe die Tragweite gesehen.“

Nun zum letzten der fünf Zusätze:

„5) ‚dispositio tabernaculi‘ (Art. 128) — das Wort wurde vor der endgültigen Abstimmung in der Kommission eingefügt (ich hatte einen Bischof [Spülbeck] aufmerksam gemacht, daß es fehle und doch wohl mitgemeint sei), aber von niemandem beachtet. Damit wurde die Trennung von Altar und Tabernakel eindeutig ermöglicht. Vgl. Kommentar S. 106.“

Die bindende Vorschrift, das Tabernakel sei auf einem Altar anzubringen, an dem die Eucharistie gefeiert wird, stammt erst aus unserem Jahrhundert [6]. Jungmann hatte gerade in seinem Buch „Die Glaubensverkündigung im Lichte der Frohbotschaft“ (Innsbruck 1965, 124 — 127) in gewohnt zurückhaltender Form an dieser Bestimmung Kritik geübt. Nun sah er die Möglichkeit, die frühere Freiheit in dieser Frage wiederzugewinnen — und nutzte sie auf seine Weise. Wie wichtig ihm dieses Anliegen war, erkennt man aus der handschriftlichen Randnotiz (es ist die umfangreichste von allen!) in seinem Kommentar zu Art. 128: „Am 4. 5. 1963 war in der Kommission über dieses siebte Kapitel [der Liturgiekonstitution] verhandelt worden, aber noch ohne Abstimmung; über Art. 128 wurde ohne Diskussion hinweggegangen; nach der Sitzung machte ich Bischof Spülbeck aufmerksam, daß im Schema nichts gesagt werde über den Ort des Tabernakels; es müsse das Wort dispositio hinein. Als am 6. 5. 1963 die neuen Blätter ausgeteilt wurden und abgestimmt wurde, war das Wort aufgenommen; d. h. Spülbeck hatte es dem Re-

ferenten Rossi [Bischof von Biella] beigebracht; niemand hatte eine Einwendung
(vgl. mein Tagebuch zum 6. 5. 1963). Wagner [Leiter des Liturgischen Instituts,
Trier] bemerkte mir nachher: das sei auch schon im ursprünglichen Text gemeint
gewesen; Lengeling empfindet es anders: LJ 16 ('66) 156."
Die oben erwähnte Tagebucheintragung läßt erkennen, welche Bedeutung P. Jungmann dieser Frage beimaß, in der er sicher gehen wollte, weil sie für ihn eng mit
dem Gesamtverständnis der Eucharistie als „actio" — im Unterschied zur Verehrung des Altarsakramentes — zusammenhing, die durch nichts beeinträchtigt oder
verdunkelt werden sollte. Er schreibt: „6. 5. Als einen bedeutenden Erfolg kann
ich buchen: Im Kapitel De arte sacra ist vom Tabernakel die Rede und davon,
daß die Vorschriften betreffend des Tabernakels nobilitas und securitas überprüft
werden sollen. Aber die Diskussion ging so schnell darüber hinweg, daß darüber
nicht näher gesprochen wurde. Vorgestern habe ich Bischof Spülbeck aufmerksam
gemacht, daß hier noch das Wort dispositio hinzugehöre, und tatsächlich war im
heutigen Bericht von Bischof Rossi das Wort aufgenommen. Das scheint mir sehr
wichtig. Es ist das Anliegen, dem ich ja in meiner ‚Glaubensverkündigung'
mehrere Seiten gewidmet habe (124 ff)."
Wir haben eingangs auf die Zähigkeit und Hartnäckigkeit hingewiesen, mit denen
P. Jungmann seine Ziele und Ansichten verfechten konnte. Diese Eigenschaften be-
fähigten ihn zu dem erstaunlichen Lebenswerk, das er geschaffen hat und dessen
Früchte er gerade auch beim Konzil reifen sehen durfte. Freilich — und das kommt
in einigen Beiträgen dieses Bandes gelegentlich zum Ausdruck —, er selbst und
andere sind auch an die Grenzen seiner Möglichkeiten gestoßen und haben manchmal darunter gelitten. Als er während der Beratungen der konziliaren Liturgiekommission einmal hart kritisiert wurde, notierte P. Jungmann in seinem Tagebuch
am 3. 5. 1963: „Richtig ist, daß ich vielleicht etwas zum starren Festhalten neige",
und fügt gleichsam entschuldigend hinzu „weil ich nicht so schnell fremde Einwendungen auffasse, sie manchmal auch physisch nicht genau verstehe."
Wer P. Jungmann näher kannte, weiß, daß er den Verlauf der Entwicklung, die
das Leben der Kirche — nicht nur im Bereich des Gottesdienstes — nach dem Konzil genommen hat, manchmal mit Sorge, gelegentlich auch ablehnend betrachtete —
selbst dort, wo er selber den Anstoß dazu gegeben hatte. Der Nutzen oder auch
nur die Unvermeidbarkeit mancher Erscheinungen in der Kirche und in seinem
engeren Lebenskreis waren ihm oft nicht mehr verständlich. Aber das alles änderte
nichts an der heiteren Gelassenheit, mit der er bewußt auf den Aufgang jenes Lebens zuging, für dessen repraesentatio und feiernde Vorwegnahme im Gottesdienst
der Kirche er unermüdlich all seine Kräfte eingesetzt hatte.

1 LThK². E I 9—109.
2 Die Unterscheidung scheint auf *J. M. Hanssens,* De concelebratione eucharistica: PRMCL
  16 (1927) 143 *—154 *. 181 *—210 *; 17 (1928) 93 *—127 *; 21 (1932) 193 *—219 *
  zurückzugehen, der sie im ersten Teil seiner Studie (143 * f) einführt, ohne dafür eine
  Quelle anzugeben: concelebratio plena, d. i. sacramentalis und c. minus plena, d. i.
  caerimonialis. P. Jungmann selbst trat aus liturgie-historischen und -theologischen Gründen immer für ein offeneres, dieser Unterscheidung vorausliegendes Verständnis der
  Konzelebration ein.
3 LThK². E I 50. Wir geben hier den Text wieder. Die kursiv gedruckten Stücke sind
  handschriftliche Zusätze: „Als bei der endgültigen Fassung die beiden Untertitel weg-
  fielen *auf meinen Vorschlag hin in der Subkommission* — der Abschnitt über die Kon-

zelebration war wesentlich gekürzt worden —, wurde dies von niemandem beanstandet; *auch nicht von . . . der nicht bemerkte, daß nun die Konzelebration nicht mehr als ,sakramental' bezeichnet wurde.*"

4 Auch E. J. *Lengeling* spricht in seinem Kommentar zu Art. 48 in diesem Zusammenhang von einer „folgenschwere(n) Forderung"; s. Die Konstitution des Zweiten Vatikanischen Konzils über die heilige Liturgie. Lateinisch-deutscher Text mit einem Kommentar von E. J. Lengeling (Lebendiger Gottesdienst 5/6). Münster 1964, 108.

5 LThK². E I 64 f. Die frühere Fassung hatte gelautet: „Bei der Spendung der Sakramente und Sakramentalien kann die Muttersprache gebraucht werden; doch möge bei der sakramentalen Form im allgemeinen die lateinische Sprache beibehalten werden, ausgenommen die Ehe und andere ausdrücklich gebilligte Fälle."

6 CIC can. 1268 f; Dekret der Ritenkongregation vom 1. 6. 1957.

Placid Murray OSB

Christ the mediator
Father Jungmann contrasted with Cardinal Newman

It might seem strange at first sight to couple the names of Father Jungmann and Cardinal Newman: they might seem to have little in common. Nevertheless, both men made a close study of the Catholic reaction to Arianism, and it is curious that Jungmann seems to have been unaware of that passage in Newman's "Essay on the Development of Christian Doctrine" which reads like a summary of Jungmann's own conclusions. To quote:

" ... Thus the tendency of the controversy with the Arians was to raise our view of our Lord's Mediatorial acts, to impress them on us in their divine rather than their human aspect, and to associate them more intimately with the ineffable glories which surround the Throne of God. The Mediatorship was no longer regarded in itself, in that prominently subordinate place which it had once occupied in the thoughts of Christians, but as an office assumed by One, who though having become man in order to bear it, was still God. Works and attributes, which had hitherto been assigned to the Economy or to the Sonship, were now simply assigned to the Manhood. A tendency was also elicited, as the controversy proceeded, to contemplate our Lord more distinctly in His absolute perfections, than in His relation to the First Person of the Blessed Trinity." [1]

While Newman and Jungmann concur in their judgment of the effect of the Arian crisis on Catholic attitudes, it is remarkable that they should differ so greatly in their understanding of the mediatorship of Christ. Sonship, mediatorship and manhood are the three foci around which any theology of Christ the Mediator must revolve. There can be no doubt where Father Jungmann placed the decisive focus: it is on the manhood of Christ, or should I say, on Christ the Man? This is the "Leitmotiv" of his entire investigation; this is the standpoint from which he examines "the place of Christ in liturgical prayer", and it is this emphasis which appears most plainly in those "obiter dicta" in which an author often reveals his inmost thoughts.

Newman, on the other hand, concentrates on the divine sonship as the decisive focus in his understanding of Christ the Mediator: "... in like manner in the Gospel He is able to stoop to be our Mediator, and to be a Priest making atonement for us, and to be our brother gaining blessings for us, because though man, He is more than mere man [2] ... the Catholic doctrine is that He is Priest, neither as God nor as man simply, but as being the Divine Word in and according to His manhood." [3]

The Man Christ Jesus

It is significant to observe how Jungmann and Newman approach the central question of the manhood of Christ from divergent angles. Father Jungmann says in a crucial passage: "... it is only in his humanity, as 'the man Christ Jesus' (1 Tim. 2:5), that he can be the Mediator, Redeemer and high priest." [4] And he adds in a footnote that speaks volumes: "Admittedly, his human activity derives its world-redeeming power from its belonging to a man who is joined to the Logos in the oneness of the Person, i. e. who is God." [5]

Now contrast the foregoing with the following text from Newman:

"Left to ourselves, we might have felt it more reverential to have spoken of Him, as *incarnate* indeed, come in human flesh, human and the like, but not simply as man. But St. Paul speaks in plain terms of our one Mediator as 'the man Christ Jesus', not to speak of our Lord's own words on the subject. Still, we must ever remember, that though He was in nature perfect man, He was not man in exactly the same sense in which any one of us is a man. Though man, He was not, strictly speaking, in the English sense of the word, *a* man; He was not such as one of us, and one out of a number. He was man because He had our human nature wholly and perfectly, but His Person is not human like ours, but divine. He who was from eternity, continued one and the same, but with an addition. His incarnation was a 'taking of the manhood into God'." [6]

The Divine Sonship

Father Jungmann, in the extract quoted above, spoke of "... a man who is joined to the Logos in the oneness of the Person, i. e. who is God." [7] When I remarked that this "speaks volumes", I meant that it is strange that he should not have mentioned the divine sonship explicitly here. This again is in marked contrast to Newman's standpoint, as may be seen from the following passage:

"The great safeguard to the doctrine of our Lord's Divinity is the doctrine of His Sonship; we realize that He is God only when we acknowledge Him to be by nature and from eternity Son ... The Son of God became the Son a second time, though not a second Son, 'by becoming man. He was a Son both before His incarnation, and, by a second mystery, after it ... He did not cease to be what He was, because He became man, but was still the infinite God, manifested in, not altered by the flesh. He took upon Him our nature, as an instrument of his purposes, not as an agent in the work ..." [8]

Towards the end of the same sermon from which this text is taken, Newman guards against any misunderstanding of his use of the word 'instrument' as applied to our Saviour's manhood:

"But it must not be supposed, because it was an instrument ... that therefore it was ... like an instrument, which a man takes up and lays down. Far from it ... He received it into His Divine Essence (if we may dare so to speak) almost as a new attribute of His Person; of course I speak by way of analogy, but I mean as simply and indissolubly ... so that it would be as unmeaning to speak of dividing one of His attributes from Him as to separate from Him his manhood." [9]

The Principatus of the Father

Newman's emphasis on the divine sonship depends in turn on his view of the *Principatus* or *Monarchia* of the Father. Here again he diverges from Father Jungmann. The latter does not feel obliged to understand the "Deus, Domine etc." in the address of the Roman collects as being addressed to the first divine Person: "... of the original text itself, this cannot be said, for the address (Deus, Domine etc.) contains no determination of any kind." [10] Newman differs radically from

8 Jungmann

Jungmann here, incidentally on the interpretation of the adressee of the collects, but more profoundly still in his understanding of the mystery of the 'triune God' (to use the phrase which occurs so frequently in Jungmann). To quote:

"The *Monarchia* of the Father is not only the symbol of the Divine Unity, but of the Trinity in that Unity, for it implies the presence of Those who, though supreme, are not *archai*. This was especially its purpose in the first centuries, when polytheistic errors prevailed. The Son and Spirit were then viewed relatively to the Father, and the Father as the absolute God. Even now statements remain in the Ritual of the old usage, as in the termination of the Collects, and as in the Sunday Preface in the Mass: 'Pater Omnipotens, qui cum Unigenito Filio tuo et Spiritu Sancto, Unus es Deus', instead of the 'Pater, Filius, Spiritus Sanctus, Unus Deus' of the Psalmus *Quicunque*." [11]

Space does not allow me to develop any further this contrast between Jungmann the liturgist and Newmann the patristic theologian. I should however like to draw attention to one further startling contrast between them. This is their respective attitudes to Saint Augustine as a witness to the faith of the Church. While Jungmann sees the "Enarrationes in psalmos" of Augustine as revealing most directly perhaps the mind of the great Fathers of the Church on the humanity of Christ [12], Newman sees the tendency of Augustine's theology as throwing the doctrine of the *Principatus* into the background, "... and St. Augustine, who seems to have taken no small part in the change, lived long enough to be invited on his death bed to the Ephesian Council summoned by St. Cyril for the condemnation of the Nestorian teaching." [13]

1 "An Essay on the Development of Christian Doctrine", (ed. 1878), p. 137.

2 "Select Treatises of St. Athanasius" (Second ed., 1881), Vol. II, p. 381.

3 ib., p. 241.

4 "The Place of Christ in Liturgical Prayer" (Second Revised ed., 1965), p. 155.

5 ib., note 2.

6 "Parochial and Plain Sermons" (ed. 1881), Vol. VI, Sermon V: "Christ, the Son of God made Man", pp. 61. 62.

7 See above, note 5.

8 "Parochial and Plain Sermons", Vol. VI, pp. 58. 61.

9 ib., pp. 64. 65.

10 "The Place of Christ in Liturgical Prayer", p. 211, note 1.

11 "Select Treatises of St. Athanasius", Vol. II, p. 110.

12 "The Defeat of Teutonic Arianism and the Revolution in Religious Culture in the Early Middle Ages": Pastoral Liturgy (1962), pp. 56. 57.

13 "Causes of the Rise and Successes of Arianism": "Tracts Theological and Ecclesiastical" (1874), p. 133.

Burkhard Neunheuser OSB

J. A. Jungmann und die Anliegen der Mysterientheologie

In seiner ausgeglichenen Art hat der große Liturgiker der Theologischen Fakultät der Universität Innsbruck in dieser Kontroverse vermitteln wollen. Das ist jedenfalls der Eindruck, den die Tatsachen, d. h. hier seine Veröffentlichungen, bieten. Auf dem Höhepunkt der bekannten Kontroverse [1], als der Innsbrucker Kollege und Mitbruder J. B. Umberg gerade seinen zweiten großen, geradezu „vernichtenden" Aufsatz schrieb [2], auf den O. Casel in gleicher Schärfe antwortete [3], wagte Jungmann, immerhin damals erst am Anfang einer glänzenden wissenschaftlichen Laufbahn, eine ausgesprochen wohlwollenden Aufsatz in ZAM 3 (1928) 301— 316, den wir Jüngeren damals als eine warmherzige Verteidigung der Grundansicht Casels empfunden haben, auch wenn Casel selbst, trotz Anerkennung dieser wohlwollenden Absicht, auch ihm gegenüber kritisch blieb [4].
Jungmann sagte damals u. a. (nach Hinweis auf die „Ferne", in der wir Heutigen uns oft gegenüber der Erlösungstat Christi befänden): „ . . . Worauf mit dem Gesagten hingewiesen werden sollte, ist das Gewicht und die praktische Bedeutung einer Frage, die in den letzten Jahren mehrfach erörtert worden ist: ob nämlich . . . nicht irgendwie eine immerfort zu wiederholende Gegenwärtigsetzung der Urheilstatsache gegeben sei, wie . . . in den Anschauungen antiker Mysterienkulte . . . Die Frage ist übrigens ganz unabhängig von religionsgeschichtlichen Kombinationen, . . . und wird auch ungebrochen fortbestehen trotz der Einwendungen (so auch in dieser Zeitschrift [d. h. ZAM] 1 [1926] 361 ff)." [5]
Die ganze Fairneß des edlen Gelehrten spricht aus diesen Zeilen, in denen er für das Anliegen Casels eintritt, ohne dem angreifenden Mitbruder in den Rücken fallen zu wollen. Im Folgenden erläutert er seine These, betont, „nicht nur der Gottmensch . . ., hier ist auch sein Werk" gegenwärtig; „freilich nicht als ob diese Begebenheiten selbst eine neue metahistorische, mystische, sakramentale Daseinsweise erlangen sollten, wohl aber wie Tatsachen eben weiterleben können: in ihren unmittelbaren Wirkungen . . .". „Darum ist das Gedächtnis . . . nicht eine Zutat . . ., nicht bloß ein psychologisches Gedenken und Danken . . ., sondern sie ist selber ein reales Gedächtnis" (aaO 310).
Im folgenden nennt er O. Casel ausdrücklich, bejaht seine bleibend wertvolle Darstellung in JLw 6, lehnt aber, unter Hinweis auf Umbergs Kritik in dessen Aufsatz in der Innsbrucker Zeitschrift, Casels spezifische Deutung ab. Seine „allzusehr mit Denkschwierigkeiten belastete Theorie ist nicht nötig, um die hl. Messe als reales Gedächtnis der Erlösungstat zu verstehen" [6].
Trotz Casels energischer Ablehnung dieser Kritik [7] und schließlich in Fortführung seiner eigenen Linie blieb Jungmann den Anliegen dessen, was wir uns gewöhnt haben als „Mysterientheologie" zu bezeichnen, treu. Wir möchten das an seinen weiteren Arbeiten kurz aufzeigen. Dabei sei aber betont, daß das Anliegen dieser Mysterientheologie sich keineswegs auf das Motiv der „Mysteriengegenwart" beschränkt. Ebenso wichtig sind die Motive der Christozentrik und das Phänomen des Wandels der „Seelenhaltung des Mysterienkultes . . . im Mittelalter" [8]. Chri-

stozentrik, recht verstanden, war und blieb eines der grundlegenden Motive im wissenschaftlichen Werk Jungmanns. Davon zeugt sein erstes großes Werk „Die Stellung Christi im liturgischen Gebet", seine Habilitierungsschrift. Casel hat zu ihr ausführlich Stellung genommen [9]. Jungmann erwähnt das 37 Jahre später im Vorwort zur 2. Auflage und zählt ihn neben J. Lebreton und A. Baumstark zu den Rezensenten mit „weiterführenden Beiträgen" [10]. Wichtiger aber noch erscheint mir die Weiterführung dieser Thematik in dem ganz erstaunlichen Buch „Die Frohbotschaft und unsere Glaubensverkündigung" [11], das in den Jahren vor dem 2. Weltkrieg in unseren Kreisen helle Begeisterung auslöste. Es zeigte in eindrucksvoller Weise den Reichtum der älteren patristischen Sicht einer Verwirklichung der Heilstat Christi im christlichen Leben und den bedauerlichen Wandel im Laufe der Jahrhunderte, die sich daraus ergebende Schwäche heutiger Frömmigkeitsformen und Wege zu ihrer Erneuerung. Das alles war für unvorbereitete Kreise wohl zu viel; das Buch mußte leider aus dem Handel zurückgezogen werden [12]. Auch hier finden wir maßvolle Auseinandersetzungen mit Casel [13], insbesondere aber in etwa eine Bejahung der „Vergegenwärtigung des Erlösungswerkes", wenn auch mit leiser Kritik, die jedoch schon verhaltener klingt: ob damit im Sinn der Mysterienauffassung auch die Vergegenwärtigung der Heilstatsachen (selbst) gegeben sei, das sei (noch) Gegenstand der Kontroverse; gleichzeitig verweist er dabei auf den Aufsatz von J. Bütler, „Die Mysterienthese der Laacher Schule im Zusammenhang scholastischer Theologie" [14].
Die Grundthesen des Frohbotschaftsbuches wurden aber in keiner Weise aufgegeben. In der ihm vom NS-Regime aufgezwungenen Mußezeit während des Krieges konnte er sie in vertiefendem Studium präzisieren. Eindrucksvolles Zeugnis ist vor allem der große Aufsatz von 1947 über den „Umbruch der religiösen Kultur im frühen Mittelalter" [15]. Er hat ihn später mit anderen bedeutenden Arbeiten erneut veröffentlicht in „Liturgisches Erbe und pastorale Gegenwart" [16]. Gerade hier trifft sich Jungmann wiederum mit einem fundamentalen Anliegen der „Laacher Schule", vertreten vor allem in verschiedenen programmatischen Arbeiten von Abt I. Herwegen [17] und weitergeführt in den großen Untersuchungen von A. L. Mayer [18]. Jungmann spricht ausdrücklich davon; er trifft sich mit Herwegen in der Betonung des Phänomens eines „Kontrastes zwischen altchristlicher und mittelalterlicher Frömmigkeitshaltung" [19], möchte sich indessen von der „germanischen These" des Abtes distanzieren [20]. Wir sind der Ansicht, daß diese Divergenzen in keiner Weise die grundlegende Übereinstimmung ausschließen, zumal wenn man den Einfluß des „Germanentums" im Sinne jenes „fränkisch-germanischen" Einflusses versteht, wie ihn E. Bishop [21] und Th. Klauser [22] gezeichnet haben und wie auch ich versuchte, ihn als wesentliche Quelle der typisch mittelalterlichen Liturgie und Frömmigkeit darzustellen [23].
Unterdessen entstanden aber die eigentlichen Hauptwerke Jungmanns „Missarum Sollemnia" (1948) und die kleineren Studien, die ihm folgten, wie vor allem „Das Eucharistische Hochgebet" [24]. Auch hier ist Jungmann ganz er selbst, vermag aber gerade so völlig selbständig, aus eigener Sicht sich mit Kernanliegen Casels zu treffen; so betont er energisch in kritischer Zurückweisung der Theorie von der „Mahlgestalt" der Messe: „Die über die Gaben gesprochene Eucharistia wird zur Grundgestalt im Vorgang der Meßliturgie." [25] In dieser Eucharistia vollzieht sich das „Gedächtnis", das „in geheimnisvoller Weise das Leiden gegenwärtig setzt" [26]; und diese „Gedächtnisfeier", „Mysterienhandlung" ist als eulogía „Opfer im Geist", wie Casel es gezeigt habe [27].

Wenn auch erneut mit starken Reserven [28] weist er endlich bei der Frage nach dem „Sinn der Meßfeier" auf Casel hin: „Die einfachste Lösung scheint diejenige zu sein, die erst in unseren Tagen vorgetragen wird und die darin besteht, daß die memoria passionis zum objektiven Gedächtnis im Sinn der Mysteriengegenwart gesteigert wird" [29]; freilich müsse man dazu Voraussetzungen zu Hilfe nehmen, „die in sich doch wieder fragwürdig sind" [30]. Ähnlich betont Jungmann die Bedeutung des Gedächtnisaktes als objektiver Gegenwärtigsetzung auch in der kleinen, aber wichtigen Schrift über „das Eucharistische Hochgebet" [31], besonders in deren 1. Abschnitt unter dem Titel „Memores" [32]. Nicht unerwähnt darf bleiben, daß Jungmann in einem Aufsatz in „Liturgie und Mönchtum" 28 (1961) über den „Beitrag der Benediktiner zur Liturgiewissenschaft" den „gewaltigen Aufschwung der Liturgiewissenschaft" rühmend erwähnte, wie ihn M. Laach unter Abt Herwegen „wie ein neues Saint-Germain-des-Près... eröffnen sollte" [33]. In diesem Zusammenhang heißt es dann: „... im Jahre 1921 folgt die weitere Reihe der Bände des JLw, in denen vor allem Odo Casel seine Idee vom Kultmysterium darlegte und unermüdlich verfocht, die sich inzwischen, mindestens als Richtungssignal, für Theologie und Liturgie als gleich bedeutsam erwiesen hat" (ebd.).

Von hier aus wird dann der letzte Schritt verständlich, den der greise Gelehrte tat in dem Rückblick auf MS, der ihm nach 5 Auflagen und der Übersetzung des Werkes in 6 Sprachen im Jahre 1970 möglich ward: in dem Büchlein „Messe im Gottesvolk" [34] gibt er nunmehr eine im wesentlichen klare Anerkennung der Grundthese Casels. In der „theologischen Grundlegung" heißt es: „Die klärende Versöhnung der Begriffe ist in unserer Zeit angebahnt worden durch die Rückkehr zum Gedanken der repraesentatio, und zwar in dem vollen Sinn des re-praesentare, wieder gegenwärtig machen, gegenwärtig setzen... Der entscheidende Anstoß... ist auffallenderweise weder von der Dogmatik oder der Dogmengeschichte noch von der Liturgik im engeren Sinn, sondern über O. Casel, von der antiken Religionsgeschichte gekommen. O. Casels Mysterienthese ist inzwischen durch das Feuer der Kritik hindurchgegangen. Sie hat in ihren wesentlichen Zügen nicht nur auf katholischer Seite Annahme, sondern auch auf evangelischer Interesse und weitgehende Zustimmung gefunden..." [35]

Wir müssen hier abschließen. Gewiß — wir sind die Letzten, das zu vergessen —, es bleiben noch manche Fragen. Aber der Weg Jungmanns ist der Weg eines Forschers, der unbeirrt, sachlich, unvoreingenommen, offen für die Problematik, in vielen Jahren emsigen Studiums den Weg der klärenden Lösung sucht und findet. Hier, wie in vielen anderen Punkten, bedeutet das für uns alle wesentliche Bereicherung.

---

1 Vgl. *Th. Filthaut*, Die Kontroverse über die Mysterienlehre. Warendorf 1947.

2 Die These von der Mysteriengegenwart: ZKTh 52 (1928) 357—400.

3 Mysteriengegenwart: JLw 8 (1928—1929) 145—224.

4 JLw 8 (1928—1929) 254: „So sehr wir daher den guten Willen J.s, der Liturgie wieder die ihr gebührende Stelle zurückzugeben, anerkennen, so können wir doch in der Abschwächung der sakr. Lehre nicht das geeignete Mittel dazu sehen."

5 A.a.O. 303.

6 Ebd. 311, Anm. 6.

7 Vgl. Anm. 4. Auch sonst hat Casel mehrfach Jungmann kritisiert, ihn nicht gerade „geschont"; vgl. außer JLw 7 (1927) 177—184 (zu „Die Stellung Christi...")"; JLw

10 (1930) 189—193; JLw 11 (1931) 204—206; Jungmann hat darauf stets in sehr ruhiger Weise reagiert, sich aber auch gewehrt!

8 So der Titel der 1. einschlägigen Schrift *Herwegens*, Kirche und Seele. Die Seelenhaltung des M. und ihr Wandel im MA. Münster i. W. 1926. Die „germanische" These ist noch schärfer vertreten in „Antike, Germanentum und Christentum". Salzburg 1932.

9 JLw 7 (1927) 177—184.

10 LQF 19/20, Münster i. W. ²1962, III* und V*.

11 Regensburg 1936.

12 Es war eine späte Genugtuung für Jungmann, daß 1962 eine englische Übersetzung erschien: "The Good News yesterday and today". New York - Chicago, transl., abriged and edited by W. A. Huesman SJ. With Essays in Appraisal of Its Contribution. In letzteren berichten von Bedeutung und Schicksal des Buches: *J. Hofinger* (169), *P. Brunner* (185), *D. Grasso* (201) und *G. S. Sloya* (211—228).

13 Z. B. 99 und 172.

14 ZKTh 59 (1935) 546—671.

15 „Die Abwehr des germanischen Arianismus und der Umbruch...": ZKTh 69 (1947) 36—99.

16 Innsbruck 1960, 3—86. Im gleichen Band sind sehr wichtig: „Um die Grundgestalt der Meßfeier" (373—378); Die Rektoratsrede in Innsbruck von 1953 (465—478); „Österliches Christentum" (527—537) u. a.

17 Vgl. Anm. 8.

18 Zuerst veröffentlicht in JLw 5—10 und ALw 3 und 4, jetzt zusammen herausgegeben von *E. v. Severus* unter dem Titel „Die Liturgie in der europäischen Geistesgeschichte", Darmstadt 1971.

19 A.a.O. (s. Anm. 16) 10.

20 Ebd. 13, Anm. 27.

21 Vgl. von ihm Liturgica Historica. Oxford 1918, passim.

22 Vgl. Kleine abendländische Liturgiegeschichte. Bonn ⁵1965, vor allem 49—94 mit den Literaturangaben: 198—208.

23 Vgl. z. B. „Der Gestaltwandel liturgischer Frömmigkeit": Perennitas (Festgabe Th Michels), Münster 1963, 160—171.

24 Grundgedanken des Canon Missae, Würzburg ¹1954.

25 5. Auflage, Wien 1962, I. 27.

26 Ebd. 235.

27 Ebd. 28 Anm. 64.

28 Ebd. 242 f; er legt die Ansicht Casels als eine, vielleicht mögliche Lösung vor.

29 Ebd. 242.

30 243, unter Hinweis auf die Dogmatik von Pohle-Gierens (Anm. 25).

31 Vgl. Anm. 24.

32 Ebd. 9—37.

33 A.a.O. 13.

34 Ein nachkonziliarer Durchblick durch Missarum Sollemnia. Freiburg 1970.

35 Ebd. 17 f.

Gerhard Podhradsky

Ein Stubengelehrter — Erinnerungen eines Schülers

P. Jungmann war in Arbeitsweise und Gehaben ungefähr das Gegenteil von dem, was man sich unter einem glänzenden akademischen Lehrer vorstellt. Seine Vorlesungen, in leisem Singsang exakt dem Manuskript folgend, waren für uns Theologen der frühen fünfziger Jahre, noch in durchaus tridentinischer Seminarordnung zum Frühaufstehen genötigt, oft ein daemon meridianus. Gewiß, er war schon bekannt, besonders durch „Missarum Sollemnia"; aber er hatte an der Innsbrucker Alma mater ebenso berühmte Konkurrenz: Karl und Hugo Rahner, Gutzwiller. Wer Jungmanns Arbeitsweise kennenlernen wollte, konnte das in seinen pastoraltheologischen und besonders in den liturgiegeschichtlichen Seminaren. Selten mehr als ein Dutzend Teilnehmer, saß man mit ihm um einen der alten grünen Tische. Es kam auch vor, daß er eine Seminarveranstaltung, zu der sich drei Teilnehmer gemeldet hatten, teilte: einen und die anderen zwei. Wie in der Forschung, bestritt er auch im Unterricht die ganze Arbeit allein; Assistenten hatte er nie, ja nicht einmal eine Schreibkraft. „Missarum Sollemnia" ist für seine Arbeitsweise, aber auch für seine Bescheidenheit besonders bezeichnend. Mancher schmucklose Satz im Haupttext hätte einem anderen Gelegenheit geboten, ein Kapitel Entdeckerstolz und Gelehrsamkeit auszubreiten; bei Jungmann findet man ein paar Anmerkungen unter dem Strich für Kundige. Und selbst die sind noch das Konzentrat langer Fahnen von Textvergleichen.

Damals, um die Jahrhundertmitte, war die Liturgiewissenschaft noch weitgehend Liturgiegeschichte. Für P. Jungmann war die Historie aber immer schon der Weg, auf dem man zu einer zukünftigen Verbesserung kommen konnte. Er sah hinter allen Überlegungen die pastorale Praxis, aus der er gekommen war, die ihm allerdings in den langen Jahren des Gelehrtenlebens persönlich nicht in besonderem Maß gegeben war. Als Zelebrant oder Prediger in auch nur beschränkter Öffentlichkeit, etwa im Priesterseminar, machte er einen eher verlegenen Eindruck.

Was hat diesem praxisfernen und publicityscheuen Stubengelehrten so viele Freunde gewonnen, vor allem unter seinen ehemaligen Schülern?

Ohne viel davon zu reden wußte er, in welche Richtung die Entwicklung der Liturgie gehen werde. Auch in den sonderbarsten Formen vermochte er den berechtigten Kern zu entdecken. Das gute Gedächtnis des Historikers der computerlosen Zeit verließ ihn auch im Leben nicht. In einem seiner Seminare — es dürfte 1952 gewesen sein — kam ein Student zum Ergebnis, die Entwicklung des damals so genannten Deutschen Hochamtes fordere auch den muttersprachlichen und laut vorgetragenen Kanon. P. Jungmann lächelte: „Einige von Ihnen werden das wohl noch erleben." Am Tag der Promulgation schickte er jenem ehemaligen Studenten aus Rom den Text der Liturgiekonstitution. Sein sicheres Urteil, aber auch die altjesuitische Loyalität gegenüber seinen Vorgesetzten, ließ ihn mit sanfter Zähigkeit arbeiten, auch wenn es Rückschläge gab. Noch um 1955, als niemand mehr daran erinnert werden wollte, daß Jungmanns „Die Frohbotschaft und unsere Glaubensverkündigung" (1936) zurückgezogen und vor allem von Theologen ferngehalten werden mußte, zitierte Jungmann dieses Buch nie und rückte auch an gut Bekannte erst dann ein Exemplar heraus, wenn sie das Seminar verließen.

Vor dem Konzil wollte der Tyrolia-Verlag in einer Taschenbuchreihe auch ein kleines Wörterbuch der Liturgie herausgeben. P. Jungmann, der es zuerst hätte schreiben sollen, wurde dann durch die Konzilsvorbereitung daran gehindert und schlug dem Verlag den Verfasser vor. Aber nicht nur das; trotz vieler Arbeit las er das ganze Manuskript und steuerte viele Hinweise bei — alle mit eigener Hand. Einem Priester in der Seelsorge und fernab von entsprechenden Bibliotheken wäre es sonst auch damals schon nicht mehr möglich gewesen, diese Arbeit zu übernehmen.

Ein eher scheuer, praxisferner Ordensmann und Professor hat die Erneuerung des Gottesdienstes im und nach dem Konzil besonders im deutschen und englischen Sprachraum nachhaltig gefördert. Viele seiner Schüler stehen heute als Hochschullehrer und Seelsorgspriester an verantwortungsvollen Stellen; die wichtigsten Namen der nachkonziliaren Liturgieform im deutschen Sprachgebiet zählen zu seinen Hörern und Freunden. So ist zu hoffen, daß etwas von P. Jungmanns Klarsicht, Güte, Bescheidenheit und sanfter Zähigkeit über seinen Tod hinaus wirksam bleibt.

Johannes Quasten

Der Wandel des liturgischen Christusbildes
Zur Erstlingsarbeit von J. A. Jungmann

Mit J. A. Jungmann war ich durch eine tiefe Freundschaft verbunden, die bereits während meiner Studienjahre an der Universität Münster begann und von dem Gedanken der Notwendigkeit einer liturgischen Erneuerung getragen wurde. Sie wurde weder durch meine noch durch seine Entlassung aus der akademischen Tätigkeit durch die nationalsozialistische Regierung unterbrochen. Sie begleitete mich, als ich im Jahre 1938 dem Ruf der Katholischen Universität in Washington Folge leistete. Sie führte nach dem Kriege zu der von mir veranlaßten Berufung Jungmanns als Gastprofessor an die Notre Dame University in USA, die für die Verbreitung seiner Ideen und seiner Schriften in Nordamerika und darüber hinaus im weltweiten englischen Sprachraum von großer Bedeutung wurde. Sie kulminierte in unserer Zusammenarbeit in der liturgischen Vorbereitungskommission des II. Vatikanischen Konzils, in die wir beide als Mitglieder von Johannes XXIII. berufen wurden. Sie fand ihren dokumentarischen Niederschlag in der von ihm und P. Granfield herausgegebenen Festschrift „Kyriakon", die zu meinem 70. Geburtstage erschien [1].

Bereits seine Erstlingsarbeit „Die Stellung Christi im liturgischen Gebet", die 1925 in erster Auflage erschien, erfüllt mich mit großer Bewunderung [2]. Die von meinem verehrten Lehrer F. J. Dölger, von O. Casel, K. Mohlberg, A. Rücker und H. Lietzmann veröffentlichten Beiträge zur Liturgiegeschichte, die Arbeiten von A. Baumstark und R. Guardini hatten das Interesse an diesem Zweig theologischer Forschung geweckt. Aber ich erkannte sogleich, daß in Jungmanns Arbeit ein ganz neuer Versuch vorlag, die Entwicklungsgeschichte der Liturgie von einer andern Seite zu erhellen. Hier wurde zum ersten Male der Versuch unternommen, zu einer „inneren Liturgiegeschichte" vorzudringen, die sich nicht auf eine Geschichte der liturgischen Formen und Texte beschränkt, sondern der religiösen Grundstimmung und dem theologischen Hintergrunde nachgeht, aus denen das liturgische Gebet erwachsen ist. Auf die Notwendigkeit einer solchen Untersuchung als Vorbedingung für eine vertiefte Erforschung der Liturgie hatte schon Edmund Bishop († 1917) hingewiesen: "Yet it would seem that a true appreciation and an exact knowledge of different types of piety as manifested in various parts and the successive ages of the Christian Church, in a word, a knowledge of the history of religious sentiment among Christians is a necessary condition for understanding the origin or rise of rites and ceremonies themselves." [3]

Getreu diesem Grundsatz geht Jungmann in seinem Erstlingswerk dem Geist des liturgischen Gebetes nach, oder besser gesagt, dem Wandel des Christusbildes, wie es ihm zugrunde liegt. Er beweist aus dem Inhalt der Gebete, wie der Glaube an den „Menschen Christus", an den „Erstgeborenen unter den Brüdern", an den „neuen Adam" immer mehr in den Hintergrund tritt. Er zeigt, wie die arianische Bestreitung der Wesensgleichheit des Sohnes mit dem Vater kirchlicherseits zu einer verstärkten Betonung der Gottheit Christi führt, die eine fortschreitende Umgestaltung der orientalischen Liturgien zur Folge hat. Die Menschheit Christi tritt demgegenüber zurück. Die Feier der Eucharistie wird nicht mehr als das Liebesmahl mit Christus unserm Bruder verstanden, sondern als das Schauder erregende und Furcht gebietende Mysterium der verborgenen Gottheit. Es erfolgt eine völlige Umwandlung der religiösen Haltung. Die Eucharistiefeier wird mit Bezeichnungen bedacht, die bis dahin unbekannt waren. Sie wird ein „schaudervolles Opfer", ein „schaudervolles Brot" genannt. Die Prediger scheuen sich nicht, Ausdrücke wie „schrecklich", „furchtbar", „entsetzlich", „unheimlich" zu gebrauchen, wenn sie von der Eucharistie reden. Mit andern Worten, die Erinnerung an den gottmenschlichen Stifter der Opferfeier ist überlagert worden durch den Gedanken an den gegenwärtigen Gott, wie Jungmann richtig bemerkte (214). Aus der Religion der Liebe ist eine Religion der Furcht geworden. Diese Wandlung des liturgischen Christusbildes führt dazu, den Altar immer mehr den Blicken der Gläubigen zu verhüllen, erst durch Vorhänge und schließlich durch die Bretterwand der Ikonostase. Das tremendum mysterium wird den Blicken der Gläubigen entzogen und der Mysteriencharakter der Eucharistie noch stärker betont. Die von Jungmann angeführten Zitate beweisen, daß bereits um 348, weniger als ein Menschenalter nach dem Konzil von Nizäa, der Prozeß der Umwandlung der eucharistischen Frömmigkeitshaltung begonnen hat. Cyrill von Jerusalem bezeichnet in seiner fünften mystagogischen Katechese den Augenblick der Konsekration als *ekeínēn tēn phrikōdestátēn hōran:* „Wahrlich es ziemt sich in jener sehr furchtbaren Stunde, das Herz zu Gott erhoben zu haben." Noch ein zweites Mal gebraucht er diesen Ausdruck. Bei der Beschreibung des Gedächtnisses der Verstorbenen nennt er die auf dem Altare nach der Konsekration liegende Eucharistie „das heilige und sehr schaudererregende Opfer". Jungmann hat außerdem auf Chrysostomus hingewiesen, der das Gefühl grenzenloser Ehrfurcht, die sich bis zu Furcht, Entsetzen und Zittern steigert, in immer neuen Wendungen zum Ausdruck bringt. Nur wenige Jahre nach dem Erscheinen seines Erstlingswerkes wurde jedoch eine Quelle bekannt, die in dieser Hinsicht alle bisher bekannten Texte in den Schatten stellt und Jungmanns Forschungsergebnisse besser bestätigt als alles Material, das ihm zur Verfügung stand. Es sind die von A. Mingana entdeckten und 1933 zum ersten Male veröffentlichten mystagogischen Katechesen des Theodor von Mopsuestia [4]. In ihnen ist der Bischof immer wieder bemüht, seine Zuhörer mit Furcht und Schrecken vor der Größe des eucharistischen Mysteriums zu erfüllen. Die Konsekration ist „furchterheischend", ebenso wie die Kommunion und der „Tisch der Gemeinschaft". Es ist hier unmöglich, die zahlreichen Stellen dieser Quelle anzuführen. Ich habe darüber ausführlich auf der First International Conference on Patristic Studies in Oxford im Jahre 1951 berichtet und darf hier auf meine inzwischen im Druck erschienenen Ausführungen verweisen [5].

Den Wandel des liturgischen Christusbildes mit all seinen Folgen herausgearbeitet zu haben, ist ein bleibendes Verdienst von J. A. Jungmann. Kein geringerer als K. Adam hat alsbald in einem viel beachteten Aufsatz auf die Tragweite der damit aufgeworfenen Fragen hingewiesen [6]. Mich selbst, meine Forschung und meine akademische Tätigkeit, hat die Erstlingsarbeit des unvergeßlichen Kollegen seit ihrem Erscheinen entscheidend beeinflußt und befruchtet. Darüber hinaus bleibe ich aber auch ein Zeuge für die Tatsache, daß sie bei den Beratungen des II. Vatikanischen Konzils für eine Reform der Liturgie und eine Rückgewinnung des Christusbildes der Frühzeit eine große Rolle gespielt hat, die den meisten Teilnehmern nicht einmal zum Bewußtsein kam.

1 *P. Granfield* und *J. A. Jungmann* (Hg.), Kyriakon (Festschrift für Johannes Quasten). 2 Bde. Münster 1970; ²1974.

2 *J. A. Jungmann*, Die Stellung Christi im liturgischen Gebet (Liturgiegeschichtliche Quellen und Forschungen 19/20). Münster 1925. Zweite Auflage mit Nachträgen des Verfassers. Münster 1962.

3 Vgl. seinen Anhang zu *R. H. Connally*. The Liturgical Homilies of Narsai. Cambridge 1909, 93.

4 *A. Mingana*, Commentary of Theodore of Mopsuestia on the Lord's Prayer and on the Sacraments of Baptism and the Eucharist. Cambridge 1933.

5 *J. Quasten*, Tremendum Mysterium. Eucharistische Frömmigkeitsauffassungen des vierten Jahrhunderts: Vom christlichen Mysterium. Gesammelte Arbeiten zum Gedächtnis von Odo Casel. Düsseldorf 1951, 66—75. — *J. Quasten*, The Liturgical Mysticism of Theodore of Mopsuestia: Theological Studies 14 (1953) 313—317.

6 *K. Adam*, Durch Christus unsern Herrn: Seele 8 (1926) 321—329. 355—364. Wiederholt in *K. Adam*, Christus unser Bruder. Regensburg 1947, 39—73.

Charles K. Riepe

Reflections

I always begin anything I write about Father Jungmann with some trepidation because I am not a philosopher and one of the first things he ever told me was that one could always tell by reading an article whether or not its author had studied philosophy.

Unlike the stormy days of the late thirties when the controversy arose around the publication of "Frohbotschaft" (as he called it), Father Jungmann was one of the few people known in the United States who was recognized and respected as being above controversy. The preeminence of his scholarship left even the most vocal critics of liturgical reform in America aghast. The publication of "Missarum Sollemnia" in English in 1950, which followed Father Jungmann's own lectures at Notre Dame University in the summer of 1949, saw to that. These lectures later became "The Early Liturgy" 1959. He was also a contributor to "Worship" usually a translation of something which had already appeared in German as well as "The Furrow" and "Theological Studies". Among his books which found their way through the English speaking world are: "Handing on the Faith" (Katechetik)1959, "The Good News — Yesterday and Today" (Frohbotschaft) 1962, and "Pastoral Liturgy" (Liturgisches Erbe und Pastorale Gegenwart) 1962.

His importance to the United States especially lay in the fact alluded to above: no one in America had the background or the tools to argue with him. The conclusions from his scholarship were often so obvious that Father Jungmann himself never really had to draw them. He himself was content to leave that to others of different temperaments. This greatly contributed to his position as the ultimate source of liturgical wisdom, and those who met him personally were often confounded by the diffidence of his personality, his shyness, his scholarly manner and his seeming lack of revolutionary spirit. Somehow Americans expected him to be a fiery reformer breathing flames from both nostrils! I remember how embarrassed and surprised he was at The First (and to my knowledge, last) International Congress of Pastoral Liturgy in Assisi in 1956 when his simple remark that the early messengers of the Gospel had celebrated the liturgy in the language of the culture they were evangelizing brought a thunderous applause from the assembled audience. Oddly enough the speech had been published several weeks before in its entirety in "Osservatore Romano". He told me that after the speech Cardinal Gerlier, one of the Congress presidents, whispered in his ear "Officialiter dico nihil, sed privatim dico bravo!"

I became associated with Father Jungmann in the spring of 1955 when in my first year of philosophy at the Canisianum in Innsbruck I was persuaded by my advisor, Father Johannes Schasching, to make myself known to the great man and present myself to him as a young American seminarian who wished to specialize in liturgy. Over the next five years, I took every course he gave and took part in every seminar he held. What now follows are personal reminiscences of that association as well as the collaboration that ensued. He was, of course, my hero as well as my Rector (from the fall of 1956 until I left Innsbruck in July of 1960). While the content of his lectures was superlative, his delivery was anything but exciting. It was really in the seminar that the real work was done with his students. They were always an interesting assortment of people who were expected to be multilingual and extremely serious — and male. One of the few times I ever saw him really vexed was on the first day of a new semester and the seminar group had gathered for the first time. There in the midst of the group was a real live girl! He did everything in his power to talk her out of joining the seminar, even suggesting that the material to be covered would be dull and uninteresting. Undeterred, the young lady held her ground and turned out to be the brightest light in the group — as is often the case.

The seminar student was expected to produce a genuine "wissenschaftliche Arbeit" as the major part of his work. Having had little previous training in this type of work, I recall my first effort: a lengthy paper over which I slaved for weeks on the "Peregrinatio Aetheriae". He gave all of the papers back except mine and after the other students had left advised me kindly but bluntly that while it represented much work on my part, it was nevertheless "keine wissenschaftliche Arbeit". I was devastated but soon learned what he meant by the phrase and it changed my whole approach to my work, a lesson that was not to be forgotten for the rest of my life. The greatest honour was to have a seminar paper published as happened to my friend, Rolf Zerfass, from Trier who did a paper on the meaning of "Statio".

Often, the form of the paper, especially the apparatus and the appearance of the manuscript, seemed more important to him than the content. The manuscript had to be "sauber" above all else. I found this out in 1957 when he designated me to prepare the one volume English version of "Missarum Sollemnia". He called me to his room in the Canisianum and read me a letter from Benziger Brothers proposing the project. He asked me what I thought of it and I recall going into a lengthy discussion of how important it was that the reviser know how he (Father Jungmann) thought on all issues and especially the things Father Jungmann felt were important. He agreed and then to my utter amazement he said, "I want you to do it." I shall never forget that moment.

It is probably not an exaggeration to say that between 1954 and 1960 I was as close to him as anyone living in Innsbruck. As I worked on the "one volume" I would show him the work and find notes in my door saying "vidi, veni" and we would spend hours discussing the manuscript. On the eve of my ordination he gave me a generous sum of money because he thought Benziger had not paid me enough. He preached at my first Mass in the Canisianum and gave me the first copy, beautifuly inscribed, of "Liturgisches Erbe und Pastorale Gegenwart", which became "Pastoral Liturgy" in English. I recite this only to show that beneath his shy outward appearance there lay a very warm genuine human being.

He was consistently concerned with the centrality of the Person of Christ. Indeed he told me of his first day in the seminary when he returned to his room with his newly acquired books. As he looked them over, he came across the tract "De Sacramentis Christi". The idea that these were Sacraments of Christ was a real eye opener to him and much of his early work was devoted to investigating why he had not known this all along. His studies under Franz Josef Doelger were a most exciting time in his life.

In many ways be felt that his study on the whole impact of Arianism on the life of the Church was his most important contribution. The English speaking world to this day remains deprived of "Gewordene Liturgie" although his work on Arianism is found elsewhere in English translation. It is again interesting to note that his 1929 "Die Stellung Christi im Liturgischen Gebet" was not translated into English until 1965.

Father Jungmann was a person of very strong feelings who had a good sense of humor. He loved to tell the story of his experience as a young curate in South Tirol when he was called upon to pull the ropes on a statue of Christ, lifting it out of sight into the rafters of the Church on Ascension Day. He loved Tirol. He once crossed out "Bolzano" on an article I had written and wrote in "Bozen". He loved the Church for whom, he said, "the Holy Spirit always finds an answer, though not necessarily the best answer". He even loved Americans though he found them to be too "papal minded". And he loved life. In his last letter to me in October of 1974 he said he felt suspended between heaven and earth and this feeling "was not a bad one at all".

Paul Rusch

Erinnerungen an Pater Jungmann

Zunächst möchte ich ein paar Worte über Pater Jungmann als akademischen Lehrer und über sein Buch: „Die Frohbotschaft und unsere Glaubensverkündigung" sagen. Pater Jungmann begann seine akademische Lehrtätigkeit in den Jahren, da ich selbst ein junger Theologiestudent war. Schon zu Beginn seiner Vorlesungen weckte er unsere Erwartungen. Es liege ihm nicht mehr an, so sagte er etwa, seinen Hörern zu vermitteln, wie sie in ihren späteren priesterlichen Jahren die liturgischen Funktionen zu verrichten hätten; dafür seien andere da. Vielmehr sei sein Anliegen, das geschichtliche Werden der Liturgie aufzuzeigen und deren Wesensgehalt zu erschließen, und zwar zugleich den Wahrheits- und den Wertgehalt. Das weckte durchaus unsere Interessen. Es war die Zeit der liturgischen Erneuerung. In Beuron schwärmten liturgische Damen auf offener Straße laut über ein schön choraliter gesungenes Alleluja, das sie eben gehört hatten. Auch unsere Herzen waren für die liturgische Erneuerung voll geöffnet. Als deshalb bald darauf das Buch „Die Frohbotschaft und unsere Glaubensverkündigung" erschien, wurde es von uns sehr begrüßt und voll bejaht. Hart traf es uns, daß es bald nach seinem Erscheinen vom Orden zurückgezogen wurde. Es sei „artificiellement épuisé" sagte Hugo Rahner etwas später. Der Grund dafür lag offenbar darin, daß in dem Buch zwei Andachtsweisen, die im Jesuitenorden sehr hochgeschätzt wurden, nämlich die Herz-Jesu-Verehrung und die Marienverehrung, in ihrem Rang etwas zurückgestellt waren. Irrtümlich ist es aber, wenn man heute erklärt, auch damals habe es schon theologische Differenzen gegeben; man solle deswegen nicht so besorgt sein, wenn es auch heute solche gibt. Darauf antworte ich: Nego paritatem. Damals ging es um Differenzen auf dem Gebiet der freien theologischen Meinungen, heute geht es um Differenzen auf dem Gebiet des Dogmas selbst. Angemerkt sei aber die befremdlich anmutende Äußerung des von uns sonst sehr verehrten Pater Regens Hofmann, der sagte, er gebe jedem Theologen das Geld zurück, das er für dieses Buch ausgegeben habe.
Pater Jungmann hat das alles, obwohl es ihm nicht ganz leicht fiel, mit Gelassenheit getragen. Als ich Bischof wurde, habe ich mir, trotz Vergriffenseins, sofort eine große Zahl dieser Bücher für unseren Klerus beschafft.
Sodann einige Worte über den Abschied von Innsbruck und über „Missarum Sollemnia".
Bald nach dem Anbruch der nationalsozialistischen Herrschaft wurde sowohl die Theologische Fakultät und etwas später auch das Jesuitenkolleg in Innsbruck aufgehoben. Pater Jungmann machte einen Abschiedsbesuch bei mir und fragte mich, was er für uns noch tun könne. Nun war damals vor kurzem die Meßerklärung von Brinktrine erschienen, die uns nicht sehr befriedigte. Meine Antwort hieß alsogleich: „Schreiben Sie, bitte, nicht nur für uns, sondern für das ganze deutsche Sprachgebiet die von der heutigen Zeit geforderte Meßerklärung. Sie sind der rechte Mann dafür." Das gleiche sagte ihm auch sein damaliger Provinzial Pater Miller. Pater Jungmann nahm diese Anregung sofort positiv auf und setzte sich

in Wien in der Kirche am Hof gleich ans Werk. Dort besuchte ich ihn einmal. Es
mag im Jahr 1941 gewesen sein. Ich fand ihn in einem kleinen Zimmer, das meiner
Schätzung nach kaum mehr als 10 Quadratmeter hatte und nur mangelhaft be-
lichtet war. Pater Jungmann war fest an der Arbeit. Wie ich bedauerte, daß er auf
so engem Raum und bei so beengten Verhältnissen arbeiten müsse, lächelte er nur:
„Ich kann arbeiten und das ist mir genug." Welcher Bienenfleiß zur Vollendung
des später den ganzen Orbis Catholicus erobernden Werkes notwendig war, kann
jedermann aus dem Vorwort zur 1. Auflage von „Missarum Sollemnia" feststellen.
Noch kommt mir eine kleine Erinnerung aus der späteren Kriegszeit in den Sinn.
Pater Jungmann befand sich zu dieser Zeit in einem kleinen Ort Niederösterreichs,
woselbst er Schwestern seelsorglich betreute und im übrigen für seine Arbeit frei
war. Da wir fürchteten, daß der Osten Österreichs von den Russen erobert würde,
was später auch eintrat, bot ich Pater Jungmann eine gute und sichere Bleibe in
unserem Tiroler Land an. Für diese Einladung dankte er freundlich, schlug sie jedoch aus mit der Begründung: Er wolle die Schwestern in dieser Notzeit nicht
allein lassen. Pater Jungmann war nicht nur ein bedeutender Wissenschaftler. Er
hatte darüber hinaus auch ein tapferes Herz!
Hinsichtlich „Missarum Sollemnia" sei abschließend noch etwas angeführt, was in
die spätere Zeit weist. Etwa um das Jahr 1960 fragte ihn Pater Bugnini von der
Ritenkongregation: „Nun, Pater Jungmann, wie wird die Geschichte der römischen
Messe, deren Vergangenheit Sie gezeichnet haben, weitergehen in die Zukunft
hinein?" Das war damals noch nicht zu beantworten, aber die Frage zeigt, daß das
Werk in Rom aufgenommen und verstanden war.

Aus der Zeit des II. Vatikanischen Konzils.

Pater Jungmann war während des II. Vatikanischen Konzils Peritus in der Liturgischen Kommission. Darüber werden seine umittelbaren Mitarbeiter mehr zu berichten wissen. Ich selbst erinnere mich im besonderen zweier Gegebenheiten:
Einmal erzählte mir Pater Jungmann von einem Plan hinsichtlich des Breviers. Ob
es nicht günstig wäre, die jetzige zweite Lesung zur freien Wahl zu geben, so daß
also der Priester nach eigenem Urteil den Text aus einem kirchlichen Schriftsteller
frei wählen könnte, z. B. Texte von Kardinal Newman oder Bischof Sailer oder
ähnliches. Ich sondierte bei einigen Bischöfen, die aber diesem Gedanken ablehnend
gegenüberstanden. Daraufhin hatte ich auch selbst nicht mehr den Mut, dafür ein-
zutreten. Immerhin konnte mir Pater Jungmann später zu seinem Trost sagen, es
sei in der Kommission eine neue Verfahrensweise eingeführt worden. Man ließ
nicht mehr die Bischöfe zuerst zu Wort kommen, sondern die erste Frage des Vor-
sitzenden war: quid dicunt periti? Erst dann kamen die Bischöfe mit ihrer Wort-
meldung an die Reihe. Vorher war es umgekehrt gewesen.
Sodann: Schon damals beschäftigte Pater Jungmann die *richtige* Reform. Inwie-
weit kann man Tradition ändern oder sogar preisgeben, ohne daß die Werte, die
in einer Tradition liegen, vernichtet werden? Später dachte er über diese Dinge
spürbar skeptisch, da ihm die Erfahrung zugewachsen war, wie sehr in einem tradi-
tionsfreien Raum Wildwuchs entstehen kann. Ihm lag das nicht. Er war ein Mann
der Ehrfurcht und des Maßes. Aus Ehrfurcht und Erfahrung erstand manchmal in
seinem Mund ein Weisheitswort wie etwa dieses: „Die Menschheit befindet sich
mit ihren Ideen entweder im Wellental oder im Wellenberg. Die richtige Mitte ge-
lingt ihr kaum jemals." Über die letzten Lebensjahre sei noch etwas weniges berichtet. Das letzte Lebensjahrzehnt von Pater Jungmann war noch mit reicher

Arbeit ausgefüllt. Mehrere Bücher erschienen. Vom Jahr 1970 an begannen aber als Folge des Alters körperliche Beschwerden zuzunehmen. Auch die Erkrankungen mehrten sich leider.
So traf ich ihn einmal in einem Krankenzimmer des hiesigen Sanatoriums. Er war fiebrig und schwach. Lächelnd sagte er mir: „Bald daheim." In einem benachbarten Zimmer lag der treue Bruder Ortner ebenfalls schwerkrank darnieder. Wenn sich beide besuchten — gelegentlich konnte der eine oder andere aufstehen —, dann gerieten sie in einen lächelnden Wettstreit, wer von ihnen zuerst heimgehen dürfe. Diese innere Gelassenheit und Jenseitsreife war bewundernswürdig. Das Heimgehen war aber Frater Ortner beschieden. Pater Jungmann genas wieder. In diesen letzten Jahren drückte ihn ein Leid immer mehr. Es war dies die Verunsicherung in seinem eigenen Orden. Pater Jungmann blieb echter Erneuerung immer, auch in seinen letzten Lebensjahren, aufgeschlossen. Ihm war aber die Grenze zwischen echter und falscher Reform klar. Um es in einem Wortspiel zu sagen: renovieren eines Hauses und ruinieren desselben Hauses ist nicht das gleiche. Er hatte den Eindruck, daß diese Grenze in seinem Orden nicht mehr ganz feststand. Aus diesem Empfinden heraus sagte er einmal zu mir: „Ich bin froh, daß ich das nicht zu verantworten habe, was die Jesuiten heute tun."
Am 19. März 1973, an seinem Namenstag, besuchte ich ihn. Nach einem längeren Gespräch erklärte er mir aus dem Drang seines Herzens wörtlich: „Wir Jesuiten haben in diesen letzten Jahren der Diözese mehr geschadet als genützt." Ich habe den Freimut, mit dem er das gesagt hat, bestaunt.
Doch machten ihm in diesen letzten Jahren zwei Bücher eine Freude. Nämlich das große Werk von Pater Prümm „Gnosis an der Wurzel des Christentums?" und das andere von Prof. Josef Ratzinger: „Dogma und Verkündigung". Über das letztere war er geradezu beglückt und hoffte nun trotz allem auf eine innere Wende, auf eine Wiederversöhnung in Kirche und Orden.
Da er nun in diesem Jahr heimgerufen wurde, wird man von ihm sagen dürfen: Es bleibt eine reiche wissenschaftliche Frucht eines echten Gelehrtenlebens, es bleibt ein stilles bescheidenes Lächeln eines gütigen Menschen. Er ist im Frieden.

Ekkart Sauser

Wie ich J. A. Jungmann erlebte . . .

Josef Andreas Jungmann zu erleben, war ein Erlebnis besonderer Art. Als Student am Innsbrucker Gymnasium konnte ich in den Jahren von 1947 bis 1952 manchen großen Theologen in öffentlichen Vorträgen, etwa des Katholischen Bildungswerkes, erleben. Sehr lebhaft erinnere ich mich etwa noch an die Darlegungen von P. Hugo Rahner, die vom Inhalt, von der Form und von der Persönlichkeit des Vortragenden her immer zu einem Ereignis wurden, das die Zuhörer mitriß. So erlebte ich Jungmann nicht. Auf ihn verwiesen keine begeisternden Äußerungen Innsbrucker Zeitgenossen aus der breiten bürgerlich-katholischen Schicht dieser Stadt. Es war vielmehr unser Religionslehrer in der Oberstufe der Mittelschule, der uns eines Tages auf Pater Jungmann hingewiesen hat, mit einfachen, eindrucksvollen Worten. So fing für mich das Erlebnis Jungmann an, ein Erlebnis, übermittelt von einem Menschen, der in den Bannkreis dieses großen Theologen gezogen worden war. Seine Worte aus der Zeit der Mittelschulstudien ließen mich diesen Mann nicht vergessen und so hörte ich gleich in meinem ersten Semester des Hochschulstudiums im Jahre 1952/53 Jungmanns Vorlesung über die Geschichte des Stundengebetes. Bei dieser Gelegenheit hörte ich ihn nicht nur, ich begann ihn zu erleben — und nicht nur ich allein.

Dieses Erlebnis war nicht getragen von einer allgemeinen Welle der Begeisterung oder gar einer „Jungmann-Mode". Sicher, als Student im ersten Semester merkte ich, wie diesem Manne Anerkennung und Interesse entgegengebracht wurde, aber Begeisterung im eigentlichen Sinne, wie etwa, um nur zwei Beispiele zu nennen, im Falle Hugo Rahner oder Richard Gutzwiller, war da direkt und greifbar nicht zu verspüren; jedenfalls nicht von der Art, daß man schon dadurch gleichsam unwiderstehlich zu ihm hingezogen worden wäre. Es war immer stiller um Jungmann als um andere — im breiten Publikum wie im Kreise der Professoren und Studenten der Theologischen Fakultät. Wenn von ihm eine Anziehung ausging, so war diese mehr objektiver denn subjektiver Art. Seine Persönlichkeit war beinahe unauffällig, leicht zu übersehen, nicht von vornherein schon anziehend. Das, was anzog, war der Gegenstand, den er in einfachen, stillen Worten voll Achtung und Hochschätzung jungen Menschen vor Augen geführt hat. Über diese vielen objektiven, liturgisch-geschichtlichen Daten habe ich mich zusammen mit anderen Mitstudenten an den Menschen Jungmann herangearbeitet.

Was sich uns zeigte, war ein Mensch von großem Reichtum und zugleich von großer Armut, eine Polarität, die nicht, wenigstens nicht nach außen hin, als Spannung zutage trat; denn das Element der Spannung im Sinne eines Auseinanderklaffens, Zerrissenseins oder einer sich daraus ergebenden Unzufriedenheit konnten wir an ihm nie entdecken. Jungmann war reich und zugleich arm für seine eigene Person, für sein eigenes Leben in all seinen Phasen und Äußerungen. Er war aber ebenso reich und äußerst arm in seinem mitmenschlichen Verhalten, in seiner Aufgabe als akademischer Lehrer, in seinem Dienst an der Wahrheit und deren Weitergabe an die verschiedensten Menschen.

Sein Reichtum war die kernige Gesundheit eines einfachen, unkomplizierten, klaren Geistes, der sich mit der Theologie nicht spielte, der seine Zeit nicht vertat und sich nicht verzettelte, sondern nur zu genau wußte, daß es im Bereich geistig-geistlicher Arbeit auf Konzentration ankommt. Er vermochte in der Vielfalt der Gedanken, Probleme und Möglichkeiten meist das zu sehen und herauszuspüren, was wesentlich, notwendig, entwicklungsfähig, lebens- und zukunftsträchtig war. Er erfreute sich einer guten Gesundheit — und wenn ihn, wie in den letzten Lebensjahren, die immer schwächer werdenden Augen plagten, dann gab er in aller Einfachheit, Stille und Selbstverständlichkeit nicht auf, sondern arbeitete, ohne deshalb als Held zu erscheinen oder gar erscheinen zu wollen, ruhig weiter und verlangte ohne Krampf und ohne nach außen hin spürbare Askese seinem Körper und Geist ab, was sie zu geben vermochten.

Persönlicher Reichtum Jungmanns war es, daß er seinen einmal gewonnenen Einsichten, Ideen und Vorhaben treu bleiben konnte und ihnen in vielen Fällen zu einem nach langem Hin und Her fast selbstverständlichen Sieg verhalf. Groß, wenn auch nicht auffällig, war seine Heimatverbundenheit, sein Verständnis für echtes Brauchtum und Volkskultur. Schließlich war er ein frommer Mensch, der deshalb auch der Pflege der Frömmigkeitsformen — gipfelnd in der Liturgie der Kirche — größtes Augenmerk und eine diskrete Liebe schenkte. All sein Tun war eingebettet in wahre Demut des Herzens und des Verstandes; darin erschien wohl sein größter Reichtum.

Jungmann war aber auch reich für andere und dies als Priester, Gelehrter und Lehrer. Es kommt daher nicht von ungefähr, daß er vor seinem Eintritt ins Ordensleben Seelsorger in seiner Südtiroler Heimat gewesen ist. Als Wissenschaftler bereicherte er weiteste Kreise, ja die ganze christliche Welt durch seine Bücher und Veröffentlichungen. Ich möchte aber hier auf den unmittelbar persönlich weitergegebenen Reichtum, besser gesagt auf die Art, wie er diesen Reichtum vermittelte, etwas näher eingehen.

Zunächst einmal war er das gerade Gegenteil eines Wissenschaftspapstes, der sein Fachgebiet zu seinem ganz persönlichen Herrschaftsbereich erklärt, in dem nur Auserwählte sich bewegen dürfen und dies nur solange, als sie sich den Gesetzen und Vorstellungen ihres Meisters, zumindest äußerlich, zu beugen gesonnen sind. Er beherrschte nicht sein Fach und seine Schüler. Er diente beiden im besten Sinne des Wortes. Er verteilte nicht Gnaden und besetzte nicht Lehrstühle, sondern ließ die Dinge sich entwickeln und hoffte auf das Beste für Lehre und Lehrer, die einmal seine Schüler gewesen sind. Dadurch entstand nie ein Protektionsverhältnis im schlechten Sinne des Wortes zwischen ihm und seinen Mitarbeitern und Gesinnungsgenossen. In großer Unabhängigkeit vollzog sich das gegenseitige Einverständnis, das kaum getrübt wurde, selbst wenn größere oder kleinere Meinungsverschiedenheiten auftraten. Er gab und schenkte Anregungen, ohne dabei Gewalt auszuüben. Man konnte nehmen oder auch nicht; die Verbundenheit blieb, zumindest von seiner Seite her, bestehen. Sein Verhältnis zu den Schülern, Freunden und Mitarbeitern war nicht durch allzu bestimmenden Willen dem anderen gegenüber geprägt; es war vielmehr gütiges, herzliches, waches und treues Interesse, das den Kontakt von Mensch zu Mensch herstellte.

So kam es auch immer wieder vor, daß seine Verbindung zu Studenten schon einsetzte, als man von ihnen noch gar nichts „holen" oder erwarten konnte, weil sie noch am Anfang der Ausbildung standen. Aber weil Jungmann eben zu allererst ein interessierter und dann erst ein dieser oder jenes Ziel verfolgender Mensch gewesen ist, konnte er schon unmerklich auf einen zugehen, der eine gewisse Grundbegabung mitbrachte. Ich erinnere mich in diesem Zusammenhang noch gut an folgende Begebenheit aus meiner Studentenzeit: Jungmann war für das Studienjahr 1953/54 zum Rektor der Innsbrucker Universität gewählt worden. Bei seinem Amtsantritt hielt er, wie es üblich war, eine Vorlesung über das Thema: Liturgie und Kirchenkunst. Kurz vor Beginn erklärte er meinem Vater: „Einer der wichtigsten Zuhörer scheint mir heute Ihr Sohn zu sein." Ich war damals erst im 3. Semester und die Weichen für meine spätere Tätigkeit waren noch lange nicht gestellt. Trotzdem — der Gelehrte von Weltruf, auf den am festlichen Tag der Rektoratsübergabe viele sahen und der selbst auf viele zu sehen hatte, dachte an einen jungen Menschen, aus dem vielleicht einmal etwas werden könnte.

Bis in seine letzten Lebenstage hat sich Jungmann dieses lebendige Interesse und Wohlwollen seinen Mitarbeitern und Schülern gegenüber bewahrt. Er hat nicht gewartet, bis einer „versorgt" war, um dann nicht mehr an ihn zu denken, vielleicht sogar aus Argwohn, dieser oder jener könnte einmal seinen alten Lehrer in den Schatten stellen. In innerer Freiheit, ohne Rücksicht auf Gewinn oder Nutzen dachte er an die „Seinen", ohne sie deshalb je als einen „Hofstaat" zu betrachten oder gar zu benutzen. Er blieb ihnen nahe als stiller, unauffälliger, stets antwortbereiter Partner. Aber — und dies Gott sei Dank: Man mußte immer selbst an der Erreichung eines Zieles arbeiten, wenn man Jungmann zum Mitarbeiter haben wollte. Ein treuherziges Abnehmen von Arbeit, die ein anderer leisten konnte, gab es nicht. So bereicherte Jungmann nicht nur durch das, was er gab, sondern auch durch die Art und Weise, wie er Erkenntnisse und Anregungen weitergab. Er machte reich durch das, was er vermittelte und durch die Art, wie er es vermittelte. Dies ist der eine Jungmann — der reiche Mensch für sich und für die anderen. Der andere Jungmann ist der arme Mensch, wieder für sich und für die anderen.

Manchmal erschreckte es uns schier, wenn wir auf sein Zimmer kamen, entweder um Examen zu machen oder ihn zu besuchen. Da war wohl kaum je eine Blume zu sehen oder ein schönes Bild oder sonstige Dinge, die ein Zimmer schön und zu einem Stück Heimat machen können. Kahl, ja fast unfreundlich, unpersönlich wirkte alles.

Arm war er auch im Bereiche des gesellschaftlichen Lebens. Nicht, daß er menschenscheu gewesen wäre; davon kann keine Rede sein. Aber er hatte und suchte keinen ausgedehnten gesellschaftlichen Umgang. Der Glanz und die Festlichkeit dieses Bereiches menschlichen Lebens lag seiner Persönlichkeit fern. Gewiß, Jungmann machte auch Reisen in die weite Welt und dies bis in sein hohes Alter. Er sah sich auch die Dinge an, die es dort gab. Aber er blieb inmitten dieses Reichtums arm; er wäre, auch ohne dies alles zu sehen, „ausgekommen".

Diese Armut und Kargheit zeigte sich auch in der Art, wie er seine Erkenntnisse weitergegeben hat und darin, wie er mit seinen Schülern und Mitarbeitern verkehrte. Wohl waren der Austausch der Gedanken und die Begegnung herzlich, aber es fehlten ihnen Glanz und Festlichkeit. Seine Verkündigung der Frohbotschaft war nicht brillant, sondern einfach und schlicht. Er sprach in seinen Vorlesungen und Übungen immer wieder von der Bedeutung der christlichen Kunst und war in meiner Studienzeit in Innsbruck wohl der Lehrer an der Theologischen Fakultät, der den besten Zugang zu diesem Phänomen des menschlichen Lebens gehabt hat; aber er ging nie mit uns Studenten zu Werken christlicher Kunst und war auch sicher im Innersten seines Herzens nicht unbedingt davon überzeugt, daß man, sooft wie nur möglich, an Originale heranmüsse, um erst richtig sehen zu lernen und auf diese Weise bereichert zu werden.

So hatten wir als Studenten oft den Eindruck, daß dem Reichtum der Gedanken und Anregungen Jungmanns noch manches hinzugefügt werden müsse, um den verborgenen Reichtum soweit wie nur möglich offenkundig werden zu lassen. Wir achteten den Reichtum unseres großen Lehrers, wurden von ihm belebt, ja begeistert — aber es war, wie eingangs gesagt, ein Erlebnis besonderer Art, ein Erlebnis, das zur Weiterentfaltung drängte — sicher auch Pater Jungmann selbst — über jene Grenzen hinaus, die zu überschreiten er seinen Schülern überließ.

Herwarth von Schade

Ökumenische Zusammenarbeit

Das Gedächtnis an Pater Josef Andreas Jungmann ist nicht allein bei denen lebendig, die in besonderer Weise seine Brüder waren. Vielmehr: es trägt ökumenische Züge. Weil der christliche Gottesdienst, dem Pater Jungmanns Lebensarbeit sich vornehmlich verpflichtet wußte, kein konfessioneller Alleinbesitz ist, gewann sein Werk eine große ökumenische Bedeutung und besitzt ökumenische Geltung. Das war in den frühen fünfziger Jahren in der evangelisch-lutherischen Kirche in Hamburg: ein Vikar hatte seine Universitätsausbildung beendet, sein erstes theologisches Examen abgelegt und trat seinen Dienst an in einer Kirchengemeinde voll lebendiger und reicher liturgischer Tradition. Der junge Theologe hatte das Glück, hervorragenden Liturgiewissenschaftlern begegnet zu sein. Dieses Glück sollte ihn auch auf Pater Jungmann stoßen lassen. Bischof Professor Dr. Knolle gehörte zu seinen Lehrern, Pastor Dr. Stökl war sein Vikarsvater. Auf Empfehlung seiner Ausbilder kaufte er sich von seinem ersten schmalen Vikarsgehalt Jungmanns „Missarum Sollemnia", die beiden gewichtigen Bände der 3. Auflage von 1952, für kostbare 60 Mark.

Die Lektüre von Jungmanns großem Werk ist meine erste Begegnung mit diesem hervorragenden Mann gewesen. Ich habe von ihm gelernt und gelernt, immer wieder verglichen, dankbar ergriffen, weitergegeben. Die Randnotizen im Buch belegen das. Als ich die Bände jetzt wieder zur Hand nahm, fiel mir auf, daß ich damals in den Anmerkungen die Zitation von evangelischer Literatur unterstrichen hatte — die Namen von Gerhard Kunze zum Beispiel, von Hans Lietzmann, Joachim Jeremias oder meinem Tübinger Lehrer Otto Bauernfeind. Mit deren Arbeitsergebnissen hat Pater Jungmann sich auseinandergesetzt. Das hat mich beeindruckt. Ich habe solche Offenheit nicht überall in der wissenschaftlichen katholischen Literatur angetroffen.

Viele Jahre später nahm ich teil an der Übersetzungsarbeit der ALT, der ökumenischen „Arbeitsgemeinschaft für liturgische Texte der Kirchen des deutschen Sprachgebiets". Die ALT-Mitarbeiter aus Deutschland, Österreich und der Schweiz, katholisch, evangelisch-lutherisch, reformiert oder alt-katholisch, hatten sich im November 1968 in Zürich zu ihrer ersten Sitzung versammelt. Zu unserer aufrichtigen Freude nahm Pater Jungmann teil. Ich wurde dem berühmten Verfasser von „Missarum Sollemnia" vorgestellt.

Das Protokoll dieser Sitzung der ALT hat auch Äußerungen von Pater Jungmann festgehalten. So findet sich in der Eröffnungsdebatte über die Notwendigkeit der Symbolauslegung und -deutung unter Jungmanns Namen die schöne Bemerkung: „Ungeklärtheiten werden im Lichte des Ursymbols gelesen werden müssen." Die Lektüre des Protokolls läßt im übrigen die lebhafte, intensive Mitarbeit von Pater Jungmann an der Beratung erkennen, seine abgewogenen, gelehrten Beiträge, die seelsorgerlich empfindenden Voten. In die lebhafte Debatte zur Übersetzung oder Umschreibung von ‚sanctam ecclesiam catholicam' brachte Pater Jungmann die schöne Version ein: „Die heilige Kirche, Kirche für alle Welt."

Pater Jungmann hat sich später noch einmal in die Arbeit der ALT eingeschaltet. In einer Subkommission zur Übersetzung des Gloria war der Vorschlag aufgekommen, den Gloriahymnus deutlicher zu gliedern und dafür eine Erweiterung des lateinischen Grundtextes, eine Anrufung Gottes des Heiligen Geistes, in die Übersetzung einzubeziehen, die im griechischen Wortlaut des Gloria und im Antiphonar von Bangor überliefert ist. Dieser Absicht hat Pater Jungmann widersprochen — mit guten textkritischen Gründen und einer stringenten theologischen Argumentation. Man kann das nachlesen in seinem Aufsatz „Um den Aufbau des ‚Gloria in excelsis' ": LJ 20 (1970) 180—188. Die ALT mochte es anders geplant haben — die Autorität dieses Lehrers der Kirche indessen hat überzeugt, hat auch die evangelischen Mitarbeiter ökumenisch überzeugt.

J. A. Jungmann ist uns vorausgegangen, und wir schauen ihm nach. Die Stimmen der Erinnerung in diesem Gedächtnisbuch werden sein Bild bei uns hell machen, deutlicher noch als in seinen Lebenstagen. Und was unerklärt bleibt und ungedeutet, die Rätsel menschlichen Lebens und Vergehens, lesen wir nach seinem guten Rat „im Lichte des Ursymbols": Ich glaube die Auferstehung der Toten und das ewige Leben.

Herman Schmidt SJ

Enkele persoonlijke herinneringen . . .

Toen ik in 1937 mijn theologische studies in Maastricht (Nederland) begon met de opdracht mij in de liturgie-wetenschap te specialiseren, ontving ik een uitstekende leider. Dat gebeurde, toen ik kennis maakte met Jungmanns boek „Die Frohbotschaft und unsere Glaubensverkündigung" (Regensburg 1936). Deze studie heeft voor mij de weg gebaand naar een theologisch inzicht, dat voor mijn liturgische studies beslissend is geworden temidden van een (neo-)scholastiek milieu, dat mij niet aansprak. Vanzelfsprekend heeft dit boek mij een trouwe lezer gemaakt van Jungmanns boeken en artikelen. Tegelijk echter maakte „Die Frohbotschaft" mij enigszins verdacht, omdat het boek op hoger bevel uit de bibliotheek van de theologanten werd verwijderd: het was gevaarlijk voor studenten, in het bijzonder voor jonge jezuieten, vanwege daarin voorkomende stellingnamen ten opzichte van de Volksfrömmigkeit, met name de H. Hart-devotie. Het is voor mij een vreugde geweest, dat in 1963 een nieuwe bewerking van genoemd boek verschenen is met de titel „Glaubensverkündigung im Lichte der Frohbotschaft" (Innsbruck), waarin Jungmann in het voorwoord (pp. 7 — 8) schrijft: Die folgenden Blätter „greifen das Thema auf, das schon vor einem Vierteljahrhundert Gegenstand ähnlicher Betrachtungen war in einem Buch, das zu jener Zeit wegen der Neuheit einzelner Darlegungen eine sehr verschiedenartige Beurteilung gefunden hat. Den Vorwurf besonderer Neuheit glauben die folgenden Ausführungen nicht mehr befürchten zu müssen; aber vielleicht können sie manchen Gedankengängen, die schon zu verschiedenen Punkten unterwegs sind, zu größerer Klarheit und damit zu stärkerer Wirkung verhelfen."

Jungmanns meesterwerk „Missarum Sollemnia" (Wien 1948) moet ook ik vermelden. Te Rome hoorde ik het volgende: het boek was verdacht en werd daarom door het H. Officie gekeurd. Ik begreep er niets van en kon met mijn zegsmannen niet tot een ernstig gesprek komen, omdat zij het boek niet gelezen hadden en toch wisten waar de schoen wrong. Tenslotte, als mijn informaties juist zijn, wenste Pius XII het boek zelf te lezen met het gelukkige gevolg, dat hij een bijzondere gelukwens aan Jungmann liet zenden. Tegelijk had ik een soortgelijke ervaring met een oostenrijkse collega, vroeger professor te Innsbruck, die mij het boek vroeg om „de onzin" te lezen, maar na enkele weken zo enthousiast was, dat hij mij het boek niet wilde teruggeven.

Ik meen deze feiten te mogen vermelden om aan te tonen, dat ook Jungmann moeilijkheden en tegenslagen te verwerken kreeg. Mij is altijd opgevallen, hoe rustig en sereen hij in onaangename omstandigheden bleef. Hij zocht de waarheid en niet het gelijk aan zijn kant: niet hij maar de waarheid moest overwinnen. Bij hem heb ik gezien en bewonderd, dat hij enkel degelijke wetenschap zocht en nooit sensatie, nog minder zijn eigen persoon. Hij had zijn standpunt maar waardeerde de opinies van anderen. Daarom was hij in discussies uiterst correct, zodat hij wel eens van vrienden te horen kreeg, dat hij te slap was en niet van zich kon afbijten. Dat is vooral gebleken in de liturgische commissies voor, onder en na het tweede vaticaans concilie, zodat allen van hoog tot laag ontzag voor hem hadden. Voor mij is hij het model van een wetenschapper. Ik meen, dat hij deze wetenschappelijke discipline bewust heeft nagestreefd met behulp van het Ignatiaans „agere contra".

Ook heb ik veel persoonlijke ontmoetingen met Jungmann gehad vooral op congressen en gedurende het tweede vaticaans concilie. Ik wens hier tussen 1945 en 1965 enkele m. i. zeer belangrijke congressen te vermelden, waar de invloed van Jungmann doorslaggevend was, aanwezig of afwezig. Het internationaal liturgisch congres te Maastricht van 27 juli tot 2 augustus 1946, georganiseerd door Lucas Brinkhoff O. F. M. en mij, bestaande uit twee afdelingen: de leer van Casel en de pastorale liturgie; wat de pastoraal betreft openbaarde zich een tegenstelling tussen de liturgische opvattingen van sommige monniken of hun volgelingen en die van de direkte zielzorgers; Jungmann was aanwezig door middel van zijn „Frohbotschaft". In Luxemburg werden twee weken van liturgische studies gehouden van 25 tot 26 juli 1950 („Perspectives de Pastorale liturgique") en van 16 tot 18 mei 1951 („Le Dimanche et sa Célébration"), waar Jungmann aanwezig was. Deze twee weken werden gevolgd door zes internationale congressen ter bevordering van de liturgische studies te Maria Laach (12 — 17 juli 1951), te Mont-Sainte-Odile, Strasbourg (20 — 24 oktober 1952), te Lugano (14 — 18 september 1953), te Mont César, België (12 — 15 september 1954), te Assisi (14 — 22 september 1956) en te Montserrat, Spanje (8 — 13 september 1958) [1]. Ik meen deze congressen te moeten vermelden in verband met Jungmann, omdat zij van kapitaal belang zijn geweest voor de ontwikkeling van het liturgisch leven naar Vaticaan II toe. Al was Jungmann geen organisator of leider van congressen, toch stond hij in het middelpunt. Was hij afwezig, dan was dat een teleurstelling. Gedurende congressen drong hij zich nooit op en probeerde op de achtergrond te blijven. Hij was geen groot redenaar maar hij boeide enkel door de inhoud van zijn voordrachten; in de discussies zei hij weinig uit zichzelf maar werd vooral gevraagd zijn opinie of een advies te geven; buiten de vergaderingen werd beslag op hem gelegd, want ieder wenste met hem een persoonlijk onderhoud. In Assisi (1956) heeft hij het moeilijk gehad, omdat hij na de openingsvoordracht van de voorzitter kardinaal G. Cicognani, welke door veel deelnemers ongunstig werd ontvangen, de volgende spreker was en een overdreven applaus over zich heen moest laten gaan; na de toespraak van Pius XII tot het congres heb ik Jungmann terneergeslagen gezien, want in deze werd een scholastieke kwestie uitvoerig en met scherpe woorden recht gezet met het gevolg, dat tegenstanders van de liturgische beweging gingen verkondigen, dat de paus de liturgische beweging min of meer had veroordeeld. In 1960 opende Jungmann met de voordracht „Sinn und Probleme des Kultes" het internationale Wetenschappelijk Congres „Der Kult und der heutige Mensch" te München (31 juli — 3 augustus 1960) in verband met het grote Eucharistische Wereldcongres [2]. Hierbij wens ik aan te tekenen, dat dit congres een dialoog opende tussen christlicher Liturgie, Buddhismus, Confucianismus, Hinduismus, Islam, Volksfrömmigkeit en moderne Gesellschaft, een thema dat heden de grootste aandacht en belangstelling heeft.

Indirect heeft Jungmann grote invloed gehad op het contact tussen liturgie en missie door middel van zijn oudleerling J. Hofinger SJ, die reeds in Lugano (hoe vreemd dat nu mag klinken) de ogen van de liturgisten heeft geopend voor de speciale missieproblemen en die van 12 tot 18 september 1959 de eerste internationale week van studies over missionaire liturgie heeft georganiseerd [3].

Tenslotte denk ik terug aan de wederzijdse correspondentie van Jungmann en mij, vooral naar aanleiding van onze uitwisseling van boeken en artikelen. Als voorbeeld waag ik het hier de inhoud te geven van een van Jungmanns laatste brieven aan mij, zoals altijd in keurig en duidelijk handschrift geschreven. Het is een brief van 22 april 1971 naar aanleiding van mijn boek „Bidden onderweg van 1960 tot 1970" (Haarlem 1971), dat ik hem had toegezonden [4].

„Lieber P. Schmidt!

Ihr schönes Buch ‚Bidden' habe ich im Sanatorium erhalten, aus dem ich heute — nach 9 Wochen — zurückgekehrt bin. Ich konnte darin erst nur wenig lesen. Aber ich habe mich gefreut über das Wohlwollen für mein ‚Christliches Beten', aber auch über den Kern Ihrer Arbeit, mit dem Sie den Horizont der Liturgik energisch erweitern. Das ist notwendig, damit Liturgik nicht steril wird.

Ich habe wahrscheinlich übersehen, Ihnen mein letztes, allerletztes Buch zuzuleiten: ‚Messe im Gottesvolk'. Ich erlaube mir das nachzuholen (als Drucksache gleichzeitig). Vielleicht haben Sie schon die Kritik in ‚Gottesdienst' (10. März 71) gesehen, die Ablehnung aus moderner Sicht. Das kann nicht das letzte Wort sein. Doch reichen meine Kräfte nicht mehr, die Kontroverse aufzunehmen, besonders auch das Augenlicht beginnt zu erlöschen. Doch danke ich Gott, daß ich so lange arbeiten konnte."

---

1 Uitvoerige bibliografie in *H. Schmidt SJ*, Introductio in Liturgiam Occidentalem. Romae 1960. 772—785.

2 *M. Schmaus — K. Forster*, Der Kult und der heutige Mensch. München 1961.

3 Missions et Liturgie; rapport et compte rendu de la première semaine internationale d'études de liturgie missionnaire, Nimègue-Uden 1959. Bruges 1960. Zie ook: Liturgie et Mission; rapports et compte rendu de la XXXIIIe semaine de missiologie, Louvain 1963 (Museum Lessianum — Section Missiologique 44). Louvain 1964.

4 Deutsche Übersetzung: Wie betet der heutige Mensch? Dokumente und Analysen. Freiburg i. Br. 1972.

Theodor Schnitzler

In der Vorbereitung des Vaticanum II

Am 25. August 1960 wurde die erste Serie der Ernennungen von Consultoren für die Vorbereitung des Zweiten Vatikanischen Konzils ausgefertigt. Unter den für die Liturgische Kommission ernannten Beratern, deren Zahl zunächst nicht sehr hoch sein sollte, befand sich auch Prof. Dr. Josef Andreas Jungmann SJ. Als am 12. November 1960 die erste Sitzung dieser Liturgiekommission stattfand, wurde P. Jungmann zum Leiter der Subkommission für die hl. Messe ernannt. Sekretär dieser Subkommission war der Schreiber dieser Zeilen; Consultoren waren Weihbischof Jenny von Cambrai, Can. Borella von Mailand, P. Gy OP von Le Saulchoir, P. Kennedy Vinc. vom Kanadischen Kolleg in Rom, Prof. Chavasse von Straßburg, Dr. Kahlefeld von München. — Die Hauptsitzung dieser Subkommission „De Missa" war ab 7. Februar 1961 in Mailand im Hause der Oblaten des hl. Ambrosius. Der Kardinal von Mailand G. B. Montini empfing die Mitglieder im erzbischöflichen Palais; sein Gespräch mit P. Jungmann war besonders vertraut und sachkundig. Die Beratungsergebnisse wurden sogleich nach Rom gebracht. — Am 7. und 8. März 1961 redigierten in Innsbruck Jungmann und Schnitzler die Proposition der Subkommission für die Gesamtkommission. — Vom 12. bis 22. April fand in Rom die Hauptversammlung der Liturgischen Kommission zur Vorbereitung des Vaticanum II statt, deren Mitgliederzahl inzwischen erweitert worden war. — Am 12. Dezember 1961 besprachen sich die in Trier zur Eröffnung des neuen Domizils des Liturgischen Instituts anwesenden Mitglieder der vorbereitenden Konzilskommission für Liturgie. — Am 11. Januar 1962 fand eine neue Vollsitzung der Liturgischen Kommission für das Konzil statt. — So hatte P. Jungmann ein gerütteltes Maß Arbeit hinter sich, als am 11. Oktober 1962 das Konzil eröffnet wurde.

Die Subkommission „Messe" unter die Leitung Jungmanns zu stellen, war sicherlich eine Initiative des Hauptsekretärs Annibale Bugnini, für den der Innsbrucker Liturgiker verehrte Autorität war. Jungmann führte seine Aufgabe durch wie ein liturgiehistorisches Hauptseminar: überlegen im Wissen, trocken und sachlich in Darstellung und Diskussion, äußerst bescheiden, liebenswürdig, doch nicht ohne eine gewisse Starrheit, jedenfalls ohne Talent für diplomatische Lösungen. Den Löwenanteil der Arbeit leistete er selbst, unermüdlich mit der Feder und an der Schreibmaschine, äußerst gewissenhaft bis in die Ordnung des anschwellenden Aktenmaterials. Damals schon wurde jenes untergründige Mißtrauen sichtbar, das die französische Geistigkeit und die französische Schule den Ergebnissen und Zielen und auch der Person P. Jungmanns entgegenbrachte, im ganzen nur als tragisches Mißverständnis erklärbar. Denn hier begegneten sich nicht etwa zwei Welten von Forschung und Wissen; beide Schulen waren von der gleichen Verantwortung für ein sorgfältiges, sicheres, gründliches Studium der Geschichte und ihrer Quellen und Dokumente, beide waren getragen vom gleichen pastoralen Ethos und von der gleichen Liebe zu kirchlichen Tradition. Darum kann man wirklich nur von Tragik sprechen. Vielleicht war der Persönlichkeit Jungmanns eine — sicherlich nicht im geringsten schuldhafte — Grenze gesetzt, ein ganz feiner Hang zur prüfenden Beobachtung seines Gesprächspartners, dazu ein Quäntchen jener Andreas-Hofer-Mentalität, die nicht gern westwärts und südwärts schaut. Auch die Heiligen haben ihre Grenzen!

P. Jungmann erfüllte in der vorbereitenden Konzilskommission für Liturgie und dort in der Führung der Subkommission De Missa seine erste weltkirchliche Aufgabe. Damals schon prägte er der konziliaren Liturgieerneuerung seinen Stempel auf: die Geschichtsgebundenheit und die pastorale Sorge, Historie nicht ohne Hartnäckigkeit, Pastoral nicht ohne echten Wagemut. Damals schon erschien Pater Jungmann wie ein Patriarch unter geistlichen Söhnen. Sein Konzept blieb letztlich Grundlinie der Konziliaren Konstitution über die hl. Liturgie vom 4. Dezember 1963. Das Studium der Akten des Konzils und seiner Vorbereitung wird das bestätigen, wenn einmal die Dokumente nebeneinander gestellt werden können.

Der „Patriarch" Jungmann wollte nicht autoritär dominieren. Seinen Mitarbeitern, auch wenn sie wesentlich jünger, unerfahrener, unwissender waren, kam er mit der Ehrfurcht des Lehrenden entgegen, oft mit unendlicher Geduld, wenn man ihn nicht annahm, oft mit unpathetischer Demut, wenn man laut und herrisch gegen ihn wurde. Doch verlor er nie sein Gesicht, indem er seine Meinung gebeugt oder preisgegeben hätte; er belehrte, fing neu an und — schwieg schließlich.

Der Sekretär nahm von der Arbeit der Subkommission das Bild eines bis in die letzte Konsequenz ignatianischen Ordensmannes, eines idealen Gelehrten, eines Gipfels menschlichen Charakters mit, das Letztgesagte nicht ohne leise abweisende Ferne. Doch all das ist nur ein Eindruck zweier Jahre, ist nicht die ganze Persönlichkeit.

Franz Schreibmayr

„Erkenntnisleitende Interessen" im Wirken J. A. Jungmanns

Zu den bleibenden Erinnerungen an J. A. Jungmann gehört für mich eine Vorlesung, in der er über die innere Beziehung zwischen Kirche und Eucharistie und über die Bedeutung der Danksagung als lobpreisendes Gedenken für das Verständnis der Meßfeier und als Grundhaltung der Kirche, als „christliche Grundstimmung" sprach, die aus der Freude über die „Charis" erwächst, die uns in Christus geschenkt ist. Der Zusammenhang ist mir damals — 1930 — zum erstenmal aufgegangen, und es war deutlich zu spüren, daß hier für P. Jungmann ein zentrales Anliegen lag. Auch die Bruderliebe, die dem Heiden Diognet an den Christen auffällt, entspringe nach dem Zeugnis des an ihn gerichteten Briefes der Dankesgesinnung über die Güte Gottes in der Sendung des Logos und der Vergebung der Sünden. Diese von der Frohbotschaft bewegte Haltung, die die Menschen erfüllte, sei echte und tiefe eucharistische Frömmigkeit.

Wir empfanden es als einen besonderen Vorzug der Vorlesungen J. A. Jungmanns, daß er im Zusammenhang der liturgiewissenschaftlichen Darstellung immer wieder zentrale und aktuelle Fragen des christlichen Lebens und des Gottesdienstes zur Sprache brachte und weiterführende Anstöße und Anregungen gab. In der Art, wie er Liturgiewissenschaft betrieb, wurde der Sinn wissenschaftlicher Beschäftigung mit der Tradition der Kirche deutlich. Was hinter seiner Arbeit stand, wurde den Teilnehmern an seinem Seminar im Sommersemester 1933 bewußt, als er einige Grundgedanken seines im Jahr 1936 erschienenen Buches „Die Frohbotschaft und unsere Glaubensverkündigung" mit uns durcharbeitete.

Eine andere, für die Sicht und die Methode J. A. Jungmanns bezeichnende Erinnerung verbindet sich für mich mit der ersten Prüfung bei ihm. Er hatte in der Vorlesung u. a. einen Überblick über Ursprung, Entwicklung und Verzweigung der Liturgien des Ostens und des Westens gegeben. Die erste Frage, die er stellte, lautete etwa so: „Nehmen Sie an, es sei die Aufgabe gestellt, in einem Missionsgebiet Nordafrikas die Liturgie neu zu gestalten. Nach welchen Gesichtspunkten wäre zu verfahren"? Ich war zunächst überrascht, fand aber bald an der Fragestellung Gefallen, die mir allerdings recht theoretisch zu sein schien.

1967 hat der Siebenundsiebzigjährige noch einmal die Strapazen einer Reise in den Fernen Osten auf sich genommen, um auf dem Missionskatechetischen Kongreß in Manila über die durch das Konzil eröffneten Möglichkeiten der Gestaltung der Liturgie und über die für die Missionare wichtige Frage der Generalabsolution zu sprechen. Auf seinen Vorschlag machten wir die Hinreise gemeinsam. So konnte ich beobachten, wie lebendig er auf die vielfältigen Fragen und Probleme einging, die im Gespräch mit seinen Mitbrüdern in Bombay und Kalkutta und in den Arbeitsgruppen des Kongresses an ihn herangetragen wurden. Auch hier erwies sich die Fruchtbarkeit seines Forschens und seiner Sicht. Am Sonntag hat er mit großer Freude mit einer Gruppe von Kindern und schlichten, armen Menschen in einem von ihnen gestalteten Gottesdienstraum Eucharistie gefeiert, wobei die Gesänge von Schola und Volk in einheimischer Sprache und Rhytmik gesungen wurden.

Als ich ihn einige Monate später in Innsbruck besuchte und ihm eine Auswahl der während der Reise aufgenommenen Dias zeigen wollte, durfte ich keines auslassen, so angetan war er von den Erinnerungen, die die Bilder in ihm weckten. Als ich nebenbei bemerkte, meinen breitkrempigen Strohhut hätte ich eigentlich daheimlassen können, sagte er lächelnd: „Nein, der war sehr wichtig; so wußte ich in den Abfertigungshallen der Flughäfen stets, wo Sie waren."

Anselm Schwab OSB

In der österreichischen Liturgischen Kommission

Wie alle jene Gremien, denen P. Jungmann angehörte, betrauert auch die Liturgische Kommission für Österreich den Tod dieses wohl bedeutendsten Liturgikers der vergangenen Jahrzehnte. Seine überragende Bedeutung für die gesamte liturgische Erneuerung wurde bereits häufig von zuständiger Seite entsprechend gewürdigt.

Professor Jungmann war gleich nach Beendigung des Zweiten Weltkrieges vom damaligen Liturgie-Referenten der österreichischen Bischofskonferenz, Diözesanbischof Fließer (Linz), zur Mitarbeit an der zu konstituierenden österreichischen Liturgischen Kommission eingeladen worden. Wir wissen, daß er diese Einladung um der Wichtigkeit der Sache willen gerne angenommen hat.

So hielt er bereits bei der ersten Tagung dieses Arbeitskreises (27./28. März 1947) ein zusammenfassendes Referat über die Arbeit der seinerzeit auch für Österreich maßgeblichen Liturgischen Kommission der Fuldaer Bischofskonferenz bis zu jenem Zeitpunkt, da die kriegerischen Ereignisse eine Zusammenarbeit unmöglich machten (1944).

Schon gleich in den ersten Zeiten des Bestehens der Kommission gab es eine große Vielfalt von pastoralliturgischen Fragen und Aufgaben, die für eine tatkräftige und zielbewußte Erneuerung der Liturgie auch in unserem Lande in der Praxis bewältigt werden mußten, z. B. die Erstellung des österreichischen Einheitsgesangbuches, die verschiedenen Formen der gemeinschaftlichen Feier des Gottesdienstes, die Gestaltung der Osternachtfeier, der Liturgie der Heiligen Woche und noch vieles andere mehr. Hier nun stand P. Jungmann mit gutem Rat aus dem reichen Wissen seiner Gelehrsamkeit dem Gremium immer wieder hilfreich zur Seite.

Dabei lag es ihm völlig ferne, dem Arbeitskreis auch nur irgendwie seine Ansicht sozusagen aufzudrängen, wenngleich er jeweils seine eigene Auffassung klar und deutlich zum Ausdruck brachte. So erwarb er sich auch in diesem Kreis nicht bloß Achtung vor seinem tiefgründigen und umfassenden Wissen, sondern vor allem auch für seine große und freundliche Bescheidenheit, mit der er seine Ansichten vorzulegen pflegte. Hier spürte man aber auch, wie sehr er immer wieder den Blick für die konkrete Situation der Seelsorge offenhielt. Sein tiefstes und eigentlichstes Anliegen war ja der Dienst an der Seelsorge.

Über zwanzig Jahre war P. Jungmann in unserem liturgischen interdiözesanen Kreis tätig. Bis in sein hohes Alter hinein war er der Mentor dieser Arbeitsgemeinschaft. Nur in ganz seltenen Fällen fehlte er bei den Tagungen. Und wenn, dann nur, wenn er andere dringliche Verpflichtungen hatte. Diese treue Verbundenheit des so viel beanspruchten Mannes war beispielgebend. So bewahrt ihm denn auch die Liturgische Kommission für Österreich ein ehrendes und vor allem dankbares Andenken.

Emmanuel v. Severus OSB

Aus dem Briefwechsel mit Abt Ildefons Herwegen OSB 1925—1928

Im Jahre 1925 veröffentlichte J. A. Jungmann als Heft 7/8 der „Liturgiegeschicht-lichen Forschungen" seine Habilitationsschrift für das Fach Pastoraltheologie an der Universität Innsbruck. Der Drucklegung dieses „Erstlingswerkes", wie Jung-mann seine Arbeit später nannte [1], ging ein Briefwechsel mit Abt Ildefons Herwe-gen (1874—1946, Abt von Maria Laach seit 1913) voraus, der über das Vorwort, das Jungmann seinem Buche vorausschickte [2], hinaus, für seine Grundvorstellungen ebenso kennzeichnend ist wie für die liebenswürdige Gelehrtenpersönlichkeit des hochangesehenen Liturgiewissenschaftlers. Im Gedankenaustausch über das Thema seiner Arbeit „Die Stellung Christi im Liturgischen Gebet" wurden die Vorausset-zungen für spätere Briefe mit dem Abte von Maria Laach geschaffen, auf ihn kam er stets zurück, wenn er später zu Schülern des Abtes in Beziehung trat, mit ihnen in den Ausschüssen und Arbeitsgruppen der Bischofskonferenzen und konziliarer Studiengruppen zusammentraf, außerordentliches Mitglied des Abt-Herwegen-In-stituts wurde, an dessen Forschungen mitarbeitete oder sie in der stets gleichen, aus-gewogenen und doch kritisch bestimmten Art besprach. So ist es mehr als ein pietät-volles Gedenken, das wir ihm mit dieser Veröffentlichung widmen möchten. Es scheint mir ein in die Zukunft beispielhaft weisender Weg gemeinsamen Arbeitens und gemeinsamen Dienens, vor allem jedoch gemeinsamer Liebe zum Gottesdienst der Kirche.

Am 29. Dezember 1924 trug P. Jungmann Abt Ildefons sein Anliegen erstmals vor [3]:

München, Kaulbachstr. 31 Gh.,
29. Dezember 1924.

Hochwürdigster Herr Abt!

Einem Rate meines Mitbruders P. Jos. Braun folgend, möchte ich mir erlauben, eine Anfrage bzw. Bitte in Ehrfurcht vorzubringen.
Seit längerer Zeit arbeite ich an einer Schrift: Die Stellung Christi im liturgischen Gebet — ein Beitrag zur Geschichte des religiösen Lebens. Nach dem Wunsche meiner Obern soll ich mich nämlich für pastoraltheologische Fächer an der Theolo-gischen Fakultät in Innsbruck habilitieren, und ich habe dafür das obige Thema gewählt. Da ich schon im kommenden Herbst 1925 Vorlesungen beginnen soll, für die venia docendi es aber erfordert ist, daß die Habilitierungsschrift vorher beim Unterrichtsministerium gedruckt eingereicht sei, handelt es sich nun um die Druck-legung der Arbeit. Wie es naheliegt, schwebten mir dafür schon lange die „Litur-giegeschichtlichen Forschungen" von Maria Laach—Münster vor. Und ich möchte hiermit höflichst anfragen, ob Hochwürdigster Herr Abt geneigt wären, die Arbeit dafür anzunehmen bzw. deren Aufnahme in obige Sammlung zu befürworten.
Die Schrift, die im Druck der „Forschungen" gegen 200 Seiten umfassen würde, beschäftigt sich mit der Mittlerstellung Christi im Gebet und mit den verwandten

Erscheinungen, besonders dem allmählichen Auftreten des liturgischen Gebetes an Christus und den Ursachen der betreffenden Entwicklung. Näherhin werden im ersten Teil die einzelnen Liturgien von Orient und Okzident geprüft, möglichst zwischen den älteren und jüngeren Schichten einer jeden scheidend, um so das Tatsächliche festzustellen. In einem zweiten Teil wird gesucht, die Linie der historischen Entwicklung des christologischen Gedankens zu skizzieren, wie er sich im liturgischen Gebet verschieden entfaltet; das Neue Testament bildet dabei den Ausgangspunkt. — Meine Absicht war, durch die Arbeit zum Verständnis des Gebetes „per Christum Dominum nostrum" beizutragen, überhaupt zu zeigen, wie der Gedanke an Christus, das Haupt der hl. Kirche, unsern Hohenpriester, dem religiösen Leben der ältesten Zeit sein edles Gepräge, seine Einheit gab; die römische Liturgie tritt dabei in ein sehr günstiges Licht, da sie uns trotz des Einbruchs gallikanischer Elemente und modernerer Bildungen das alte Gut treuer als andere (höchstens die westsyrische Liturgie ausgenommen) bewahrt hat.

Die Arbeit ist nun noch nicht ganz fertig. Doch hoffe ich, mit Ende Jänner das letzte Kapitel abzuschließen. Für die Reinschrift werde ich sicher Hilfe bekommen, soweit sie nicht auch schon vorliegt. Betreffend die Ordenszensur habe ich schon die Zusage von R. P. Provinzial (der mit vorliegender Anfrage einverstanden ist), daß sie möglichst beschleunigt wird. So würde ich die Arbeit wohl anfangs März einliefern können ...

Ich benutze auch die Gelegenheit, um gleichzeitig die besten Segenswünsche für das neue Jahr darzubringen. Auch von P. Kramp soll ich viele Grüße melden.

Euer Gnaden, hochwürdigster Herr, in Christo ergebenster P. Jos. Jungmann SJ

Es scheint, daß Abt Ildefons, dessen mit der Hand geschriebenen Briefe im Nachlaß P. Jungmanns nicht gefunden werden [4], in seiner Zusage gewisse Bedenken gegen den von P. Jungmann gewählten Untertitel geäußert hatte; denn P. Jungmann schreibt in einem nächsten Brief:

München, Kaulbachstr. 31 Gh., 12. Jänner 1925

Hochwürdigster Herr Abt!

Für die beiden gütigen Mitteilungen vom 1. und 9. d. M. sowie für das darin bekundete große Entgegenkommen sage ich meinen herzlichsten Dank. Die gute Aussicht auf Aufnahme der Arbeit in die „Forschungen" gereicht mir zu großer Freude. Was den liturgiegeschichtlichen Charakter der Arbeit angeht, habe ich keine Sorge. Ich hatte nur andeuten wollen, daß die Schrift der Geschichte des religiösen Lebens dienen wird, obwohl sie sich ganz auf die Liturgien beschränkt — weil von alters her gerade die Liturgie den Brennpunkt des religiösen Lebens darstellte und weithin den Wandel der dort vorherrschenden Ideen widerspiegelt.

Es sollte sich freilich später auch für P. Jungmann die Notwendigkeit ergeben, sich kritisch zu Publikationen des Laacher Abtes und seiner Mönche zu äußern — beide sahen sich dabei in einer etwas heiklen Situation; denn zwischen O. Casel und J. B. Umberg hatte sich unterdessen eine Diskussion entwickelt, die nicht frei von polemischen Untertönen blieb, die im Grunde dem Wesen Abt Herwegens trotz dessen cholerischen Temperaments ebensowenig entsprach wie dem ruhigen und vor allem von geistlichen Zielvorstellungen bestimmten Denken P. Jungmanns. Dieser schrieb aus Innsbruck am 19. 1. 1927:

Euer Gnaden, hochwürdigster Herr Abt!

Mit gleicher Post erlaube ich mir, zwei Sonderabzüge ergebenst zu überreichen: eine Besprechung liturgischer Literatur, vorab von „Mysterium" und „Kirche und Seele", und einen Aufsatz „In der Einheit des Hl. Geistes"; letzteren aus der Zeitschrift für Aszese und Mystik, erstere aus unserer Theologischen Zeitschrift. Wie Euer Gnaden den schlichten Zeilen der Besprechung wohl selbst entnehmen dürften, war ich in einer gewissen Zwangslage. Einerseits war es mir peinlich, dort negative Kritik zu üben, wo ich eine so große Dankesschuld abzutragen habe; andrerseits glaubte ich doch besser daran zu tu, neben all dem Guten auch eine abweichende Meinung zu markieren und sie neben der freudigen Zustimmung zu den verdienstvollen und hoffnungsreichen Grundtendenzen in aller Wahrhaftigkeit auszusprechen — als von den bedeutsamen Schriften überhaupt zu schweigen. Ich darf wohl hoffen, daß Euer Gnaden mit der getroffenen Lösung nicht ganz unzufrieden sind.

Daß ich von den Grundanschauungen, die im hochverehrten Konvent Maria Laach vertreten werden, nicht allzuweit entfernt bin, dürfte wohl auch der Aufsatz „In der Einheit des Hl. Geistes" zeigen. Und es war mir ein Bedürfnis, gerade in dieser Zeitschrift ausdrücklich darauf hinzuweisen (S. 13), daß diese Grundanschauungen und -bestrebungen von höchster kirchlicher Stelle noch kürzlich Lob und Ermutigung erfahren haben.

Mit den herzlichsten Segenswünschen für die religiöse Erneuerungsarbeit, deren Herz Maria Laach geworden ist, bin ich

Ew. Gnaden, im Herrn dankbar ergebener

Jos. A. Jungmann SJ [5]

Es war sowohl für Abt Herwegen und P. Jungmann ein großer Gewinn, daß sie schließlich am 23. Juli 1927 beim ersten Besuch P. Jungmanns in Maria Laach sich persönlich kennenlernen und ihre Gedanken in intensivem Gespräch austauschen konnten. Als ein Jahr später die Kontroverse Umberg — Casel zu voller Heftigkeit entbrannt war [6], schrieb P. Jungmann an Abt Herwegen:

Paray-le-Monial (Saône-&-L.), 22. Nov. 1928, Maison La Colombière

Hochwürdigster Herr Abt!

Es ist mir ein Bedürfnis, Ihnen für die freundlichen Zeilen vom 25. v. M. zu danken. Ich bin erst jetzt dazu in der Lage, da wir bis gestern in den Großen Exerzitien waren, der ersten größeren Übung des „dritten Probejahres", das ich hier bei meinen französischen Mitbrüdern verbringe (bis 20. Juli 1929).

Es ist gewiß von untergeordneter Bedeutung, daß weder P. Umbergs noch mein Aufsatz Euer Gnaden befriedigen konnte, überhaupt ob schließlich diese oder jene Auffassung des liturgischen Geschehens, und damit diese oder jene Weise, den großen Umschwung im Mittelalter zu erklären, recht behält, sosehr diese Dinge der wissenschaftlichen Prüfung wert sind. Viel wichtiger ist es, daß auf beiden Seiten die vornehme Gesinnung gewahrt wird, die wieder aus Euer Gnaden gütigem Schreiben spricht.

Als Nährboden für diese Gesinnung betrachte ich für meine Person namentlich auch das Bewußtsein vom großen gemeinsamen Ideal, das wahrhaftig bei den gegebenen Verhältnissen die Zusammenarbeit aller jener ersehnen läßt, die dafür

Anton Josef Wäckers

Erinnerungen an den „geistlichen Lehrer"

Eine kleine Begebenheit, vielleicht allzusehr aus der Erinnerung eines Betroffenen skizziert, sei an den Anfang dieses Beitrages gestellt. Herz-Jesu-Fest 1934, Patrozinium des Canisianums. Eine Gruppe, für den Schmuck des Hauses an diesem Festtag bestimmt, hatte versucht, die Stirnwand der Aula für die nachmittägliche Akademie zu gestalten. Die Ornamente des Neo-Barock waren verdeckt. Vor der Wandmitte stand — in der Art eines Kirchenfensters — das von innen erleuchtete Transparent mit der Darstellung eines gewaltigen Cherubs. Das Bild nahm die ganze Höhe der Aula ein. Die Hände des Engels umschlossen ein nur angedeutetes Herz: das verborgene Geheimnis der Liebe des Gottessohnes. Es war eine Darstellung in harten, damals modernen Formen. Die Auseinandersetzung über diese ungewohnte Herz-Jesu-Auffassung spaltete die Kommunität. Der Meinungsstreit war am Ende der Festakademie entschieden. Beim Schlußlied „Um dein Bildnis am Altar" wandte sich P. Regens Hofmann betont nach links, wo die traditionelle Herz-Jesu-Figur stand. Noch ehe ein Foto gemacht werden konnte, mußte der Schmuck entfernt werden.

Am folgenden Samstag war um 11 Uhr die übliche Liturgikvorlesung von P. Jungmann. Er las in jenem Sommersemester über das Gotteshaus und seine Ausstattung. Im Verfolg der Vorlesungsreihe sprach er über das Altarretabel. Plötzlich begann er, ohne auch nur ein wenig die Stimme zu ändern, mit grundsätzlichen Ausführungen über Andachtsbild und Kultbild. Er schloß mit der knappen Feststellung, wir hätten gestern im Canisianum den beachtlichen Versuch eines zeitgemäßen Kultbildes erlebt. Nachmittags unterstrich er in einem persönlichen Gespräch nochmals seine gezielten Darlegungen. Er meinte, solche Stationen der geistigen Entwicklung im Canisianum müßten festgehalten werden. Sie seien für die Zukunft wichtiger als der Elenchus der Moderatoren des Hauses.

In dieser Begebenheit wird etwas von dem sichtbar, wie P. Jungmann auf die Bildung der künftigen Priester Einfluß nahm. Zu Betrachtungspunkten wurde er nicht in das Canisianum eingeladen. Wahrscheinlich war er auch nicht darum bemüht, in dieser Art zu den Theologiestudierenden zu sprechen. Seine Vorlesungen und Seminare waren für ihn der Ort, wo er die Erkenntnisse vermittelte, die der wache Hörer in sein Glaubensleben übersetzen konnte. Was P. Jungmann zu Ostern 1948 an den Schluß des Vorwortes zur ersten Auflage von „Missarum Sollemnia" schrieb, drückt dieses Anliegen seines Wirkens als Priester und akademischer Lehrer aus: „Letztlich wollte das Buch nicht dem Wissen dienen, sei es auch dem Wissen vom kostbarsten Bestandstück des kirchlichen Überlieferungsgutes, sondern dem Leben, dem volleren Erfassen jenes Geheimnisses, von dem Pius XII. in der neuen Enzyklika ,Mediator Dei' sagt: ,Das erhabene Opfer des Altares ist das vornehmste Werk des göttlichen Kultes; darum muß es auch Quelle und Mittelpunkt der christlichen Frömmigkeit sein.'"

Noch eine andere Seite von P. Jungmanns Wirkensweise wird in der skizzierten Begebenheit sichtbar. Er legte keinen Wert auf vordergründige oder gar vorschnel-

le Aktivitäten. Gewiß nahm er den „fragenden Eifer hell in die Zukunft blickender Schüler" ernst. Die hieraus entstandenen Anregungen hat er im Vorwort zu
„seinem Büchlein" — so nannte er es gern in seiner Bescheidenheit — „Die Frohbotschaft und unsere Glaubensverkündigung" dankbar erwähnt. Seine Hilfe und
seine Ermutigungen waren für seine Schüler von unschätzbarer Bedeutung. Doch
diese Unterstützung kam nie in einem schnellen Ratschlag. Zunächst klärte er das
Anliegen, das oft nur verschwommen in den Worten des Fragenden angeklungen
war. Es wurde in den richtigen Zusammenhang gebracht, das Gewordene in den
geltenden Normen und Formen ward sichtbar, die Unterscheidung zwischen dem
Wandelbaren und dem Unveränderlichen überzeugend dargelegt. Dann erst wies
er die Wege, die weiterführen konnten. Auch diese Haltung hat er selbst in Worte
gefaßt. In dem bereits erwähnten Vorwort „seines Büchleins" heißt es an anderer
Stelle: „Hier kam es in erster Linie auf grundsätzliche Klarstellung an, auf Theorie. Schließlich ist ja in Fragen von großer Tragweite nichts praktischer als eine
gute Theorie, als eine zuverlässige Orientierung, die es erst ermöglicht, die rechten
Wege einzuschlagen." Wie ernst er diesen Grundsatz nahm, zeigt ein persönliches
Wort, das sein Arbeiten und seine Forderungen an seine Schüler charakterisiert:
„Man muß lernen, wie das Erz im Berg gebrochen wird, damit man ein material-
gerechtes Standbild gießen kann."
Während etlicher Jahre betreute P. Jungmann die Predigtübungen im Canisianum.
In dieser Zeit hatte er Gelegenheit zu solchen persönlichen und unmittelbaren Gesprächen, die Vorlesungen und Seminarien nicht zuließen. In diesen Kontakten sah
er eine Möglichkeit echt pastoralen Dienstes an den künftigen Priestern. Auch
hierbei zeigte sich seine geistige Weite. Auf die Themenwahl nahm er nur soweit
Einfluß, als er half, dem Thema die eindeutige Formulierung zu geben. Bohrend
konnte er solange fragen, bis der Zielsatz der Predigt sauber gefaßt war. Kritisch
beurteilte er, ob die Predigt den richtigen kerygmatischen Ansatz hatte. Dabei
konnte es dem jungen, liturgisch begeisterten Verfasser durchaus widerfahren, daß
seine geistigen Höhenflüge streng und unerbittlich gemessen wurden. Was P.
Michael Gatterer nicht müde geworden war zu fordern, war ebenfalls die Ansicht
von P. Jungmann. Beide meinten, bei diesen Übungspredigten, dazu während des
Mittagessens im Speisesaal, käme es nicht darauf an, Kommunikation mit imagi-
nären Zuhörern zu versuchen, noch dürften rhetorische Übungen daraus werden.
Sie sollten zeigen, welche Inhalte der einzelne aus Studium und Betrachtung in den
gelebten Glauben übersetzen und zu welchem Glaubenszeugnis er aufrufen konnte.
Über die verhältnismäßig große Zahl der Hörer und Schüler hinaus gab es einen
kleinen Kreis, der sich auf dem Wege zum Priestertum der geistlichen Führung
P. Jungmanns anvertraute. Die Jahre 1932 bis 1936 waren in vielerlei Hinsicht
geistige Konfliktjahre. Aus Österreich und Deutschland fanden sich eine Reihe
von Theologiestudenten in Innsbruck ein, die aus der Erfahrung und dem Erlebnis
der katholischen Jugendbünde kamen. Sie standen vielfach hilflos, ja ablehnend
den im Canisianum gebräuchlichen Frömmigkeitsformen gegenüber. Vor allem
ihnen war P. Jungmann eine für ihre Berufswahl und ihr Durchhalten entscheidende Hilfe. Er hatte für jeden Zeit. Festgelegte Sprechstunden gab es nicht. Nur ein
paar Stunden vor seinen Vorlesungen und Seminarübungen zeigte die Tafel an
seiner Zimmertüre den Hinweis „Verhindert". Wenn er als Priester angesprochen
wurde, gab es keine wichtigere Aufgabe. Was das für einen systematisch arbeiten-
den Professor bedeutete, ist kaum nachzuvollziehen. Dies beleuchtet eine seiner
fast zufällig wirkenden Bemerkungen. Er sagte einmal, von den Vorarbeiten zu

seinem Buch über die lateinischen Bußriten sei er so gefesselt gewesen, daß er während dieser ganzen Zeit nie eine Mittagspause gemacht habe. So sehr habe es ihn getrieben, tiefer in den Stoff einzudringen.

Wer sich P. Jungmann anvertraute, begegnete weniger einem Trostspender als einem gütigen und andauernden Forderer. In Anlehnung an eine von Kardinal Newman ausgesprochene Weisung verlangte er zunächst, daß der einzelne sich in den Vorgegebenheiten erprobe und bewähre. Dann erst gestattete er andere Formen und Übungen des geistlichen Lebens. In den Gesprächen, etwa im Anschluß an die regelmäßige Beichte, auf die er Wert legte, konnte er lange zuhören. Aber seine behutsam eingestreuten Fragen zwangen, zum Kern vorzustoßen. Dann half er, die eigenen Motivationen zu erkennen, leitete an, den persönlichen Entwicklungen nachzugehen, damit ohne Beschönigung die jeweilige Situation offenkundig wurde. Ein wesentlicher Satz, der zur weiteren Reflexion anleitete, schloß das Gespräch ab. Sein großes Anliegen war, dem persönlichen Leben einen festen Mittelpunkt zu geben. Kein anderer konnte dieser sein als Christus, der vom Vater gesandte Mittler. Die Nähe zu ihm war der Maßstab für den Fortschritt im geistlichen Leben. Diesen immer wieder zu überprüfen, hielt er unerbittlich an. Ein geistliches Tagebuch zu führen, sollte der Selbstkontrolle dienen. Er hielt dies für wichtiger, als sich später in der Seelsorgearbeit mit dem Partikularexamen abzugeben. In diesen geistlichen Gesprächen scheute sich P. Jungmann nicht, aus seiner eigenen geistlichen Erfahrung mitzuteilen. Doch dies geschah mehr in knappen Andeutungen als in breiter Darstellung. An einem Neujahrstag sagte er, wie sehr er sich gefreut habe, am Silvesterabend das alte Jahr in Erinnerung an seine Taufe mit dem Pater noster, Ave Maria und dem Credo beendet zu haben.

Am stärksten aber hat er nicht allein mit seinen Worten die damaligen Theologiestudenten beeindruckt. In den Krisenwochen des Januar 1936, als „sein Büchlein" zurückgezogen werden mußte, ist kein Wort der Klage oder des Unmutes bis zu seinen Schülern gedrungen. Er übte einen stillen Gehorsam, der ehrfürchtige Anerkennung herausforderte. Sein Kommentar gegenüber dem einen und anderen vertrauten Schüler: „Ich werde mich wieder ganz der wissenschaftlichen Forschung widmen. Waren meine Auffassungen richtig, werden sie später aufgegriffen werden."

150

Johannes Wagner

Liturgie auf dem Vaticanum II

Pater J. A. Jungmann hat vom 10. Oktober 1962 bis zum 9. Dezember 1962 ein „Konzils-Tagebuch" geführt, das er am 18. Juli 1964 mit einer rekonstruierten Übersicht über seine Tätigkeit in der Commissio praeparatoria einleitete, vom 27. April 1963 bis zum 10. Mai 1963 mit Tagebuchnotizen über die „Sitzung der liturgischen Konzilskommission März bis April 1963" fortsetzte und vom 12. bis 17. April 1974 bis zum 11. März 1967 mit Aufzeichnungen über seine Mitarbeit im Consilium zur Durchführung der Constitutio de sacra liturgia abschloß. Pater Jungmann machte seine Aufzeichnungen in der Gabelsberger Kurzschrift. Da es immer weniger werden, die diese noch entziffern können, habe ich nicht nachgelassen, ihn immer wieder zu bitten, selber seine Notizen „aus seltener Hieroglyphen Nacht" (Theodor Haecker) zu befreien.

Die Umschrift des stenographischen Konzils-Tagebuches hat Jungmann am 18. Juli 1971 begonnen und am 15. Oktober 1971 beendet, zuletzt nur noch in der Form eines kurzen Auszuges. Er hat diese handgeschriebene Umschrift als „Beschäftigung eines nun halb Blinden" bezeichnet und am 18. Oktober 1971 unter dem Titel „Liturgie auf dem Vaticanum II" mir „als Bestätigung dreißigjähriger Freundschaft und treuer Zusammenarbeit im Dienst der liturgischen und religiösen Erneuerung gewidmet und überreicht".

Die Zeit ist noch nicht gekommen, diese Notizen, in denen sich auch eine Reihe von Kontroversen widerspiegelt, in ihrer Gänze zu veröffentlichen. Auch ist noch nicht abzusehen, ob diese Zeit überhaupt kommen wird. Eine Veröffentlichung des ganzen Manuskriptes könnte sinnvollerweise nur im Zusammenhang mit einem größeren Kommentar geschehen.

So mögen in diesem Buch zur Ehrung Jungmanns wenigstens einige Passagen zitiert werden, die sein persönliches Engagement kennzeichnen.

Johannes Wagner

Aus der Commissio praeparatoria

Um den 28. 1. 1959 war ich an einer Kreislaufstörung zu Bett; da kam P. H. B. Meyer: „Johannes XXIII. hat ein Konzil angekündigt — Sie müssen Konzilstheologe werden!" Der Scherz ist tatsächlich nach einiger Zeit Ernst geworden. Im Herbst 1960 erhielt ich die Berufung als membrum in die Commissio praeparatoria. Am Vorabend der ersten Sitzung wußte mir W. als günstiges Zeichen anzukündigen, ich sei relator in der Subkommission „de missa". In dieser ersten Sitzung in Rom am 12. November 1960 zeigte sich, daß diese als erste Subkommission vorgesehen war (innerhalb der Kommission für Liturgie). Da meldete sich Weihbischof Jenny (von Cambrai) und brachte zum ersten Male seine (später so wiederholte) Idee vom mysterium paschale vor, die als Grundlage vorangestellt werden müsse. So ergab sich, daß eine Subkommission gebildet wurde, in die, außer Bischof Jenny, Martimort, Bevilacqua und ich berufen wurden.

Ich habe diese Subkommission De principiis generalibus leider nie recht ernst genommen, weil ich die Vorstellung hatte, das Schema über die Liturgie müsse nur klare Bestimmungen über die Reform der Liturgie enthalten; die theologischen Grundsätze würden ja in anderen Kommissionen entwickelt und vorgelegt, die dann im endgültigen Konzilstext ja vorausgehen würden. Hätte ich geahnt, daß die LK so allein dastehen würde, wie es sich am 4. 12. 1963 ergeben hat, hätte ich anders geurteilt . . .

Liturgie bischöflichen Rechtes

August 1961. Mit aller Kraft habe ich mich aber dafür eingesetzt, daß bei der Erwähnung der pia exercitia die *Liturgie bischöflichen Rechtes* davon abgehoben würde. . . . Wir wollten also versuchen, unter dem Gattungsbegriff liturgia („officia ecclesiastica" des MA) die Unterscheidung durchzusetzen: iuris pontificii — iuris episcopalis.
13. 10. 1961. Bugnini legte einen von mir im obigen Sinn verfaßten und (vorher) eingesandten Text empfehlend vor (Text nicht mehr vorhanden; wir mußten die ganzen Akten der Praeparatoria abgeben, für das Vat. Archiv). Ich habe ihn dann so modifiziert, daß es hieß (nach Erwähnung der pia exercitia): Inter haec illa exercitia quae de mandato episcopi in singulis dioecesibus celebrantur, speciali dignitate gaudent, imo inter officia ecclesiastica censenda sunt. Während die übrigen dieser letzten Kennzeichnung wohlwollend gegenüberstehen, wollen M. und V. davon nichts wissen: es gebe nur eine Liturgie und diese ist päpstlich! Sonst werde das Chaos der Volksandachten in die Liturgie einbezogen. Das Recht des Bischofs werde auf andere Weise sichergestellt. Die Sache sei wenigstens „non matura". Nur WBischof Jenny schien einen Augenblick zu schwanken. Als ich vom vortridentinischen Begriff der Liturgie und dem von jeher geltenden Recht des Bischofs sprach, den Gottesdienst zu ordnen, wobei es ja guten und schlechten Gottesdienst geben könne, meinte er: das wäre eine vision grandiose . . .
Als wir in Trier 12. 12. 1961 eine Konferenz hielten zur Vorbereitung auf die kommende Sitzung in Rom, . . . einigten wir uns auf einen verbesserten Text: Speciali quoque dignitate gaudent officia Ecclesiarum particularium, q. de m. epp. celebrantur. Dieser Text wurde in der Schlußsitzung der Praeparatoria am 13. 1. 1962 vorgelegt, stieß aber auf heftigen Widerstand, obwohl ihn Bugnini offiziell vorgelegt hatte. Es war also auch in der Gesamtkommission kein Verständnis vorhanden. Da fand W. noch einen Mittelweg; er schlug vor: *sacra* Eccl. p. exerc. Damit hatte die heiße Debatte ein Ende.
Ich habe natürlich seitdem diesen Begriff der sacra exercitia in Artikeln und Vorträgen kräftig herausgestrichen . . .

Im Konzil

Rom, 10. 10. 1962, Vorabend der Eröffnung. — Nachdem ich am 2. 10., ganz gegen meine Erwartung, das Dokument meiner Ernennung unter die periti conciliares erhalten hatte . . . und ich auf Anfrage bei Bugnini telegraphisch Nachricht erhalten hatte, daß ich schon am Montag (8. 10.), nämlich zur Vereidigung, da sein solle, bin ich in der Nacht zum Montag hierher gefahren. Unterkunft war mir inzwischen in der Kurie SJ angewiesen worden, natürlich eine sehr günstige Lösung. Der Besuch bei R. P. Assistens brachte mir zugleich die frohe Kunde, daß

„Unsere Glaubensverkündigung..." (die als Neubearbeitung der „Frohbotschaft" von 1936 der römischen Zensur unterlag) die Zensur (P. Grasso!) glücklich passiert hatte. Zur Organisation des Konzils selbst machte er die treffende Bemerkung: *Improvisazione mirabile!* In meinem Fall hat sich das gleich mehrfach gezeigt: Ort und Zeit der Vereidigung mußte man erst dem Oss. Rom. entnehmen. Bei der Vereidigung wurde erst aufmerksam gemacht, daß man Fotografien einreichen müsse, um im Sekretariat die Kennkarte entgegennehmen zu können. Diese war aber zur angegebenen Zeit heute noch nicht zu haben...

11. Okt. 1962: *die Eröffnung.* Angenehm war sie für mich nicht. Noch ohne Ausweis mußte ich mich mit meinem Ernennungsdekret in den Vatikan durchschlagen... wo immer man fragte, immer nur: Non so. Schließlich bin ich nach einer Stunde des Umherirrens in die Basilika gekommen und dort von einem Assignator zu den posti riservati für die periti (Galerien) geführt worden, wo ich dann den Einzug der Bischöfe gut sehen und alles gut hören konnte...

17. Oktober 1962, Mittwoch. — Es ist 12 Uhr nachts. Gestern ist in der zweiten Vollsitzung verkündet worden, daß am Montag *mit der Beratung des Schemas für Liturgie begonnen* werden soll. Seitdem hat es Arbeit gegeben...

Volkssprache und Akkomodation

19. Oktober 1962. Wie weit wollte die Kommission in der Frage der Volkssprache gehen? — Vorher, kurz vor dem Mittagessen, war ich mit Wagner bei Kardinal König, der nach unserem Bericht den Plan entwickelte: Es muß eine europäische Verständigung versucht werden, damit nicht der Eindruck entsteht, als ob es sich nur um eine deutsch-französische Angelegenheit handle bei der Liturgiereform; ich hatte in diesem Sinn über C. Colombo an *Kard. Montini* heranzutreten, der mit Kard. Lercaro eine Initiative versuchen sollte.

22. Oktober 1962, Montag früh. — Der günstige Ausgang der Wahlen (...) hat eine zuversichtliche Stimmung hervorgerufen. Die deutsch-französische Zusammenarbeit hat sich großartig bewährt.

Gestern abends war ich auf 4 Uhr ins *Hotel Nordland* bestellt. Mehr als 100 Teilnehmer, im wesentlichen *indische und ostasiatische Bischöfe,* waren hier versammelt. Ich hatte die Aufgabe, zu sprechen über Liturgie in directo, zum Konzil in obliquo (weil auch einige nichtkonziliarische Zuhörer da sein sollten — das scheint dann aber nicht in Betracht gekommen zu sein). Ich fand gerade noch Zeit, meinen lateinischen Vortrag im wesentlichen niederzuschreiben. Es ist sehr gut gegangen. Vorzügliche Stimmung. Nach fast einer Stunde Vortrag folgte mehr als eine Stunde Frage und Antwort (die Frage englisch, die Antwort meist lateinisch): Wie soll die Konzelebration aussehen? Das Recht der Bischofskonferenzen, proponere oder statuere? (Ich erhielt dann im engeren Kreis durch Erzbischof Fernandes von Delhi den Auftrag, für n. 22 einen neuen Vorschlag zu machen.) Warum soll nicht die ganze Messe in der Volkssprache sein? (Ich wies hin auf die byzantinische Lösung seit Balsanon.) Wir sollen in Indien einen eigenen Ritus haben können. (Ich antwortete: vielleicht doch mit dem Grundplan der römischen Messe als Grundlage, aber mit weiterem Ausbau: großer und kleiner Einzug. Ich hatte im Vortrag die verschiedenen strata in der römischen Liturgie unterschieden.) Warum im Rituale nicht auch die sakramentale Form in der Volkssprache? Im priesterlosen Gottesdienst, durch den Katechisten geleitet, ist die Frage, ob er Liturge sein kann, was die Gläubigen verlangen. (Ich antwortete: theologisch ge-

sehen, ist der beauftragte Katechist Kleriker und der Gottesdienst ist kirchlicher Gottesdienst, worauf ich n. 9 (pia exercitia [LK 13. ⁴] erklären konnte.) Warum soll die Unterlassung von einem Stück Brevier Todsünde sein? Könnte es nicht sein wie bei den Orientalen? ... In mehreren Fällen konnte ich dem Frager einfach antworten: Das ist alles durchaus möglich. Aber: pendet a Concilio, was großen Beifall hervorrief.
22. Okt. 1962, Montag nachm. — Gratias agamus Domino! Die *Durchbruchs-schlacht* für eine im pastoralen Sinn erneuerte Liturgie ist geschlagen ...

Sakramente und Officium divinum

7. November 1962, Mittwoch. — Die heutige Vormittagssitzung war des Konzils würdig: eine Reihe brauchbarer, zum Teil wertvoller Beiträge zum *Kapitel Sakra-mente* (Krankenölung, Firmalter, Volksgebräuche ...), und dann der Übergang zum *Officium divinum*. Es begann mit einem Beitrag von Kard. Frings, der in seinem letzten Punkt im Namen aller deutschsprachigen Bischöfe die Möglichkeit der Volkssprache für das Brevier forderte. Noch weiter ging Kard. Léger, der auch die Brevierpflicht auf Laudes, Vesper und Lesungen beschränkt wissen wollte. Als wir heute wieder im Hotel Columbus zusammenkamen (der Kreis der alten periti), zeigte sich wieder, daß wir in der Kommission selber *geteilter Meinung* sind: auf der einen Seite die *kultisch-monastische* Auffassung des Breviers, auf der anderen Seite die Auffassung, daß das Brevier *nutrimentum spirituale* sein müsse ..
10. Nov. 1962 ... In der Vollsitzung wurde heute das Thema des Stundengebetes abgeschlossen. Es zeigten sich deutlich die zwei gegensätzlichen Richtungen: das bisherige Brevier wie es ist, abgesehen von kleinen Verbesserungen — und eine gründliche Reform, deren Umrisse immer gleichmäßiger so erscheinen: Laudes und Vesper (und Komplet) und ein Pensum von geistlicher Lesung anstelle der Matutin ...
14. Nov. 1962 ... Mit dem gestrigen Tag ist also die Diskussion des Liturgiesche-mas zu Ende. Wenn nicht nun besondere Künste angewendet werden, steht zu er-warten, daß nicht die weitgehenden Reformvorschläge für das Brevier (Geistliche Lesung statt Matutin), wohl aber das Schema als ganzes, und zwar in der ur-sprünglichen Form, wie es zur Zentralkommission gekommen ist, durchgehen wird.
7. Dezember 1962, Freitag abends. — Haec dies quam fecit Dominus. Gott sei gepriesen. Um 11 Uhr vormittags war es so weit, daß die Abstimmung über das Schema (c. I) geschehen war, im letzten Augenblick, der in der ersten Sessionsperi-ode zur Verfügung stand; und die Mehrheit, mit der das ganze *erste Kapitel approbiert* wurde, ist gewaltig ...

Umrißlinien einer neuen Liturgie

Noch etwas ist vom heutigen Tag zu melden, was äußerlich klein war, aber viel-leicht von großer Tragweite. Bischof N. hat mich eingeladen, ich möchte doch für einige Väter eine *Konferenz* halten über die *Umrißlinien einer neuen Liturgie*, wie sie für Nationen außerhalb des europäischen Kulturkreises in Betracht käme. Ich habe das natürlich gerne angenommen, habe die wenigen Stunden heute früh vor der Sitzung und heute nachmittag verwendet, um einen lateinischen Vortrag zu-sammenzustellen. ... Ich konnte meine Gedanken entwickeln: nicht etwas gänzlich

Neues schaffen, auch nicht bloß eklektisch, wie es katholisierende Protestanten heute machen, sondern auf dem Grunde der ältesten Schichten der römischen Liturgie etwas schaffen, was der Eucharistie von Hippolyt nahekommt, indem man aus dem Kanon die Fürbitten herausnimmt, dazu die Prozessionen mit dem heiligen Buch und mit den Gaben ... Mein Vortrag wurde auf Band aufgenommen ... Es ist vielleicht ein Samenkorn, das einmal da oder dort Frucht bringen wird.

Konzelebration

27. April 1963. — Auf Einladung von W. fuhr ich am Ostermontag, 15. April, nach *Trier*, wo nach einer kurzen Sitzung der Deutschen Liturgischen Kommission (als Urmitglied, seit ihrer Gründung 1939/40) ein gutbesuchter *Kurs für Liturgik-Dozenten* und -Referenten stattfand. Davon war für mich wichtig, was nach den Referaten von P. Hermann Schmidt SJ und Hans-Joach. Schulz *über Konzelebration* klargestellt wurde, mit dem Ergebnis: die Unterscheidung von sakramentaler und zeremonialer (= ohne Mitsprache der Wandlungsworte) Konzelebration ist unwichtig; schließlich liegt immer eine priesterliche Beteiligung am Opfer des Hauptzelebranten vor. Nach orientalischer Auffassung ist sogar das Mitsprechen der Konsekrationsworte nur eine Verdeutlichung der auch sonst vorhandenen Teilnahme.

Der Weg des Kapitels der Liturgiekonstitution über die Eucharistie

8. Mai 1963. Unser *Schema de ss. Eucharistiae mysterio* hat also bis jetzt *folgende Phasen durchlaufen:*

1. Nov./Dez. 1960: Nach kurzer Besprechung im Kloster der Dominikaner, zu Hause mein Entwurf, der an die Mitglieder der Subkommission versandt wurde. Diese senden ihre eigenen Vorschläge ein, die ich als Vorsitzender der Subkommission übersichtlich zusammenfasse, für die gemeinsame Beratung in Mailand.

2. Textvorlage in Mailand, die in dreitägiger (?) Verhandlung bedeutend geändert wird. Jänner 1961.

3. Text der Subkommission, vorgelegt in Rom April 1961, von der Kommission verbessert, darauf vom Sekretariat redigiert (wobei u. a. der Bußakt nach den Fürbitten wegfiel).

4. Text der Kommission, gedruckt für die Zentralkommission: blaue Hefte (hier noch die [jedem Artikel von uns beigegebenen] declarationes).

5. Text der Zentralkommission, gedruckt in den Schemata constitutionum et decretorum (Oktober 1962 den Konzilsvätern vorgelegt) S. 174 — 178, mit dem Versuch, die Vorschläge auf einige allgemeine Regeln zusammenzudrängen und dann alles der S. Sedes zu überlassen (nota praevia S. 155).

6. Nach den Verhandlungen des Konzils, Oktober/November 1962, neuer Entwurf der neuen Subkommission (unter Bischof Enciso [ich Sekretär]), von dem aber nur die Einleitung (noch während der ersten Konzilssession) in der Kommission des Konzils zur Verhandlung kommt. Der ganze Text ([im Sinn des Konzils nun] im wesentlichen Rückkehr zu den Vorschlägen vor den Arbeiten der Zentralkommission) vorgelegt 22./24. April 1963 (in zwei Kolumnen im Heft der vorläufigen

Relation des Präses der Subkommission), in der Kommission erörtert, mit neuen Verbesserungsvorschlägen als Ergebnis.

7. Von der Subkommission (mit neuen Mitgliedern; s. oben) neu bearbeitet und neu vorgelegt am 3. Mai; zugleich nummernweise auf Blätter geschrieben zur Abstimmung.

8. Neuer Text, hervorgegangen aus der Prüfung der Verbesserungsvorschläge durch das Consilium Praesidum der Subkommissionen . . .

Bibliographie

1. Bücher — Artikel — Rezensionen

1. Die Abkürzungen sind Siegfried Schwertner, Internationales Abkürzungsverzeichnis für Theologie und Grenzgebiete. Zeitschriften, Serien, Lexika, Quellenwerke mit bibliographischen Angaben. Berlin - New York 1974 und dem LThK² entnommen. Der Sendbote = Der Sendbote des Herzens Jesu. Innsbruck 1865 ff. Korrespondenzblatt Canisianum = Korrespondenzblatt der Priesterschaft des Collegium Canisianum. Innsbruck 1951 ff (ehemals Korrespondenz des Priestervereins. Innsbruck 1869—1950).

2. Die Veröffentlichungen sind nach Jahren geordnet, und zwar jeweils in der Abfolge:
   B (ücher und selbständige Schriften)
   A (rtikel)
   R (ezensionen)
   Innerhalb dieser Gruppen folgen die Veröffentlichungen alphabetisch aufeinander.

3. Die kürzeren Buchbesprechungen J. A. Jungmanns in der ZKTh, s. unten 172—203.

1923

1   R   A. Baumstark, Nichtevangelische syrische Perikopenordnungen des ersten Jahrtausends im Sinne vergleichender Liturgiegeschichte untersucht (Liturgiegeschichtliche Forschungen 3). Münster 1921: ZKTh 47 (1923) 468—470.

1924

2   A   Zwei Textergänzungen im liturgischen Papyrus von Dêr-Balyzeh: ZKTh 48 (1924) 465—471.

3   R   L. Eisenhofer, Katholische Liturgik (Herders Theologische Grundrisse). Freiburg i. Br. 1924: ZKTh 48 (1924) 595 f.

1925

4   B   Die Stellung Christi im liturgischen Gebet (Liturgiegeschichtliche Forschungen 7/8). 8° (XVI u. 256 S.). Münster i. Westf. 1925, Aschendorff. — 2. Aufl.: Photomech. Neudruck der 1. Aufl. mit Nachträgen des Verfassers (Liturgiewissenschaftliche Quellen und Forschungen 19/20). Münster i. Westf. 1962, Aschendorff.

5   A   Die Katechismen des hl. Petrus Canisius und die Restauration der katholischen Katechese: Christlich-Pädagogische Blätter 48 (1925) 117—121.

6   A   Ein heiliger Pädagoge. Zur Kanonisation des s. Petrus Canisius am 21. Mai 1925: Österreichische Pädagogische Blätter 20 (1925) 119—123.

1926

7   A   Die Gnadenlehre im Apostolischen Glaubensbekenntnis: ZKTh 50 (1926) 196—219. (Gekürzt und neu bearbeitet: Gewordene Liturgie. Studien und Durchblicke. Innsbruck 1941, 173—189.)

8   R   Fr. G. Holweck, Calendarium liturgicum Festorum Dei et Dei Matris Mariae, collectum et memoriis historicis illustratum. Philadelphia 1925: ZKTh 50 (1926) 436 ff.

9   R   Aus der neueren pädagogischen Literatur: ZKTh 50 (1926) 273—286.

1927

10   A   „In der Einheit des heiligen Geistes": ZAM 2 (1927) 3—16. (Neu bearbeitet: Gewordene Liturgie. Studien und Durchblicke. Innsbruck 1941, 190—205.)

1928

11   A   Die Gegenwart des Erlösungswerkes in der liturgischen Feier: ZAM 3 (1928) 301—316.

1929

12   A   Beobachtungen zum Fortleben von Hippolyts „Apostolischer Überlieferung": ZKTh 53 (1929) 579—585.

13   A   Die Eucharistischen Weltkongresse in einem alten Vorbild: Das Neue Reich 12 (Wien 1929/30) 618 f. (Mit Ergänzungen: Gewordene Liturgie. Studien und Durchblicke. Innsbruck 1941, 322—327.)

14   A   Praefatio und stiller Kanon: ZKTh 53 (1929) 66—94. 247—271. (Mit Ergänzungen: Gewordene Liturgie. Studien und Durchblicke. Innsbruck 1941, 53—119.)

1930

15   A   Pius XI. über die christliche Erziehung der Jugend: Katholische Volksschule. Fachzeitschrift des katholischen Tiroler Lehrervereins 46 (1930) 149—151.

16   R   R. Lorentz, De Egyptische Kerkeordening en Hippolytus van Rome. Haarlem o. J. (1929): ZKTh 54 (1930) 281—285.

1931

17   A   Beginnt die christliche Woche mit Sonntag?: ZKTh 55 (1931) 605—621. (Mit Ergänzungen: Gewordene Liturgie. Studien und Durchblicke. Innsbruck 1941, 206—231.)

18   A   Der Begriff sensus in frühmittelalterlichen Rubriken: EL 45 (1931) 124—127.

19   A   Was ist Liturgie?: ZKTh 55 (1931) 83—102. (Mit Ergänzungen: Gewordene Liturgie. Studien und Durchblicke. Innsbruck 1941, 1—27.)

1932

20   B   Die lateinischen Bußriten in ihrer geschichtlichen Entwicklung (Forschungen zur Geschichte des inneren kirchlichen Lebens 3/4). 8° (XII u. 338 S.). Innsbruck 1932, Rauch.

21   A   Die Dezemberordinationen des Papstbuches und ihr Meßformular: ZKTh 56 (1932) 599—604.

22   R   M. Andrieu, Les Ordines Romani du haut moyen-âge. I: Les manuscrits (Spicilegium Sacrum Lovaniense, Études et documents 2). Löwen 1931: ZKTh 56 (1932) 257.

23   R   J. Brinktrine, Die heilige Messe in ihrem Werden und Wesen. Paderborn 1931: ZKTh 56 (1932) 95—101.

1933

24   A   Alte Kirche und Gegenwartskirche in der liturgischen Bewegung: ThPQ 86 (1933) 716—735.

1934

25   A   Pater noster und Credo im Breviergebet. Eine altchristliche Tauferinnerung:
           ZAM 9 (1934) 259—265. (Mit Ergänzungen: Gewordene Liturgie. Studien
           und Durchblicke. Innsbruck 1941, 165—172.)

26   A   Das Pater noster im Kommunionritus: ZKTh 58 (1934) 552—571. (Ver-
           bessert und ergänzt: Gewordene Liturgie. Studien und Durchblicke. Inns-
           bruck 1941, 147—164.)

27   R   L. Eisenhofer, Handbuch der katholischen Liturgik. 2 Bde. Freiburg i. Br.
           1932/33: ZKTh 58 (1934) 123—127.

1936

28   B   Die Frohbotschaft und unsere Glaubensverkündigung. 8° (XI u. 240 S.).
           Regensburg 1936, Pustet.

1937

29   A   Advent und Voradvent. Überreste des gallikanischen Advents in der römi-
           schen Liturgie: ZKTh 61 (1937) 341—390. (Mit Ergänzungen: Gewordene
           Liturgie. Studien und Durchblicke. Innsbruck 1941, 232—294.)

30   A   Die religiöse Lage: Referate der Allgemeinen Deutschen Präsidestagung in
           Innsbruck 1.—3. September 1937. Wien 1937, 1—11.

31   A   „Quos pretioso sanguine redemisti": ZKTh 61 (1937) 105 ff.

32   A   What is Liturgy?: EcR 96 (1937) 584—610.

33   R   L. A. Veit, Volksfrommes Brauchtum und Kirche im deutschen Mittelalter.
           Ein Durchblick. Freiburg i. Br. 1936: ZKTh 61 (1937) 625—628.

1938

34   A   Christus als Mittelpunkt religiöser Erziehung: StZ 134 (1938) 218—233.
           (1939 als selbständige Schrift erschienen.)

35   A   Die Jugendpredigt. Grundsätze der Glaubensverkündigung für die Jugend
           der Zeit: Jugendseelsorger. Werkblatt für die Seelsorger männlicher Jugend
           (1938) 172—181.

36   A   Der Kanon unter der Einwirkung der Eucharistielehre des frühen Mittel-
           alters: ZKTh 62 (1938) 390—400. (Mit Ergänzungen: Gewordene Liturgie.
           Studien und Durchblicke. Innsbruck 1941, 120—136.)

37   A   Mittelalterliche Adventberechnungen: FuF 14 (1938) 211 f.

38   A   Oratio super populum und altchristliche Büßersegnung: EL 52 (1938) 77—96.

39   R   J. Hofinger, Geschichte des Katechismus in Österreich von Canisius bis zur
           Gegenwart (Forschungen zur Geschichte des inneren kirchlichen Lebens 5/6).
           Innsbruck 1937: ZKTh 62 (1938) 130—134.

1939

40   B   Christus als Mittelpunkt religiöser Erziehung. 8° (VI u. 37 S.). Freiburg
           i. Br. 1939, Herder.

41   B   Die liturgische Feier. Grundsätzliches und Geschichtliches über Formgesetze
           der Liturgie. 8° (112 S.). Regensburg 1939, Pustet. — 3. durchges. Aufl.
           8° (121 S.). Regensburg 1961, Pustet.

42   A   Die Kirche im religiösen Leben der Gegenwart: Die eine Kirche. Zum Ge-
           denken J. A. Möhlers 1838—1938. Besorgt durch H. Tüchle. Paderborn
           1939, 373—390.

43 A Neues Werden und altes Gesetz in unserem Gottesdienst: StZ 136 (1939) 259—262. (Abgedruckt: Gewordene Liturgie. Studien und Durchblicke. Innsbruck 1941, 28—33.)

44 R G. Dix, 'Αποστολική Παράδοσις. The Treatise on the Apostolic Tradition of St. Hippolytus of Rome. I: Historical Introduction, textual Materials and Translation. London 1938: ZKTh 63 (1939) 237 f.

45 R H. Elfers, Die Kirchenordnung Hippolyts von Rom. Paderborn 1938: ZKTh 63 (1939) 233—237.

1940

46 A Zur Bedeutungsgeschichte des Wortes missa: ZKTh 64 (1940) 26—37. (Mit Ergänzungen: Gewordene Liturgie. Studien und Durchblicke. Innsbruck 1941, 34—52.

47 A Neue Konzentration in der religiösen Unterweisung: KatBl 66 (1940) 41—44.

1941

48 B Gewordene Liturgie. Studien und Durchblicke. 8° (XVI u. 341 S.). Innsbruck 1941, Rauch.

49 A Die Gliederung des Katechismus in geschichtlicher Beleuchtung: KatBl 67 (1941) 89—97.

50 A Kerygmatische Fragen: ZKTh 65 (1941) 153—160.

1942

51 A Christus — Gemeinde — Priester: Volksliturgie und Seelsorge. Ein Werkbuch zur Gestaltung des Gottesdienstes in der Pfarrgemeinde. Hg. v. K. Borgmann. Kolmar i. E. 1942, 25—30.

52 A Die Nachfeier von Epiphanie im Missale Romanum: ZKTh 66 (1942) 39—46. (Auch: Liturgisches Erbe und pastorale Gegenwart. Studien und Vorträge, Innsbruck 1960, 283—294.)

53 A Opferpriester und Seelsorgepriester: Volksliturgie und Seelsorge. Ein Werkbuch zur Gestaltung des Gottesdienstes in der Pfarrgemeinde. Hg. v. K. Borgmann. Kolmar i. E. 1942, 72—84.

54 R K. Borgmann (Hg.), Volksliturgie und Seelsorge. Ein Werkbuch zur Gestaltung des Gottesdienstes in der Pfarrgemeinde. Kolmar i. E. 1942: ZKTh 66 (1942) 231—234.

1943

55 A „Accepit panem." Liturgiegeschichtliches zur Eucharistie als Opfer im Abendmahlsaale: ZKTh 67 (1943) 162—165. (Auch: Liturgisches Erbe und pastorale Gegenwart. Studien und Vorträge. Innsbruck 1960, 366—372.)

56 R M. Andrieu, Le Pontifical Romain au moyen-âge. Tome II—IV (Studi e Testi 87. 88. 99). Città del Vaticano 1940/41: ZKTh 67 (1943) 88—90.

1944

57 A Christozentrische Sehnsucht: ZKTh 68 (1944) 107—109.

1946

58 A Christkönig als Sonntagsfest: Lebe mit der Kirche (Oktober 1946) 7—9.

59 A „Durch Christus unsern Herrn": GrEnt 1 (1946) 11 f.

60   A   Katechetische Fragen im deutschen Sprachgebiet: LV 1 (1946) 55—70.

61   A   Herbstliches Reifen im Jahre der Kirche: GrEnt 2 (1946/47) 7—9.

1947

62   B   Die Eucharistie. 12° (24 S.). Wien 1947, Herder.

63   A   Abt Ildefons Herwegen †: GuL 20 (1947) 74 ff.

64   A   Die Abwehr des germanischen Arianismus und der Umbruch der religiösen
         Kultur im frühen Mittelalter: ZKTh 69 (1947) 36—99. (Auch: Liturgisches
         Erbe und pastorale Gegenwart. Studien und Vorträge. Innsbruck 1960, 3
         — 86.)

65   A   Bewußtes oder unbewußtes Christentum: GlDei 1 (1947) 196—204. (Auch:
         Liturgisches Erbe und pastorale Gegenwart. Studien und Vorträge. Inns-
         bruck 1960, 425—436.)

66   A   Die Eucharistie im Organismus der Heilsbotschaft: Chrysologus, Werkheft 1
         (1947/48) 37—43.

67   A   Zum Wort „Marterle": Beiträge zur Geschichte und Heimatkunde Tirols.
         Festschrift f. H. Wopfner. I. Teil. Innsbruck 1947, 107—111.

68   R   P. Radó, Libri liturgici manuscripti bibliothecarum Hungariae. I: Libri litur-
         gici manuscripti ad Missam pertinentes (Editiones Bibliothecae Széchényanae
         Musaei Nationalis Hungarici 26). Budapest 1947: ZKTh 69 (1947) 363—365.

1948

69   B   Missarum Sollemnia. Eine genetische Erklärung der römischen Messe. 2 Bde.
         8° (XIX u. 610 S. bzw. VI u. 615 S.). Wien 1948, Herder.
         — 2. durchges. Aufl. Wien 1949, Herder.
         — 3. verbess. Aufl. Wien 1952, Herder.
         — 4. erg. Aufl. Wien 1958, Herder.
         — 5. verb. Aufl. Wien 1962, Herder.

70   A   „Der öffentliche Gottesdienst des mystischen Leibes": GrEnt 3 (1948) 197
         bis 200. 202.

71   A   Die Liturgie als Quelle fruchtbarer Seelsorge im Lichte der Liturgiegeschichte:
         Anima 3 (1948) 341—350.

72   A   Pfingstoktav und Kirchenbuße in der römischen Liturgie: Miscellanea Litur-
         gica in honorem L. C. Mohlberg (Bibliotheca „Ephemerides Liturgicae" 22).
         Vol. I. Rom 1948, 169—182. (Auch: Liturgisches Erbe und pastorale Gegen-
         wart. Studien und Vorträge. Innsbruck 1960, 316—331.)

73   A   Unsere liturgische Erneuerung im Lichte des Rundschreibens „Mediator Dei".
         Rückblick und Wegweisung: GuL 21 (1948) 249—259.

74   R   G. Dix, The Shape of the Liturgy. Westminster ²1945: ZKTh 70 (1948)
         224—231.

1949

75   A   Die Anpassung der Kirche: zur Geschichte der Abendmesse: Orientierung
         13 (1949) 254—257.

76   A   Erbstücke aus der Synagoge in christlicher Liturgie: Rundbrief zur Förde-
         rung der Freundschaft zwischen dem alten und dem neuen Gottesvolk und
         im Geiste der beiden Testamente (Freiburg i. Br. 1949, Deutscher Caritas-
         verband) 1 (1949) Nr. 4, 7 f.

77 A Zur Geschichte der Abendmesse: Orientierung 13 (1949) 254—257.

78 A Um die Grundgestalt der Meßfeier: StZ 143 (1949) 310—312. (Auch: Liturgisches Erbe und pastorale Gegenwart. Studien und Vorträge. Innsbruck 1960, 373—378.

79 A Meßfeier und Meßgesang. Eine historische Studie: Musica orans 1 (1949) Nr. 4, 3; Nr. 5, 5.

80 A The Pastoral Effect of the Liturgy: OF 23 (1949) 481—491.

1950

81 A Beiträge zur Geschichte der Gebetsliturgie. I: Die Entstehung der Matutin: ZKTh 72 (1950) 66—79. (Auch: Liturgisches Erbe und pastorale Gegenwart. Studien und Vorträge. Innsbruck 1960, 139—162.) II: Die Psalmodie als Vorstufe in den Horen: ZKTh 72 (1950) 223—226. III: Der Umfang der Lesungen im Officium: ebd. 226—234. IV: Die Kniebeugung zwischen Psalm und Oration: ebd. 360—366. (II, III und IV auch: Liturgisches Erbe und pastorale Gegenwart. Studien und Vorträge. Innsbruck 1960, 208—214. 214—227. 228—239.) V: In unitate Spiritus Sancti: ZKTh 72 (1950) 481 — 486.

82 A Die Enzyklika „Mediator Dei" und die katholische Liturgische Bewegung im deutschen Raum: ThLZ 75 (1950) 9—16.

83 A Das Erbe Odo Casels: WuW 5 (1950) 966 f.

84 A Der erste deutsche Liturgische Kongreß: StZ 156 (1950) 386—388.

85 A Seelsorge in geschichtlicher Beleuchtung: GuL 23 (1950) 62—65.

86 A We offer: OF 24 (1950) 97—102.

1951

87 A Beiträge zur Geschichte der Gebetsliturgie. VI: Das Kyrie eleison in den Preces: ZKTh 73 (1951) 85—92. VII: Das Gebet des Herrn im römischen Brevier: ebd. 347—358. (Auch: Liturgisches Erbe und pastorale Gegenwart. Studien und Vorträge. Innsbruck 1960, 239—252. 252—264.)

88 A Das Konzil von Trient und die Erneuerung der Liturgie: Das Weltkonzil von Trient. Hg. v. G. Schreiber. Bd. I. Freiburg i. Br. 1951, 325—336.

89 A Die sonntägliche Meßfeier und ihre Bedeutung für das kirchliche und religiöse Leben geschichtlich gesehen: Eucharistiefeier am Sonntag. Hg. v. J. Wagner u. D. Zähringer. Trier 1951, 81—96.

90 A Das Opfer der Kirche: Perspectives de Pastorale liturgique. Luxemburg 1951, 103—116. (Auch: Vom Sinn der Messe als Opfer der Gemeinschaft. Einsiedeln 1954, 7—29.)

91 A Sonntagsfeier und kirchliches Leben: Eucharistiefeier am Sonntag. Bericht des Lit. Kongresses von Frankfurt im Juni 1950. Trier 1951, 81—96. (Auch: Vom Sinn der Messe als Opfer der Gemeinschaft. Einsiedeln 1954, 30—51.)

92 A Die Vorverlegung der Ostervigil seit dem christlichen Altertum: LJ 1 (1951) 48—54.

1952

93 A Die Andacht der 40 Stunden und das Heilige Grab: LJ 2 (1952) 184—198. (Auch: Liturgisches Erbe und pastorale Gegenwart. Studien und Vorträge. Innsbruck 1960, 295—315.)

94 A Eucharistische Frömmigkeit im Übergang: GrEnt 8 (1952/53) 181—183.

95   A   Fermentum. Ein Symbol kirchlicher Einheit und sein Nachleben im Mittel-
          alter: Colligere Fragmenta. Festschrift f. A. Dold. Beuron 1952, 187—190.
          (Auch: Liturgisches Erbe und pastorale Gegenwart. Studien und Vorträge.
          Innsbruck 1960, 379—389.)

96   A   Das Gebet beim Heiligen Grabe und die Auferstehungsfeier: ThPQ 100
          (1952) 72—77.

97   A   Die missionarische Gestaltung des Gottesdienstes in geschichtlicher Betrach-
          tung: HlD 6 (1952) 86—90.

98   A   Reform der Liturgie: WuW 7 (1952) 320—322.

      1953

99   B   Katechetik. Aufgabe und Methode der religiösen Unterweisung. 8° (328 S.).
          Freiburg i. Br. 1953, Herder.
          — 2. verb. u. erw. Aufl. 8° (325 S.). Wien 1955, Herder.
          — 3. verb. Aufl. 8° (337 S.). Freiburg i. Br. 1965.

100   B   Liturgie und Kirchenkunst. Antrittsrede, gehalten zur Inauguration als Rec-
          tor Magnificus des Studienjahres 1953/54 an der Leopold-Franzens-Univer-
          sität, Innsbruck. Gr.-8° (16 S.). Innsbruck 1953, Tyrolia. (Auch: Liturgisches
          Erbe und pastorale Gegenwart. Studien und Vorträge. Innsbruck 1960, 465
          — 478.)

101   A   Altchristliche Gebetsordnung im Lichte des Regelbuches von En Fescha:
          ZKTh 75 (1953) 215—219.

102   A   Der vorbereitende Bußakt und die stillen Gebete bei der Feier der Heiligen
          Messe: LJ 3 (1953) 297—300.

103   A   Eucharistische Andacht im Wandel: GrEnt 9 (1953/54) 181 ff. (Auch: Vom
          Sinn der Messe als Opfer der Gemeinschaft. Einsiedeln 1954, 71—79.)

104   A   Die Fronleichnamsprozession im Übergang: HlD 7 (1953) 33—42.

105   A   Das Gedächtnis des Herrn in der Eucharistie: ThQS 133 (1953) 387—399.

106   A   Gefährdungen der Messe als Feier der kirchlichen Gemeinschaft: HlD 7
          (1953) 99—107. (Auch: Vom Sinn der Messe als Opfer der Gemeinschaft.
          Einsiedeln 1954, 52—70.)

107   A   Die katholische Kirchenmusik, ein wesentlicher Bestandteil der feierlichen
          Liturgie: MusAl 6 (1953) 88—91.

108   A   Die Kommunion am Karfreitag: ZKTh 75 (1953) 465—470.

109   A   Die sonntägliche Meßfeier. Die Sonntagsandacht: LS 4 (1953) 48—60.

110   A   Österliches Christentum: StZ 152 (1953) 1—8. (Auch: Die Feier der 40 und
          50 Tage. Ein Werkbuch. Hg. v. G. R. Aufderbeck. Leipzig 1958, 361—370.)

111   A   Das Opfer der Kirche und seine Gefährdung: GrEnt 9 (1953/54) 99—107.

112   A   Die neue Osterfeier: ORPB 54 (1953) 95—98.

      1954

113   B   Das Eucharistische Hochgebet. Grundgedanken des Canon Missae (Rothen-
          felser Reihe 1). Kl.-8° (83 S.). Würzburg 1954, Werkbundverlag.

114   B   Vom Sinn der Messe als Opfer der Gemeinschaft (Christus heute III 8)
          Kl.-8° (80 S.). Einsiedeln 1954, Johannes Verlag.

115   A   Die Bedeutung der Liturgie für die Frömmigkeit der Gegenwart: BiLi 22
          (1954/55) 328 f.

116   A   Father Jungmann's Answer: Worship 29 (1954) 58 ff.

117   A   Liturgie und Volksgesang: GrEnt 10 (1954) 66—71. (Auch: Akten des II. Internat. Kongresses f. kath. Kirchenmusik. Wien 1955 und: Liturgisches Erbe und pastorale Gegenwart. Studien und Vorträge. Innsbruck 1960, 451—464.)

118   A   Vom Opfergang: Anima 9 (1954) 333—338.

119   A   Vom Patrozinium zum Weiheakt: LJ 4 (1954) 143—148. (Auch: Liturgisches Erbe und pastorale Gegenwart. Studien und Vorträge. Innsbruck 1960, 390—413.)

120   A   Pius Parsch †: GrEnt 9 (1954) 220.

121   A   Zur neuen Übersetzung des Canon Missae: LJ 4 (1954) 35—43.

122   R   M. Righetti, Manuale di storia liturgica. Vol. IV: I sacramenti. I sacramentali. Indice generale. Mailand 1953: ZKTh 76 (1954) 99—103.

1955

123   B   Der Gottesdienst der Kirche auf dem Hintergrund seiner Geschichte kurz erläutert. 8° (272 S.). Innsbruck 1955, Tyrolia.
— 2. durchges. Aufl. Innsbruck 1957, Tyrolia.
— 3. durchges. Aufl. Innsbruck 1962, Tyrolia.

124   A   Le nouveau catéchisme allemand, une présentation modèle du message du Salut: LV 10 (1955) 96—104.

125   A   Eucharistiefeier und Frömmigkeit: LJ 5 (1955) 96—104.

126   A   Liturgie und Frömmigkeit: GuL 28 (1955) 454 f.

127   A   Liturgie et histoire du salut: LV 10 (1955) 281—288. (Auch: Liturgie und Heilsgeschichte: GrEnt 11 [1956] 147—150.)

128   A   Liturgie zwischen Bewahrung und Bewegung: StZ 156 (1955) 321—331. (Auch: Liturgisches Erbe und pastorale Gegenwart. Studien und Vorträge. Innsbruck 1960, 120—135.)

129   A   Die Reform der Karwochen- und Osterliturgie in pastoraler Sicht: LJ 5 (1955) 204—213.

130   A   Der Sinn für das Heilige: GrEnt 11 (1955/56) 103—106.

131   A   Holy Church: Worship 30 (1955/56) 3—12. (Auch: Die heilige Kirche: GrEnt 12 [1956/57] 197—200.)

132   R   J. Pascher, Das Stundengebet der römischen Kirche. München 1954: ZKTh 77 (1955) 103 ff.

1956

133   A   Flectere pro Carolo Rege: Mélanges Andrieu. Straßburg 1956, 219—228.

134   A   Die neue Karwoche: WuW 11 (1956) 1—4.

135   A   Die Liturgie im Leben der Pfarre: Die Pfarre. Von der Theologie zur Praxis. Hg. v. H. Rahner. Freiburg i. Br. 1956, 67—74.

136   A   Art. Messe: Religionswissenschaftliches Wörterbuch. Hg. v. F. König. Wien 1956, 536 f.

137   A   Die vormonastische Morgenhore im gallisch-spanischen Raum des 6. Jahrhunderts: ZKTh 78 (1956) 306—336. (Auch: Liturgisches Erbe und pastorale Gegenwart. Studien und Vorträge. Innsbruck 1960, 163—207.)

138   A   Der neue Ordo der Karwoche und die Volksgebräuche: Anima 11 (1956) 401—407. (Erweitert unter dem Titel: Brauch und Liturgie in der Heiligen Woche: Ostern in Tirol. Hg. v. N. Grass. Innsbruck 1957, 315—327.)

139   A   Um den christlichen Sonntag: StZ 159 (1956) 177—183.

140   A   Warum ist das Reformbrevier des Kardinals Quiñonez gescheitert?: ZKTh 78 (1956) 98—107. (Auch: Liturgisches Erbe und pastorale Gegenwart. Studien und Vorträge. Innsbruck 1960, 265—282.)

1957

141   A   Beiträge zum LThK² Bd. I (1957): Absolution (Sp. 74 f), Adoratio (Sp. 157), Agape II (Sp. 180 f), Ägyptische Kirchenordnung (Sp. 220), Akzeß (Sp. 262), Almuzia (Sp. 363), Ambo(n) (Sp. 423 f), Amula (Sp. 462), Anamnese III (Sp. 486), Apologie(n) (Sp. 731), Apolytikion (Sp. 731), Apostelleuchter (Sp. 755), Ave Maria (Sp. 1141).

142   A   Zum Christkindl-Einzug: Der Krippenfreund 44 (1957) 146 f.

143   A   Brauch und Liturgie in der Heiligen Woche: Ostern in Tirol. Hg. v. N. Grass. Innsbruck 1957, 315—327 (vgl. Nr. 138).

144   A   Die material-kerygmatische Erneuerung der Katechese und der neue deutsche Katechismus: Der christliche Erzieher, Stuttgart 1957, I 2—8; II 1—8; III 4—12 und 1958 I 1—7.

145   A   Liturgie als Schule des Glaubens: KatBl 82 (1957) 551—559 und GrEnt 12 (1957) 507—512. (Auch: Liturgisches Erbe und pastorale Gegenwart. Studien und Vorträge. Innsbruck 1960, 437—450.)

146   A   La Messe, héritage des siècles: Résurrection (1957) 78—84.

147   A   Seelsorge als Schlüssel der Liturgiegeschichte: Erneuerung der Liturgie. Akten des I. Internationalen Pastoralliturgischen Kongresses zu Assisi. Hg. v. J. Wagner. Trier 1957, 48—65. (Auch: Liturgisches Erbe und pastorale Gegenwart. Studien und Vorträge. Innsbruck 1960, 479—494.)

148   A   El simbolismo de la luz en el culto de la Iglesia: Criterion 30 (1957) 341 f.

149   A   Der liturgische Wochenzyklus. Verfall und Neubildung: ZKTh 79 (1957) 45—68. (Auch: Liturgisches Erbe und pastorale Gegenwart. Studien und Vorträge. Innsbruck 1960, 332—365.

150   R   A. Baumstark, Nocturna laus. Münster 1957: ZKTh 79 (1957) 348—351.

1958

151   B   Brevierstudien. Referate auf der Studientagung von Assisi 1956. Hg. v. J. A. Jungmann. Kl.-8° (126 S.). Trier 1958, Paulinusverlag. (Darin: Die vormonastische Morgenhore 21—41.)

152   A   Beiträge zum LThK² Bd. II (1958): Begräbnis IV (Sp. 118 f), Benedictio (Sp. 170 f), Beschneidung IV (Sp. 291 f), Bibel II (Sp. 337), Bugia (Sp. 761 f), Bußriten (Sp. 823—826), Bußtage und Bußzeiten (Sp. 842), Carena (Sp. 940).

153   A   Das kirchliche Fest nach Idee und Grenze: Verkündigung und Glaube. Festgabe für Fr. X. Arnold. Hg. v. Th. Filthaut u. J. A. Jungmann. Freiburg 1958, 164—184. (Auch: Liturgisches Erbe und pastorale Gegenwart. Studien und Vorträge. Innsbruck 1960, 502—526.)

154   A   Der Grundgedanke der Herz-Jesu-Verehrung im Gebet der Kirche: Festschrift des Theol. Konvikts Innsbruck (1858—1958). Innsbruck 1958, 110 — 116.

155   A   Die Heiligung des Sonntags im Frühchristentum und im Mittelalter: Der Tag des Herrn. Hg. v. H. Peichl. Wien 1958, 59—75.

156   A   Hundert Jahre Theologisches Konvikt: Festschrift des Theol. Konvikts Innsbruck (1858—1958). Innsbruck 1958, 9—42.

157   A   Liturgia y Pastoral: Kyrios 1 (1958) 82—90.

158 A Liturgisches Leben im Barock: CKB 96 (1958) 6—11. (Auch: Liturgisches Erbe und pastorale Gegenwart. Studien und Vorträge. Innsbruck 1960, 108—119.)

159 A La memoria del Señor en el año eclesiástico: Kyrios 1 (1958) 222—231.

160 A Oración Eucharística y Sacrificio: Kyrios 1 (1958) 150—157.

161 A Die Quadragesima in den Forschungen von Antoine Chavasse: ALW V/2 (1958) 84—95.

162 A De toestand van het liturgisch leven op de vooravond van de Reformatie: TLi 42 (1958) 84—95. (Unter dem Titel „Der Stand des liturgischen Lebens am Vorabend der Reformation": Liturgisches Erbe und pastorale Gegenwart. Studien und Aufsätze. Innsbruck 1960, 87—107.)

163 A From Tradition to a pastoral Liturgy: Hibernia 4 (1958) 5—20. (Unter dem Titel „Liturgie zwischen Tradition und Pastoral": SKZ 127 (1959) 49—51. 68—70. 80—82.

164 A Bei der Wandlung: LJ 8 (1958) 65—72.

165 R C. Vagaggini, Il senso teologico della Liturgia. Rom 1957: ZKTh 80 (1958) 326—331.

1959

166 B The early liturgy to the time of Gregory the Great (Liturgical Studies 6). 8° (X u. 314 S.). Notre Dame 1959, University of Notre Dame Press. (Deutsch: Liturgie der christlichen Frühzeit bis auf Gregor den Großen. 8° (287 S.). Freiburg/Schw. 1967, Universitätsverlag.

167 B Sonntag und Sonntagsmesse. Sinn der Sonntagsfeier (Entscheidung 17). Kl. -8° (31 S.). Kevelaer 1959, Butzon & Bercker.
— 3. neubearb. Aufl. 8° (30 S.). Kevelaer 1966, Butzon & Bercker.

168 A Aufbauelemente im römischen Taufritus: LJ 9 (1959) 1—15.

169 A Beiträge zum LThK² Bd. III (1959): Collecta (Sp. 3), Confiteor (Sp. 37), De ea (Sp. 188), Dêr Balyzeh (Sp. 241), Diakon II (Sp. 319—321), Didaskalia (Sp. 371 f), Dominus vobiscum (Sp. 494), Doxologie III (Sp. 535 f), Einsetzungsberichte II (Sp. 765), Epistel (Sp. 952), Eucharistia (Sp. 1141 f), Evangelienseite (Sp. 1236), Evangelium II (Sp. 1259).

170 A Corpus mysticum. Gedanken zum kommenden Eucharistischen Weltkongreß: StZ 164 (1958/59) 401—409.

171 A Die Eucharistie im Gesamtplan von Liturgie und Seelsorge: Anima 14 (1959) 252—259.

172 A The history of Holy Week as the heart of the liturgical year: The Furrow 10 (1959) 287—309.

173 A Liturgie und „pia exercitia": LJ 9 (1959) 79—86.

174 A Liturgisches Leben im Barock: CKB 97 (1959) 505—515. (Auch: Liturgisches Erbe und pastorale Gegenwart. Studien und Vorträge. Innsbruck 1960, 108—119.)

175 A Religious education in late medieval times: Shaping the Christian message. Essays ed. by G. S. Sloyan. New York 1959, 38—62.

176 A Um die Herkunft der Dreifaltigkeitspräfation: ZKTh 81 (1959) 461—465.

177 R A. Chavasse, Le Sacramentaire gélasien (Vat. Reg. 316). Sacramentaire presbytérale en usage dans les titres romains au VIIᵉ siècle (Bibliothèque de Théologie IV 1). Tournai 1958: ZKTh 81 (1959) 236—239.

1960

178 B Symbolik der katholischen Kirche (Symbolik der Religionen VI). Mit Anhang v. E. Sauser, Symbolik des katholischen Kirchengebäudes. 8° (100 S.).
Stuttgart 1960, Hiersemann.

179 B Liturgisches Erbe und pastorale Gegenwart. Studien und Vorträge. 8° (558 S.
Innsbruck 1960, Tyrolia.

180 A Beiträge zum LThK² Bd. IV (1960): Feria (Sp. 83), Fronleichnam II (Sp.
406 f), Goldene Rose (Sp. 1041); Bd. V (1960): Heiliges Grab II (Sp. 122),
Hostienbüchse (Sp. 496), Hostieneisen (Sp. 496), Ite missa est (Sp. 821 f),
Kanontafeln I (Sp. 1302 f).

181 A Das Bodenseegebiet als Liturgielandschaft: Bodenseebuch 1960. Hg. v. G.
Brummer u. E. Stübel. Kreuzlingen 1960, 20—24.

182 A Die Eucharistie als Mitte unserer Frömmigkeit: GuL 33 (1960) 184—191.

183 A Eucharistie und Kirche: LS 11 (1960) 2—5.

184 A Eucharistie und Welt. Zum Eucharistischen Weltkongreß, München 1960:
GrEnt 15 (1960) 433—436.

185 A Liturgizismus und liturgische Erneuerung: KlBl 40 (1960) 354 f.

186 A Meßintention und Meß-Stipendium: Unser Gottesdienst. Ein Werkbuch. Hg.
im Auftrag des Liturg. Instit. durch A. Kirchgässner. Freiburg i. Br. 1960,
37—44.

187 A Statio orbis catholici heute und morgen: Statio Orbis. Eucharistischer Weltkongreß in München 1960. München 1961, 81—89.

1961

188 A Der christliche Altar: CKB 99 (1961) 121—125.

189 A Der Beitrag der Benediktiner zur Liturgiewissenschaft: Beten und Arbeiten.
Aus Geschichte und Gegenwart benediktinischen Lebens. Gesammelte Aufsätze. Hg. v. Th. Bogler (Liturgie und Mönchtum 28). Maria Laach 1961,
9—14.

190 A Beiträge zum LThK² Bd. VI (1961): Karwoche I (Sp. 4—7), Katechumenat
I—III (Sp. 51—54), Kinderkommunion (Sp. 154 f), Kommunion (Sp. 410
— 412), Konzelebration I (Sp. 524 f), Kramp J. (Sp. 581), Lavabo (Sp. 838).

191 A Entwurf zu einem aufgegliederten Ordo Baptismi Adultorum: LJ 11 (1961)
25—33.

192 A Eucharistische Frömmigkeit und eucharistischer Kult im Wandel und Bestand: TThZ 70 (1961) 65—79.

193 A Die Grundanliegen der liturgischen Erneuerung: LJ 11 (1961) 129—141.

194 A Die Kirche in der lateinischen Liturgie: Sentire Ecclesiam. Das Bewußtsein
von der Kirche als gestaltende Kraft der Frömmigkeit. Hg. v. J. Daniélou
und H. Vorgrimler. Freiburg i. Br. 1961, 185—195.

195 A Sinn und Probleme des Kultes: Der Kult und der heutige Mensch. Hg. v.
M. Schmaus und K. Forster. München 1961, 1—17.

196 A Um Liturgie und Kerygma: 75 Jahre Verlag und Buchhandlung Herder
Wien 1886—1961. Wien 1961, 46—55.

197 R J. H. Miller, Fundamentals of the Liturgy. Notre Dame (Indiana) 1960:
ZKTh 83 (1961) 96—99.

1 9 6 2

198	B	Liturgische Erneuerung. Rückblick und Ausblick (Entscheidung 29). Kl.-8° (31 S.). Kevelaer 1962, Butzon & Bercker.
199	A	Beiträge zum LThK² Bd. VII (1962): Mediator Dei (Sp. 229 f), Messe I—VI (Sp. 321—329), Mette (Sp. 375), Oration (Sp. 1191 f).
200	A	Art. Entlassungsruf. B. Christlich: RAC V 458—461.
201	A	Die Liturgische Erneuerung: Der Große Herder. Ergänzungsband 2 mit den Zeitberichten Geist und Kultur. Freiburg i. Br. 1962, Sp. 1121—1124.
202	A	Liturgische Erneuerung zwischen Barock und Gegenwart: LJ 12 (1962) 1—15.
203	A	Neue Präfationen: LJ 12 (1962) 226 f.
204	A	What the Sunday Mass could mean: Worship 37 (1962) 21—30.
205	R	B. Kleinheyer, Die Priesterweihe im römischen Ritus. Eine liturgiehistorische Studie (Trierer Theologische Studien 12). Trier 1962: ZKTh 84 (1962) 488—491.

1 9 6 3

206	B	Glaubensverkündigung im Lichte der Frohbotschaft. 8° (187 S.). Innsbruck 1963, Tyrolia.
207	A	Beiträge zum LThK² Bd. VIII (1963): Paradigmengebet (Sp. 74), Präfation (Sp. 675 f), Prozession I (Sp. 843 f), Quadragene (Sp. 909 f).
208	A	Der christliche Freitag: Perennitas. Th. Michels zum 70. Geburtstag. Hg. v. H. Rahner und E. von Severus. Münster 1963, 182—188.
209	A	Liturgie nach dem Konzil: StZ 171 (1962/63) 321—329.
210	A	Priester und Meßopfer: Der Priester im Anruf der Zeit. Wien 1963, 19—43. (Auch: ThJb[L] [1965] 412—424.)
211	A	Vespers and the devotional Service: Liturgy for the people (Festschrift f. P. G. Ellard). Milwaukee 1963, 168—178.
212	A	War der Karfreitag einstmals gebotener Feiertag?: Liturgie. Gestalt und Vollzug. Hg. v. W. Dürig. München 1963, 147—153.
213	R	J. Gelineau, Chant et Musique dans le culte chrétien (Kinnor 1). Paris 1962: ZKTh 85 (1963) 355—357.
214	R	K. F. Ritter, Die Eucharistische Feier. Die Liturgie der evangelischen Messe und des Predigtgottesdienstes. Hg. in Verbindung mit der Evangelischen Michaelsbruderschaft. Kassel 1961: ZKTh 85 (1963) 83—86.

1 9 6 4

215	A	Beiträge zum LThK² Bd. IX (1964): Secreta (Sp. 561 f), Sterbeablaß (Sp. 1053).
216	A	Constitutio de sacra Liturgia, Prooemium ad caput secundum: EL 78 (1964) 289 f.
217	A	Die Doxologien in der Kirchenordnung Hippolyts: ZKTh 86 (1964) 321 — 326.
218	A	Das heilige Geheimnis der Eucharistie: Die erste Frucht des Konzils. Eine Orientierung über die Liturgie-Konstitution des II. Vatikanums. Hg. i. Auftrag des Liturgischen Instituts Trier d. B. Fischer. Freiburg i. Br. 1964, 26—30.
219	A	Die theologischen Grundlagen der Konstitution des II. Vatikanischen Konzils über die Liturgie: MS(D) 84 (1964) 183—192.

220   A   Kommentar zu Art. 50 u. 53 der Liturgiekonstitution: Costituzione sulla
          s. Lit. Hg. v. Antonelli-Falsini. Rom 1964, 260—262. 270 f.

221   A   Zur Konstitution des II. Vatikanischen Konzils über die heilige Liturgie.
          Einleitung und Anmerkungen (zusammen mit J. Wagner): LJ 14 (1964)
          2—7. 91—93.

222   A   Lebendiger Gottesdienst. Zur Erneuerung der Liturgie durch das II. Vatika-
          nische Konzil: Der Sendbote 94 (1964) 112 f. 138 f. (Auch: Credo 2 [1964]
          68—72.)

223   A   Liturgie als Schule des Glaubens: Liturgie in der Gemeinde. Bd. 1. Hg. v.
          P. Bormann und H. J. Degenhardt. Salzkotten 1964, 19—27.

224   A   Liturgie und geistliches Leben. Die Spiritualität der Constitutio de sacra
          Liturgia: GuL 37 (1964) 91—98.

225   A   Der Liturgiebegriff der Constitutio de sacra Liturgia und seine Auswirkun-
          gen: LS 15 (1964) 113—117.

226   A   Nach der zweiten Konzilssession. Zum Verständnis der Constitutio de sacra
          Liturgia: Der Seelsorger 34 (1964) 49—56.

227   A   Österliches Christentum: Liturgie in der Gemeinde. Bd. 1. Hg. v. P. Bor-
          mann und H. J. Degenhardt. Salzkotten 1964, 39—45.

228   A   Ostern in der frühen Christenheit: GrEnt 19 (1964) 263—265. 298—300.

229   A   Wesen und Würde des christlichen Gottesdienstes: Gottesdienst nach dem
          Konzil. Hg. v. A. Hänggi. Mainz 1964, 52—66.

230   A   Wirkende Kräfte im liturgischen Werden: Gott in Welt II. Festgabe f. K.
          Rahner zum 60. Geburtstag. Hg. v. J. B. Metz u. a. Freiburg i. Br. 1964,
          229—245.

      1 9 6 5

231   B   Wortgottesdienst im Lichte von Theologie und Geschichte. 8° (129 S.). Re-
          gensburg 1965, Pustet. (= 4. umgearb. Auflage von „Liturgische Feier".)

232   A   Beiträge zum LThK² Bd. X (1965): Tischgebet (Sp. 208), Vaterunser II
          (Sp. 627 ff), Viaticum (Sp. 762), Vierzigstündiges Gebet (Sp. 783), Vigil
          (Sp. 785 ff), Vorbereitung auf die Kommunion (Sp. 877), Votivmessen (Sp.
          896 f), Wochentage (Sp. 1209 f), Wortgottesdienst (Sp. 1244).

233   A   Bischof und „Sacra Exercitia": Concilium 1 (1965) 95—98.

234   A   Zur Erneuerung des Wortgottesdienstes: LS 16 (1965) 155—158.

235   A   Neue Formen im Gottesdienst: Der Sendbote 95 (1965) 40.

236   A   Vom Geist der Liturgie: Der Sendbote 95 (1965) 100 f.

237   A   Vom Innehalten vor der Oration: Korrespondenzblatt Canisianum 100
          (1965) 8 ff.

238   A   La misa doménical: Liturgia hoy. Madrid 1965, 139—156.

239   A   El movimiento liturgico: Liturgia hoy. Madrid 1965, 1—16.

240   A   Pastoral aspects of the Dogmatic Constitution De Ecclesia: Teaching All
          Nations 2 (1965) 399—408.

241   A   Pia exercitia — sacra exercitia: Liturgia hoy. Madrid 1965, 227—243.

242   A   „Regnante vero Domino Nostro Jesu Christo": ZKTh 87 (1965) 309—312.

243   A   Symbolum und Kirchenjahr: Jeunes Églises 7 (1965) 1—4.

244   A   Wort Gottes und Wort-Gottes-Dienst: BuK 20 (1965) 70—72.

245   A   Zum „Et cum spiritu tuo": HlD 19 (1965) 37—42.

246   R   H.-J. Schulz, Die byzantinische Liturgie. Vom Werden ihrer Symbolgestalt
          (Sophia 5). Freiburg i. Br. 1964: ZKTh 87 (1965) 207—210.

1966

247 A De actu poenitentiali intra missam inserto conspectus historicus: EL 80 (1966) 257—264.

248 A Le Canon Romain et les autres formes de la Grande Prière Eucharistique: MD 87 (1966) 62—77.

249 A Einleitung und Kommentar zur Konstitution über die heilige Liturgie (Constitutio de sacra Liturgia): LThK². Das Zweite Vatikanische Konzil I. Freiburg i. Br. 1966, 10—109.

250 A Frömmigkeitsformen: HKG(J) III/1 Freiburg i. Br. 1966, 356—364.

251 A Heiliges Wort. Die rituelle Behandlung der Konsekrationsworte in den Liturgien: Miscellanea Liturgica (Lercaro) I. Roma 1966, 307—319.

252 A Klerus und Seelsorge: HKG(J) III/1. Freiburg i. Br. 1966, 349—356.

253 A Sakramente und Gottesdienst: HKG(J) III/1. Freiburg i. Br. 1966, 341—349.

254 R K. Gschwend, Die Depositio und Elevatio Crucis im Raum der alten Diözese Brixen. Ein Beitrag zur Geschichte der Grablegung am Karfreitag und der Auferstehungsfeier am Ostermorgen. Bozen 1965: ZKTh 88 (1966) 88 ff.

255 R O. Nußbaum, Der Standort des Liturgen am christlichen Altar vor dem Jahre 1000. Eine archäologische und liturgiegeschichtliche Untersuchung. 2 Bde. (Theophaneia 18). Bonn 1965: ZKTh 88 (1966) 445—450.

1967

256 A Der neue Altar: Der Seelsorger 6 (1967) 374—381.

257 A Ende der Kanonstille: LJ 17 (1967) 220—232.

258 A Von der „Eucharistia" zur „Messe": ZKTh 89 (1967) 29—40.

259 A Gebet vor dem Tabernakel: GuL 40 (1967) 339—346.

260 A Kirchenmusik und Liturgiereform: Kirchenmusik nach dem Konzil. Freiburg i. Br. 1967, 11—19. (= Leipzig 1967, 15—27.)

261 A La liturgie de la parole dans la Messe selon la tradition des premières siècles: ASeign 7 (1967) 7—15.

262 A Liturgy in the Missions after the Council: Teaching All Nations 4 (1967) 3—14.

263 A Origine e significato della riforma liturgica: Rassegna di Teologia 8 (1967) 20—26.

264 A Um die Reform des römischen Kanons: LJ 17 (1967) 1—17.

265 A Der heilige Tisch: Der Sendbote 97 (1967) 114 f.

266 A Unser Beten und das Schweigen Gottes: GrEnt 23 (1967) 106—109.

267 R L. Bouyer, Eucharistie. Théologie et spiritualité de la prière eucharistique. Tournai 1966: ZKTh 89 (1967) 460—466.

268 R I. Pahl, Die Christologie der römischen Meßgebete mit korrigierter Schlußformel (Münchener Theologische Studien II 32). München 1966: ZKTh 89 (1967) 466 f.

1968

269 A Il canone della messa. Per una valorizzazione pastorale...: Struttura e valore teologico-pastorale del canone. Hg. v. F. Antonelli (Sussidi liturgico pastorali 19). Milano 1968, 33—54.

270 A Art. Eucaristia: Verbo. (Enciclopédia Luso-Brasileira de Cultura). Fasc. 83 Lisboa 1968, 1739—1748.

271   A   Gott als unser Vater in der Glaubensverkündigung: Strukturen christlicher
          Existenz. Beiträge zur Erneuerung des geistlichen Lebens. Hg. v. H. Schlier
          u. a. Würzburg 1968, 153—159.

272   A   Gott unser Vater: Der Sendbote 98 (1968) 99 f.

273   A   Der deutsche Kanon in der Messe: Der Sendbote 98 (1968) 27 f.

274   A   Die neuen Meßgebete: Der Sendbote 98 (1968) 195 f.

275   A   Art. Mis: Liturgisch Woordenboek. Bd. 2. Hg. v. L. Brinkhoff u. a. Roer-
          mond 1968, 1721—1729.

276   A   Mittelalterliche Frömmigkeit. Ihr Werden unter der Nachwirkung der chri-
          stologischen Kämpfe: GuL 41 (1968) 429—443.

277   A   Das Opfer der Kirche: Der Sendbote 98 (1968) 62 f.

278   A   De praesentia Domini in communitate cultus et de rationibus, cur haec
          doctrina dudum observata et hodie redintegranda sit: Acta Congressus
          Internationalis de theologia Concilii Vaticani II. Romae, diebus 26 septem-
          bris — 1 octobris 1966 celebrati. Romae 1968, 295—299.

279   R   R. Zerfass, Die Schriftlesung im Kathedraloffizium Jerusalems (Liturgie-
          wissenschaftliche Quellen und Forschungen 48). Münster 1967: ZKTh 90
          (1968) 331 ff.

          1 9 6 9

280   B   Christliches Beten im Wandel und Bestand (Leben und Glauben). 8° (198 S.).
          München 1969, Ars sacra.

281   B   Erneuerte Meßliturgie. Gedanken und Hinweise zum Verständnis der Litur-
          giereform. 8° (48 S.). Linz 1969, Veritas.

282   A   Beiträge zu SM(D) Bd. III Freiburg i. Br. 1969: Liturgie(n) (Sp. 255—278),
          Liturgiewissenschaft (Sp. 282—288), Liturgische Bewegung (Sp. 288—291),
          Messe (Sp. 424—439).

283   A   Zu den neuen Eucharistischen Hochgebeten (Beilage zum Verordnungsblatt
          der Diözese Innsbruck). Innsbruck 1969.

284   A   Das Heilige. Überlegungen über dessen Reichweite und Begrenzung: ThPQ
          117 (1969) 3—10.

285   A   In Memoriam P. Hugo Rahner: ZKTh 91 (1969) 76—78.

286   A   Neuentdecktes Gotteswort: LS 20 (1969) 49—52.

          1 9 7 0

287   B   Messe im Gottesvolk. Ein nachkonziliarer Durchblick durch Missarum Sol-
          lemnia. 8° (126 S.). Freiburg i. Br. 1970, Herder.

288   A   Um den Aufbau des „Gloria in excelsis": LJ 20 (1970) 178—188.

289   A   „Durch Christus, unsern Herrn": Der Sendbote 100 (1970) 258 f.

289a A   Die Eucharistie in neuer Sicht: GrEnt 26 (1970) 4—6.

290   A   Marius Viktorinus in der karolingischen Gebetsliteratur und im römischen
          Dreifaltigkeitsoffizium: Kyriakon. Festschrift J. Quasten. Ed. by P. Gran-
          field and J. A. Jungmann. Bd. II. Münster 1970, 691—697.

291   A   Nicolaus Cusanus als Reformator des Gottesdienstes: Cusanus-Gedächtnis-
          schrift. Hg. v. N. Grass (Forschungen zur Rechts- und Kulturgeschichte 3).
          Innsbruck - München 1970, 23—31.

292   A   Oblatio und Sacrificium in der Geschichte des Eucharistieverständnisses:
          ZKTh 92 (1970) 342—350.

1971

293   A   „Abendmahl" als Name der Eucharistie: ZKTh 93 (1971) 91—94.

294   R   Lexikon der christlichen Ikonographie. Hg. v. E. Kirschbaum. Bd. I u. II. Freiburg i. Br. 1970: ZKTh 93 (1971) 216 f.

295   R   J. Plooij, Die Mysterienlehre Odo Casels. Ein Beitrag zum ökumenischen Gespräch der Kirchen. Deutsche Ausgabe besorgt v. O. Hagemeyer mit einem Vorwort v. B. Neunheuser. Neustadt 1968: ZKTh 93 (1971) 212—216.

1972

296   A   Taufe als Lebensweihe: Zeichen des Glaubens. Studien zu Taufe und Firmung. Festschrift B. Fischer. Hg. v. H.-J. Auf der Maur und B. Kleinheyer. Einsiedeln - Freiburg i. Br. 1972, 197—206.

297   R   R. Bleistein, Kurzformel des Glaubens. I. Prinzip einer modernen Religionspädagogik. Mit einem Beitrag v. K. Rahner. II. Texte. Würzburg 1971: ZKTh 94 (1972) 460—463.

1973

298   A   Die Gebete zur Gabenbereitung: LJ 23 (1973) 186—203.

299   A   Untergang der Abendandacht?: ThPQ 121 (1973) 39—50.

300   R   H.-Ch. Seraphim, Von der Darbringung des Leibes Christi in der Messe. Studien zur Auslegungsgeschichte des römischen Meßkanons. Dissertation der Evang.-Theol. Fakultät München. München 1970: ZKTh 95 (1973) 91—93.

1974

301   A   Der Bischof in der Kanzleisprache der römischen Spätantike: Einheit in Vielfalt. Festgabe f. H. Aufderbeck zum 65. Geburtstag. Hg. v. W. Ernst und K. Feiereis (Erfurter Theologische Studien 32). Leipzig 1974, 42—46.

302   A   Der religiöse und geistige Umbruch um das 12. Jahrhundert: Festschrift N. Grass. Zum 60. Geburtstag dargebracht von Fachgenossen, Freunden und Schülern. Hg. v. L. Carlen und Fr. Steinegger. Bd. I. Innsbruck 1974, 213—225.

303   R   A. A. Häußling, Mönchskonvent und Eucharistiefeier. Eine Studie über die Messe in der abendländischen Klosterliturgie des frühen Mittelalters und zur Geschichte der Meßhäufigkeit (Liturgiewissenschaftliche Quellen und Forschungen 58). Münster 1973: ZKTh 96 (1974) 303—306.

304   R   J. N. D. Kelly, Altchristliche Glaubensbekenntnisse. Geschichte und Theologie. Göttingen 1972: ZKTh 96 (1974) 120 ff.

172

2. Kleinere Besprechungen von Neuerscheinungen 1923 — 1975

(Die folgende, nach Jahrgängen geordnete Liste enthält nur jene Buchbesprechungen, die J. A. Jungmann in der ZKTh veröffentlicht hat. Die Zahl nach dem: ist die Seitenzahl des betreffenden Bandes der ZKTh. Die längeren Rezensionen s. in der obigen Bibliographie.)

1 9 2 3 (Bd. 47)

H. Stieglitz, Ein willensstarker Christ. Katechesen für Jugendliche. München 1922: 299
H. Stieglitz, Ein ganzer Christ. München 1922: 299
Fr. Kranebitter, Apologetik. Beweis für die Wahrheit der katholischen Religion. Innsbruck 1922: 300
Fr. Hörmann, Lebendiger Unterricht. Beiträge zur Vertiefung des Religionsunterrichtes. München 1921: 300
G. Schreiner, Stundenbilder. Kurzgefaßte Katechesen zu P. Lindens Religionsbüchlein für die Unterklassen. München ²1922: 301
J. E. Pichler, Katechesen für die Oberstufe. I: Glaubenslehre. Wien ³1922: 301
H. Mayer, Religionspädagogische Reformbewegung (Handbücherei der Erziehungswissenschaft für Lehrer und Lehrerinnen und ihre Arbeitsgemeinschaften 4). Paderborn 1922: 301

1 9 2 4 (Bd. 48)

A. Rücker (Hg.), Die syrische Jakobsanaphora nach der Rezension des Ja'qob(h) von Edessa, mit dem griechischen Paralleltext. Münster i. W. 1923: 600
A. Baumstark, Vom geschichtlichen Werden der Liturgie (Ecclesia orans 10). Freiburg i. Br. 1923: 602
W. Burger (Hg.), Handbuch für die religiös-sittliche Unterweisung der Jugend. 3 Bde. I. Christliche Lebenskunde. II. Christliche Grundlehren. III. Kirchengeschichte. Freiburg i. Br. 1922/23: 128

1 9 2 6 (Bd. 50)

Ch. Panfoeder, Liturgia. Eine Einführung in die Liturgie durch Einzeldarstellungen. I. Gruppe: Abhandlungen über die Liturgie im allgemeinen. 1. Bd.: Christus unser Liturge. 2. Bd.: Die Kirche als liturgische Gemeinschaft. 3. Bd.: Das Persönliche in der Liturgie. Mainz 1924: 142
W. Weitzel, Kirchenmusik und Volk. Vorträge, Lesungen und Gedanken (Hirt und Herde 14). Freiburg i. Br. 1925: 443
Fr. G. Holweck, Calendarium Liturgicum Festorum Dei et Dei Matris Mariae. Philadelphia 1925: 436

1 9 2 7 (Bd. 51)

Mysterium. Gesammelte Arbeiten Laacher Mönche. Münster i. W. 1926: 147
I. Herwegen, Kirche und Seele. Die Seelenhaltung des Mysterienkultes und ihr Wandel im Mittelalter (Aschendorffs Zeitgemäße Schriften 8). Münster i. W. 1926: 148
C. Callewaert, Liturgicae Institutiones. I: De s. liturgia universim. Brugis 1925: 149
L. Eisenhofer, Grundriß der katholischen Liturgik (Herders Theologische Grundrisse) 2. u. 3. Aufl. Freiburg i. Br. 1926: 150
St. Stephan, De elementis Liturgiae christianae. Ratisbonae 1924: 150
M. Gatterer, Annus liturgicus cum introductione in disciplinam liturgicam. Innsbruck ⁴1925: 150

M. Gatterer (Hg.), Praxis celebrandi functiones ordinarias sacerdotales. Regulae et ritus. Innsbruck ²1926: 150

J. Kramp, Eucharistia. Von ihrem Wesen und ihrem Kult. Freiburg i. Br. ²1926: 151

P. Gebler, Der katholische Opfergottesdienst. Zwölf Vorträge. Paderborn 1926: 151

G. Simons, Das Opfer des Neuen Bundes. Paderborn 1926: 152

R. Stapper, Die Messe im Abendmahlsaale und in der urchristlichen Kirche (Schöninghs Sammlung kirchengeschichtlicher Quellen und Darstellungen für den Religionsunterricht an höheren Lehranstalten 5). Paderborn 1925: 152

J. M. Bover, De cultu s. Josephi amplificando theologica disquisitio. Barcinone 1926: 153

A. Wintersig, Liturgie und Frauenseele (Ecclesia Orans 17). Freiburg i. Br. 1925: 153

A. Wintersig, Die Väterlesungen des Breviers. I: Winterteil mit einer Einführung. III: Sommer- und Herbstteil, 1. Proprium de tempore (Ecclesia Orans 13 u. 15). Freiburg i. Br. 1925/26: 154

Liturgische Volksbüchlein. Hg. v. der Abtei Maria Laach. Freiburg i. Br. 1922/25: 154

P. Parsch, Das Stundengebet der heiligen Kirche. Ein liturgisches Laiengebetbuch (Aus dem Gebetbuch der Kirche 1). Selbstverlag (Stift Klosterneuburg b. Wien) ²1926: 155

O. Hellinghaus (Hg.), Die kirchlichen Hymnen und Sequenzen. Deutsche Nachdichtungen mit den lateinischen Texten. M.-Gladbach ²1926: 155

P. Bihlmeyer (Hg.), Das vollständige Römische Meßbuch, lateinisch und deutsch mit Einführungen im Anschluß an das neubearb. Meßbuch v. A. Schott. Freiburg i. Br.: 156

Ch. Kunz, Meßbuch der katholischen Kirche (lateinisch und deutsch). Nach dem neuen römischen Missale Benedikts XV neubearb. München 1925: 156

E. Promnitz, Das mittelalterliche Reimofficium der hl. Hedwig, Herzogin in Schlesien und Polen. Aus dem Lateinischen übertragen. Breslau 1926: 156

H. Bohatta, Liturgische Drucke und liturgische Drucker. Festschrift zum 100jährigen Jubiläum des Verlags Friedrich Pustet. Regensburg 1926: 156

H. Lietzmann, Messe und Herrenmahl. Eine Studie zur Geschichte der Liturgie (Arbeiten zur Kirchengeschichte 8). Bonn 1926: 616

K. Völker, Mysterium und Agape. Die gemeinsamen Mahlzeiten in der alten Kirche. Gotha 1927: 617

H. Fuchs (Hg.), Die Anaphora des monophysitischen Patriarchen Johannan I (Liturgiegeschichtliche Quellen 9). Münster i. W. 1926: 618

C. Mohlberg, Un Sacramentario palinsesto del secolo VIII dell'Italia centrale. (S.-A. aus: Rendiconti della Pontif. Accademia Romana di Archeologia 3 [1925] 391—450). Roma: 619

J. P. Kirsch, Die Stationskirchen des Missale Romanum. Mit einer Untersuchung über Ursprung und Entwicklung der römischen Stationsfeier (Ecclesia Orans 19). Freiburg i. Br. 1926: 619

W. Neuß, Die Oranten in der altchristlichen Kunst (S.-A. aus der Festschrift zum 60. Geburtstag von Paul Clemen. Bonn 1926, 130—149): 620

R. Tippmann, Die Messen der Fastenzeit. Historisch-liturgisch gedeutet. Paderborn 1927: 621

J. E. Eschenbach, Die glühende Kohle (Is 6, 6. 7). Patristisch-liturgische Studie. Würzburg 1927: 621

R. Stroppel, Liturgie und geistliche Dichtung zwischen 1050 und 1300. Mit besonderer Berücksichtigung der Meß- und Tagzeitenliturgie (Deutsche Forschungen 17). Frankfurt a. M. 1927: 622

X. Schmid, Brevier-Reform. Gedanken zum künftigen Abschluß der Reform des Römischen Breviers unter Einschluß etwelcher Änderungen im Missale. Luzern 1926: 622

P. Bihlmeyer (Hg.), Kleines Meßbuch für die Sonn- und Feiertage. Im Anschluß an das Meßbuch v. A. Schott mit Einführungen und Erklärungen. Freiburg i. Br. 1927: 623

P. Bihlmeyer (Hg.), Meß- und Vesperbuch in Großdruck für die Sonn- und Feiertage. Im Anschluß an die Bücher v. A. Schott. Freiburg i. Br. 1927: 623

Liturgische Lebensweihe der katholischen Familie. In Verbindung mit E. Drinkwelder bearbeitet von der Münchener Bundesjugend des Katholischen Frauenbundes. München 1926: 624

E. Leitl, Das Latein der Kirche. Natürliche und kurze Einführung in das Kirchenlatein für alle, die mit der Kirche beten wollen. München 1926: 624

1 9 2 8 (Bd. 52)

Th. Mönnichs, Hilfsbuch zum Einheitskatechismus. Jakob Lindens Katecheten-Ausgabe mit Anmerkungen. München ³1927: 144

M. H. Schnitzler, Handbuch zum Katholischen Katechismus. Köln o. J. (1927): 144

J. Schmitz, Erweiterter Katholischer Katechismus für die Mittelklassen der Gymnasien und die entsprechende Stufe anderer höherer Lehranstalten. München ¹⁴1926: 145

J. Bernbeck, Katechesen für die Oberstufe nach dem deutschen Einheitskatechismus mit einem Anhang von Beispielen und Gedichten. 1. u. 2. Hauptstück. München 1926/27: 145

G. Deubig, Hilfsbuch zum Einheitskatechismus. Bearbeitet nach dem Prinzip der religiösen Lebensschule. 3 Bde. Limburg a. L. 1926/27: 145

E. Jehle, Katechesen für die Oberstufe nach dem deutschen Einheitskatechismus. I: Glaubenslehre. Freiburg i. Br. 1926: 146

W. Pichler, Katechesen für die Unterstufe der Volksschule. 3 Bändchen. Innsbruck ³³1926: 147

Th. Hoch, Gustav Meys Vollständige Katechesen. Für die beiden unteren Schuljahre nach der Grundschule bearbeitet. I: Sommerhalbjahr. Freiburg i. Br. 1927: 147

Fr. Hötte, Der gesamte Religionsunterricht im ersten Schuljahr. Ausgeführte Katechesen nach dem Fuldaer Normalplan. Freiburg i. Br. 1927: 147

F. Restrepo, San Agustín. Sus métodos catequísticos, sus principales catequesis (Los grandes maestros de la doctrina christiana 1). Madrid 1925: 147

L. Krebs, Vinzenz Eduard Milde in seiner Bedeutung für den Religionsunterricht (Theologische Studien der Österr. Leogesellschaft 26). Wien 1925: 148

G. Grunwald, Die Pädagogik des 20. Jahrhunderts. Ein kritischer Rückblick und ein programmatischer Ausblick. Freiburg i. Br. 1927: 148

W. Kammel, Einführung in die pädagogische Wertlehre (Handbücherei der Erziehungswissenschaft 17). Paderborn 1927: 150

E. Kurz, Moderne Erziehungsziele und der Katholizismus (Zur relig. Lage der Gegenwart 7). München 1927: 150

F. Röttcher, Die Erziehungslehre Kants und Fichtes (Pädagogische Studien und Kritiken 1). Weimar 1927: 151

L. Bopp, Das Jugendalter und sein Sinn. Eine Jugendkunde zur Grundlegung der Jugendführung. Freiburg i. Br. 1926: 151

M. Keilhacker, Jugendpflege und Jugendbewegung in München von den Befreiungskriegen bis zur Gegenwart (Kultur und Geschichte, freie Schriftenreihe des Stadtarchivs München 1). München 1926: 152

G. Schreiner (Hg.), Comes Catecheticus. Literarischer Wegweiser für Katecheten und Katechetiker. München o. J. (1927): 580

J. Adrian, Die Erziehung zur Frömmigkeit. Ein Versuch streng psychologischen Aufbaus. Mergentheim 1927: 580

Th. J. Scherg, Der Lehrer im Religionsunterricht. 2 Bändchen. München o. J. (1927): 581

J. Roos, Die Willensbildung im Rahmen des katholischen Religionsunterrichtes in der Volksschule (Philosoph. und pädagog. Arbeiten 16 = Pädagogisches Magazin 1109). Langensalza 1927: 582

T. Tóth, Bildung des jungen Menschen (Wachstum und Gestalt, Bücher der Lebenserfassung für den jungen Menschen 1). Freiburg i. Br. 1927: 582

T. Tóth, Charakter des jungen Menschen (Wachstum und Gestalt 2). Freiburg i. Br. 1927/28: 582

L. Gentile, Neue Beispiele zu alten Wahrheiten. Ein Missionsbüchlein für Schule und Haus. Hildesheim o. J. (1925): 583

J. Hanß, Kurze und lehrreiche Beispiele für den neuen Einheitskatechismus mit vollständigem Katechismustext. Zugleich ein religiöses Lesebuch für das katholische Volk. Limburg a. d. L. 1927: 583

H. Schmetz, An ewigen Brünnlein. Heiligengeschichten für die lieben Kinder. Trier o. J. (1928): 583

1 9 2 9 (Bd. 53)

K. Mohlberg — A. Baumstark, Die älteste erreichbare Gestalt des Liber Sacramentorum anni circuli der römischen Kirche (Cod. Pad. D 47, fol. 11 r—100 r) (Liturgiegeschichtliche Quellen 11/12). Münster i. W. 1927: 309

I. Schuster, Liber Sacramentorum. Note storiche e liturgiche sul Messale Romano. 9 Bände. Torino 1923/28: 311

F. J. E. Raby, A History of Christian-Latin Poetry from the beginnings to the clos of Middle Ages. Oxford 1927: 311

R. Zoozmann, Laudate Dominum. Altchristliche Kirchenlieder und geistliche Gedichte lateinisch und deutsch. München 1928: 312

H. Mang, Unsere Weihnacht. Volksbrauch und Kunst in Tirol. Innsbruck 1927: 312

D. Castelain, De cultu Eucharistici Cordis Jesu. Historia, doctrina, documenta. Paris 1928: 313

1 9 3 0 (Bd. 54)

A. Baumstark, Missale Romanum. Seine Entwicklung, ihre wichtigsten Urkunden und Probleme. Eindhoven-Nijmegen o. J. (1929): 322

J. B. Ferreres, Historia del Misal Romano. Su origen, el misal plenario, el misal de Curia, su veriadísimo desarollo en la edad media, su unidad desde s. Pio V, su brillante coronación con la festa de Christo Rey. Barcelona 1929: 324

P. de Puniet, Le Pontifical Romain. Histoire et commentaire. Louvain 1930: 325

A. Le Carou, L'office divin chez les Frères Mineurs au XIIIᵉ siècle. Son origine, sa destinée. Paris 1928: 325

N. Borgia, Orologion. ‚Diurno‘ delle chiese de rito bizantino (Orientalia christiana, vol XVI, 2 = 56). Rom 1929: 326

E. Freistedt, Altchristliche Totengedächtnistage und ihre Beziehung zum Jenseitsglauben und Totenkultus der Antike (Liturgiegeschichtliche Quellen und Forschungen 24). Münster i. W. 1928: 327

P. Alfonso, Oratio fidelium. Origine e sviluppo eucologico della Prece dei Fideli. Finalpia 1928: 328

G. Nickl, Der Anteil des Volkes an der Meßliturgie im Frankenreiche von Chlodwig bis auf Karl den Großen (Forschungen zur Geschichte des innerkirchlichen Lebens 2). Innsbruck 1930: 329

Liturgische Zeitschrift. Hg. v. F. Schubert. 1. Jahrgang. Regensburg 1929: 330

G. Rippel, Die Schönheit der katholischen Kirche. Dargestellt in ihren äußeren Gebräuchen. Neu bearbeitet und bis auf die Gegenwart ergänzt v. H. Pfeil. Limburg a. d. L. 1930: 330

Das Meßbuch der heiligen Kirche, lateinisch und deutsch mit liturgischen Erklärungen. Von A. Schott. Neubearbeitung hg. v. P. Bihlmeyer. Freiburg i. Br. ³⁴1929: 331

Römisches Sonntagsmeßbuch, lateinisch und deutsch mit liturgischen Erklärungen. Im Anschluß an das Meßbuch von A. Schott hg. v. P. Bihlmeyer. Freiburg i. Br. ²1929: 331

P. Parsch, Das Jahr des Heiles 1930. Klosterneuburger Liturgiekalender. 2 Bde. Klosterneuburg 1930: 331

J. Baumgärtler, Die Erstkommunion der Kinder. Ein Ausschnitt aus der Geschichte der katholischen Kommunionpraxis von der urkirchlichen Zeit bis zum Ausgang des Mittelalters. München o. J. (1929): 627

K. Schrems, Die religiöse Volks- und Jugendunterweisung in der Diözese Regensburg vom Ausgang des 15. Jahrhunderts bis gegen Ende des 18. Jahrhunderts (Veröffentlichungen des Vereins zur Erforschung der Regensburger Diözesangeschichte 1). München 1929: 628

P. Regner, P. Aegidius Jais als Pädagog (1750—1822). Freiburg i. Br. 1928: 629

H. Liebrecht, Die christliche Bekenntnisschule im Urteil der modernen Pädagogik. Warnsdorf 1929: 630

M. Lechner, Die Religiösität und Sexualität des Kindes. Donauwörth 1929: 630

St. v. Dunin Borkowski, Miniaturen erzieherischer Kunst. Berlin 1929: 631

L. Bopp, Liturgische Erziehung. Gegebenes und Aufgegebenes. Freiburg i. Br. 1929: 631

O. Häring, Das Leben mit der Kirche. Handbuch für den liturgischen Unterricht. Rottenburg a. N. 1928: 631

1 9 3 1 (Bd. 55)

R. Stapper, Katholische Liturgik zum Gebrauch bei akademischen Vorlesungen sowie zum Selbstunterricht. Münster i. W. [6]1931: 509

J. Quasten, Musik und Gesang in den Kulten der heidnischen Antike und christlichen Frühzeit (Liturgiegeschichtliche Quellen und Forschungen 25). Münster i. W. 1930: 510

F. J. Dölger, Antike und Christentum. Kultur- und religionsgeschichtliche Studien. Münster i. W. 1929/30: 511

J. Brinktrine (Hg.), Sacramentarium Rossianum. Cod. Ross. lat. 204 (Röm. Quartalschrift, Supplementheft 25). Freiburg i. Br. 1930: 512

I. Schuster, Liber Sacramentorum. Geschichtliche und liturgische Studien über das römische Meßbuch. Übersetzt v. R. Bauersfeld. Bd. 1—5. Regensburg 1930: 513

C. Callewaert, De Breviarii Romani liturgia. Brügge 1931: 513

J. Müller, Der kirchliche Volksgesang. Zwölf Betrachtungen über sein Werden und Wesen (Liturgische Praxis 7). Klosterneuburg 1930: 514

J. Müller, Der katholische Kirchenchor. Zwölf Betrachtungen über sein Werden und Wesen. Klosterneuburg 1929: 514

1 9 3 2 (Bd. 56)

J. Spieler, Lexikon der Pädagogik der Gegenwart. In Verb. mit zahlreichen Fachgelehrten hg. v. Deutschen Institut für wissenschaftliche Pädagogik. 2 Bde. I: Abendgymnasium bis Kinderfreunde. Freiburg i. Br. 1930: 141

W. Pohl, Otto Willmann, der Pädagoge der Gegenwart. Düsseldorf 1930: 142

D. Breitenstein, Die sozialistische Erziehungsbewegung. Ihre geistigen Grundlagen und ihr Verhältnis zum Marxismus. Freiburg i. Br. 1930: 142

Br. Kammler, Feierstunden im Religionsunterricht (Religionspädagogische Zeitfragen, N. F. 5). München 1830: 143

H. Engberding, Das eucharistische Hochgebet der Basileiosliturgie. Textgeschichtliche Untersuchungen und kritische Ausgabe (Theologie des christlichen Ostens, Texte und Untersuchungen 1). Münster i. W. 1931: 467

P. Alfonso, L'Eucologia Romana antica. Lineamenti stilistici e storici (Monografie liturgiche 2). Subiaco 1931: 468

Z. Obertyński (Hg.), Pontificale arcybiskupa Lwowskiego Jana Rzeszowskiego w bibliotece kapitulnej w Gnieźnie. Lemberg 1930: 469

Cl. Blume, Unsere liturgischen Lieder. Das Hymnar der altchristlichen Kirche. Aus dem Urtext ins Deutsche umgedichtet, psychologisch und geschichtlich erklärt. Regensburg 1932: 469

P. de Puniet, Le Pontifical Romain. Histoire et commentaire. Tome II: Consecrations et bénédictions. Louvain 1931: 470

A. Villien, Les sacraments. Historie et liturgie. Paris 1931: 471

J. Weisweiler, Buße. Bedeutungsgeschichtliche Beiträge zur Kultur- und Geistesgeschichte. Halle 1931: 471

J. Brinktrine, Das Römische Brevier. Paderborn 1932: 472

J. Minichthaler, Handbuch der Volksliturgie. Regensburg o. J. (1931): 473

P. Parsch, Das Jahr des Heiles. Klosterneuburger Liturgiekalender. Für immerwährenden Gebrauch. 3 Bde. Klosterneuburg [10]1932: 473

J. Tschuor, Die heilige Taufe. Gedanken über unsere Eintauchung in Christus. Einsiedeln o. J. (1931): 474

1 9 3 3 (Bd. 57)

J. Spieler (Hg.), Lexikon der Pädagogik der Gegenwart. In Verbindung mit zahlreichen Fachgelehrten hg. v. Deutschen Institut für wissenschaftliche Pädagogik. 2 Bd. II: Kinderfürsorge bis Zwangszustände. Freiburg i. Br. 1932: 650

P. Vogt, Bildung im Lichte der Offenbarung. Richtlinien für die Erziehung in Familie und Schule sowie für die Weiterbildung im Leben. Paderborn 1932: 650

J. Göttler, Religions- und Moralpädagogik. Grundriß einer zeitgemäßen Katechetik. Münster i. W. [2]1931: 651

O. Etl, Katechetische Didaktik und Pädagogik. Eine erste Einführung in das katechetische Wirken. Graz 1931: 652

J. Krones, Die neuzeitlichen Anschauungsmittel und ihr didaktischer Wert für den Religionsunterricht. Rottenburg 1932: 652

O. Häfner, Möhler: Kommentar zum Katechismu, für das Bistum Rottenburg. 1. Bd.: Der Glaube. 2. Bd.: Die Gebote. Rottenburg [6]1933: 653

H. Ballof, Der Katechismusunterricht in den oberen Jahrgängen der Volksschule. Anregungen und Entwürfe. 3 Bde. Düsseldorf 1933: 653

G. Böhmer, Neuland aus Christi Geist. Lehrbuch für den katholischen Religionsunterricht an Frauenschulen und verwandten Anstalten. Bonn 1933: 654

I. M. Hanssens, Institutiones Liturgicae Rituum Orientalium. Tom. II/III: De Missa rituum orientalium. Rom 1930—1932: 467

B. Botte, Les Origines de la Noël et de l'Épiphanie. Étude historique (Textes et Études liturgiques 1). Louvain 1932: 469

R. Stapper (Hg.), Ordo Romanus Primus de Missa papali, quem e cod. Wolfenbüttel. 4175 (Opuscula et Textus. Series liturgica 1). Münster i. W. 1933: 469

G. Ellard, Ordination Anointings in the Western Church before 1000 A. D. (Mongraphs of the Medieval Academy of America 8). Cambridge (Mass.) 1933: 470

P. Browe, Die Verehrung der Eucharistie im Mittelalter. München 1933: 471

A. Jungmann, Die lateinischen Bußriten in ihrer geschichtlichen Entwicklung (Forschungen zur Geschichte des innerkirchlichen Lebens 3/4). Innsbruck 1932: 472

E. Dumoutet (Hg.), Le Christ selon la Chair et la Vie Liturgique au Moyen-Age. Paris 1932: 472

Prière liturgique et Vie chrétienne. Questions actuelles (Cours et Conférences des Semaines liturgiques. Tome 9). Louvain 1932: 473

P. Doncœur, Retours en chrétienté. La naissance, le mariage, la mort. Paris 1933: 673

Schuster, Liber Sacramentorum. 10 Bde. 10. Band: Sachregister nebst kleinem Verzeichnis liturgischer Ausdrücke und Übersicht der römischen Stationen, zusammengestellt v. C. D'Amato. Regensburg o. J. (1932): 674

A. M. de Carpo, Caeremoniale iuxta Ritum Romanum. Turin [10]1932: 675

A. Egger, Kirchliche Kunst- und Denkmalpflege. Umgearb. u. verm. Auflage. Bressanone 1933: 475

1 9 3 1 (Bd. 58)

C. Callewaert, Liturgicae Institutiones I: De s. Liturgia universim. Brügge [3]1933: 302

R. Stapper — A. Rücker (Hg.), Opuscula et Textus historiam Ecclesiae eisusque vitam atque doctrinam illustrantia. Series liturgica. Fasc. II: Ritus baptismi et missae quem descripsit Theodorus ep. Mopsuestenus in sermonibus catecheticis. E versione syriaca ab A. Mingana nuper reperta in linguam latinam translatus ab A. Rücker. Fasc. III: Expositio antiquae liturgiae gallicanae Germano episcopo Parisiensi ascripta. Edidit notisque illustravit J. Quasten. Münster i. W. 1933 bzw. 1934: 302

O. Löfgren — S. Euringer (Hg.), Die beiden gewöhnlichen äthiopischen Gregoriusanaphoren nach 5 bzw. 3 Hss (Orientalia Christiana XXX, 2). Rom 1933: 303

S. Salaville, Liturgies orientales. Notions générales, éléments principaux (Bibliothèque catholique des sciences religieuses 47). Paris 1932: 304

J. Schümmer, Die altchristliche Fastenpraxis. Mit besonderer Berücksichtigung der Schriften Tertullians (Liturgiegeschichtliche Quellen und Forschungen 27). Münster i. W. 1933: 304

D. Baudot, Le Bréviaire (Bibliothèque catholique des sciences religieuses 18). Paris 1929: 305

E. Campana, Maria nel culto cattolico. 2 Bde. I: Il culto di Maria in sè e nelle sue manifestazioni liturgiche. II: Il culto di Maria nelle devozioni particolari, nei sodalizi e nei congressi mariani. Turin 1933: 306

A. Munier, Un Projet d'église au XXe siècle. Paris 1933: 307

O. Döring, Christliche Symbole. Leitfaden durch die Formen- und Ideenwelt der Sinnbilder in der christlichen Kunst. Freiburg i. Br. 1933: 307

D. v. Hildebrand, Liturgie und Persönlichkeit (Bücher der Geisteserneuerung 4). Salzburg 1930: 308

Missale Romanum. Editio Lacensis iuxta typicam Vaticanam. Freiburg i. Br. 1931: 309

K. Raab, Das Katechismusproblem in der katholischen Kirche. Religionspädagogische Untersuchungen zu einer grundsätzlichen Lösung. Freiburg i. Br. 1934: 616

J. Kröpfl, Volksschul-Katechesen. Unter Verwertung der Katholischen Volksschul-Katechesen von J. E. Pichler. 3 Bde. Innsbruck 1931/33: 617

J. Bernbeck, Ihr Kinderlein, kommet! Katechetische Skizzen für das erste Schuljahr. München 1933: 618

M. Pfliegler, Heilige Bildung. Gedanken über Wesen und Weg christlicher Vollendung. Salzburg 1933: 618

Fr. G. Metzler, Die Volksbildung. Eine Einführung in ihre Grundfragen auf zeitgemäßer katholischer Grundlage. Höchst 1934: 618

1 9 3 5 (Bd. 59)

Fr. Schubert, Grundzüge der Liturgik (Grundzüge der Pastoraltheologie 2). Graz ³1935: 318

R. Stapper — A. Rücker (Hg.), Opuscula et Textus historiam Ecclesiae eiusque vitam atque doctrinam illustrantia. Series liturgica. Fasc. IV: Textus antiqui de festo Corporis Christi (P. Browe). Fasc. V: S. Francisci Assisiensis et s. Antonii Patavini officia rhythmica auctore Fratre Juliano a Spira (H. Dausend). Fasc. VI: Consuetudine liturgicae in functionibus anni ecclesiastici papalibus observandae. E sacramentarii codicis Vat. Ottobon. 356 (J. Brinktrine). Münster i. W. 1934/35: 319

A. Dold, Die Zürcher und Peterlinger Meßbuch-Fragmente aus der Zeit der Jahrtausendwende im Bari-Schrifttyp mit eigenständiger Liturgie. Anhang: Neue Blätter des Salzburger Kurzsakramentars (Texte und Arbeiten I 25). Beuron 1934: 319

J. Brinktrine, Die heilige Messe. Paderborn ²1934: 320

E. Peterson, Das Buch von den Engeln. Stellung und Bedeutung der heiligen Engel im Kultus. Leipzig 1935: 321

A. Löhr, Jahr des Herrn. Das Mysterium Christi im Jahreskreis der Kirche. Regensburg 1934: 321

A. Raes, Le consentement matrimonial dans les rites orientaux (S.-A. aus Ephemerides liturgicae 1933/34): 322

Th. Belpaire, La divine liturgie méditée par Gogol. Amay s. Meuse o. J.: 322

G. Ellard, Christian life and worship. Milwaukee 1934: 322

L. Andrianopoli, La Rinascita liturgica contemporanea (I Quaderni del Cattolicismo contemporaneo 13). Milano 1934: 323

Schott: Meßbuch der heiligen Kirche. Mit liturgischen Erklärungen und Lebensbeschreibungen der Heiligen. Neubearb. v. d. Mönchen der Erzabtei Beuron. Jubiläums-Auflage 1884—1934. Freiburg i. Br. 1934: 323

Das vollständige römische Meßbuch lateinisch und deutsch mit allgemeinen und besonderen Einführungen im Anschluß an das Meßbuch von A. Schott hg. v. d. Mönchen der Erzabtei Beuron. Freiburg i. Br. ⁴1934: 323

Das Meßbuch der katholischen Kirche lateinisch und deutsch, nach der Originalausgabe der Benediktiner von Affligem bearb. von den Benediktinern zu Ilbenstadt. Ausgabe II. Dülmen 1934: 324

J. Schmid, Kurzes Handwörterbuch des Kirchenlateins zum CIC, Missale, Breviarium nebst sämtlichen Proprien..., zum Rituale Romanum und Memoriale Rituum. Limburg a. d. L. 1934: 324

M. Gatterer, Annus liturgicus cum introductione in disciplinam liturgicam. Innsbruck ⁵1935: 324

G. Kieffer, Rubrizistik oder Ritus des katholischen Gottesdienstes nach den Regeln der heiligen römischen Kirche. Paderborn 1935: 325

J. B. Müller — J. B. Umberg, Zeremonienbüchlein für Priester und Kandidaten des Priestertums. Freiburg i. Br. 1934: 325

Missae defunctorum ex Missali Romano desumptae (mit Bildern von A. Gottwald). Regensburg 1933: 325

M. Pfliegler, Der Religionsunterricht. Seine Besinnung auf die psychologischen, pädagogischen und didaktischen Erkenntnisse seit der Bildungslehre Otto Willmanns. 3 Bde. Innsbruck 1935: 635

W. Pohl, Otto Willmanns religiöser Entwicklungsgang. Wien 1935: 637

Jahrbuch für katholische Erziehung in Österreich. Hg. v. B. Reetz. 1 (1933): 638

Österreichisches Katechetenrecht. Hg. v. Reichsbund der Katechetenvereine Österreichs. Wien 1935: 638

D. Schäfer, Liturgischer Religionsunterricht nach dem neuen Lehrplan. Einsiedeln o. J. (1934): 638

J. Minichthaler, Heiligenlegenden. Katechetisch ausgewertet. München o. J. (²1935): 639

1 9 3 6 (Bd. 60)

J. Quasten, Monumenta eucharistica et liturgica vetustissima. Pars I—IV (Florilegium Patristicum 7). Bonn 1935/36: 289

B. S. Easton, The Apostolic Tradition of Hippolytus. Cambridge 1934: 290

A. Dold (Hg.), Das älteste Liturgiebuch der lateinischen Kirche. Ein altgallikanisches Lektionar des 5./6. Jh.s aus dem Wolfenbütteler Palimpsest-Codex Weissenburgensis 76 (Texte und Arbeiten I 26—28). Beuron 1936: 290

Th. Klauser, Das römische Capitulare evangeliorum. Texte und Untersuchungen zu seiner ältesten Geschichte. I: Typen (Liturgiegeschichtliche Quellen und Forschungen 28). Münster i. W. 1935: 291

R.-J. Hesbert, Antiphonale Missarum sextuplex. Brüssel 1935: 292

V. Leroquais, Les Bréviaires manuscrits des Bibliothèques publiques de France. 6 Bde. Paris 1934: 293

D. Buenner, L'ancienne Liturgie Romaine: le Rite Lyonnais. Lyon o. J. (1934): 294

H. Scheidt, Die Taufwasserweihegebete im Sinne vergleichender Liturgiegeschichte untersucht (Liturgiegeschichtliche Quellen und Forschungen 29). Münster i. W. 1935: 295

O. Heiming, Syrische Enjânê und griechische Kanones. Die Hs Sach. 349 der Staatsbibliothek zu Berlin (Liturgiegeschichtliche Quellen und Forschungen 26). Münster i. W. 1932: 296

P. Gennrich, Der Gemeindegesang in der alten und mittelalterlichen Kirche (Welt des Gesangbuches 2). Leipzig o. J.: 296

P. Parsch, Meßerklärung im Geiste der liturgischen Erneuerung. Klosterneuburg ²1935: 297

J. Kramp, Bete mit der Kirche. Münster i. W. 1936: 297

Das Römische Martyrologium. Das Heiligengedenkbuch der katholischen Kirche. Neu übersetzt von Mönchen der Erzabtei Beuron. Regensburg o. J. (1935): 298

Volksbrevier. Bearbeitet u. hg. v. der Abtei Seckau. Seckau ⁴1935: 298

L. Bopp, Katechetik. Geist und Form des katholischen Religionsunterrichts (Handbuch der Erziehungswissenschaft, IV. Teil: Besondere Bildungslehre). München 1935: 464

M. Pfliegler, Der Religionsunterricht. Seine Besinnung auf die psychologischen, pädagogischen und didaktischen Erkenntnisse seit der Bildungslehre Otto Willmanns. 3. Teil: Die Methodik der religiösen Bildung. Innsbruck 1935: 465

K. Sudbrack, Die Kommunionerziehung in der Familie. Stoffsammlung für Seelsorger und Erzieher. Winke und Vorträge (Vortragsmappe). Bonn o. J. (1935): 466

G. Gerbert, Ich helfe meinem Kommunionkinde. Anregungen für Eltern und Erzieher. Dülmen 1934: 466

J. Schwarz, Erstkommunion-Unterricht. Zugleich ein Beitrag zur religiösen Erziehung in der Schule. Rottenburg ⁷1936: 466

G. Rensing (Hg.), Lebensvoller biblischer Unterricht für das dritte und vierte Schuljahr. Hilfsbuch zur Kleinen Katholischen Schulbibel (Ecker). Düsseldorf o. J. (1935): 467

St. Matzinger, Praktisches Handbüchlein zur Biblischen Geschichte der katholischen Kirche. Im Anschluß an den österreichischen Lehrplan und im Auftrag des Reichsbundes der Katechetenvereine Österreichs. 2. Bändchen: Neues Testament. Wien 1935: 467

J. Kröpfl, Katechesen für die Oberstufe. 1. Bd.: Glaube und Hoffnung. 2 Teile. Innsbruck 1934/36: 467

J. Decking, Katechesen für reifende Jugend. Gedanken und Skizzen im Anschluß an den amtlichen Lehrplan. Freiburg i. Br. 1936: 468

G. Perardi, La Dottrina cattolica. Spiegazione, dogmatica, morale, apologetica, liturgica, illustrata e confermata con esempi, similitudini, note etc. Parte IV: Virtù e peccato. 2 Bde. Torino o. J. (1934): 468

L. Persoglio, Catechismo sulle quattro parti della Dottrina cristiana ovvero spiegazione delle Dottrina cristiana. 2. Aufl. hg. v. M. Taverna. 3 Bde. Torino 1930/34: 468

E. Duplessy, Le pain des grands. Témoignages, faits et anecdotes à l'usage des Cercles d'études, des Jeunesses catholiques et des Cours supérieurs de Religion. 3 Bde. Paris 1935: 469

J. Thauren, Die religiöse Unterweisung in den Heidenländern. Eine missionsmethodische Studie. Wien 1935: 469

1937 (Bd. 61)

Cl. Holzmeister (Hg.), Kirche im Kampf. Wien 1936: 156

Ph. Oppenheim, Introductio in literaturam liturgicam. Conspectus historicus literaturae. Torino 1937: 647

J. Quasten, Monumenta eucharistica et liturgica vetustissima. Pars V: Ex Testamento D.N.J.Chr. liturgia missae et ritus catechumenatus, baptismi, confirmationis, communionis. Pars VI: Ps.-Dionysii Areopagitae De ecclesiastica hierarchia II—IV. Pars VII: Loci eucharistici et liturgici breviores. (Florilegium Patristicum 7). Bonn 1936/37: 647

P. Alfonzo, I Responsori biblici dell' ufficio Romano. Note sulla centoizzazione (Lateranum N.S. II 1). Rom 1936: 648

H. W. Codrington, The Liturgy of Saint Peter. With a preface and introduction by Pl. de Meester (Liturgiegeschichtliche Quellen und Forschungen 30). Münster i. W. 1936: 648

H. Dausend, Germanische Frömmigkeit in der kirchlichen Liturgie (Lex aeterna. Religiöse Bausteine). Wiesbaden 1936: 649

Excerpta ex Ordinariis Germanicis de summis anni ecclesiastici festivitatibus. A. Ex Modo agendi in ecclesia Wratislaviensi, ed. Fr. Schubert. B. Ex Ordinario II maioris ecclesiae Monasteriensis, ed R. Stapper (Opuscula et textus, ser. liturg. 7/8). Münster i. W. 1936: 650

A. Gastoué, L'Eglise et la musique. Paris 1936: 651

K. G. Fellerer, Das deutsche Kirchenlied im Ausland (Deutschtum und Ausland 59/60). Münster i. W. 1935: 651

A. Miller, Die Psalmen lateinisch und deutsch. Übersetzung und kurze Erklärung. Mit den Cantica des Römischen Breviers und einem Anhang (Ecclesia Orans 5). Freiburg i. Br. ¹²1937: 652

Officium Divinum lateinisch und deutsch. Bearb. u. hg. von der Abtei Seckau. Seckau ²1936: 653

W. Peuler, Hohe Zeiten im Priestertum. Werkbuch zur Gestaltung von Priesterfeiern. Frankfurt a. M. 1937: 653

1 9 3 8 (Bd. 62)

R. J. Jansen, Canonical provisions for Catechetical Instruction. An historical Synopsis and Commentary (The Catholic University of America, Canon Law Studies 107). Washington 1937: 301

R. Höslinger, Rechtsgeschichte des katholischen Volksschulwesens in Österreich. Wien 1937: 302

M. Gatterer, Gottes Gedanken über des Kindes Werden. 6. Aufl. der früher unter dem Titel „Erziehung zur Keuschheit", „Im Glaubenslicht" erschienenen Schrift. Innsbruck 1938: 304

Où en est l'enseignement religieux? Hg. v. Centre documentaire catéchétique. Tournai o. J. (1937): 304

W. Pichler, Hauptfragen des Religionsunterrichtes. Wien o. J. (1937): 305

L. Bocks, Übernatur und erziehender Religionsunterricht. Hildesheim 1937: 305

J. Gatz, Kinder reden mit Gott und seinen Heiligen. Eine Schule des freien Gebetes. Düsseldorf o. J. (1936): 306

B. Bergmann, Lobt froh den Herrn. Kinder beten im Kreis. Anregungen und Texte für das Gemeinschaftsgebet in Katechese, Kinderheim und Kinderseelsorge. Dülmen 1938: 306

J. Coppens, Pour mieux comprendre et mieux enseigner l'Histoire Sainte de l'Ancien Testament. Paris 1936: 307

G. Rensing, Kirchengeschichtliche Unterrichtsbilder. Hilfsbuch zur Kirchengeschichte für die katholischen Volksschulen. Düsseldorf o. J. (⁷1936): 307

Fr. Bürkli, Katholische Religionslehre als Lebensgestaltung. Ein Buch zum Selbststudium und für den Unterricht in den mittleren Klassen der Gymnasien und Realschulen. Freiburg i. Br. 1937: 308

Lexikon für Theologie und Kirche. Band VII—IX. Freiburg i. Br. 1935/37: 418

A. Sleumer, Deutsch-kirchenlateinisches Wörterbuch. Berlin 1937: 418

St. Lösch, Die Anfänge der Tübinger Theologischen Quartalschrift (1819—1831). Gedenkgabe zum 100. Todestag J. A. Möhlers. Rottenburg a. N. 1938: 420

A. Paredi, I prefazi ambrosiani. Contributo alla storia della liturgia latina (Pubblicazioni della Università catt. del S. Cuore, Scienze filologiche 25). Milano 1937: 595

V. Leroquais, Les Pontificaux manuscrits des bibliothèques publiques de France. 4 Bde. Paris 1937: 596

B. Löwenberg, Das Rituale des Kardinals Julius Antonius Sanctorius. Ein Beitrag zur Entstehungsgeschichte des Rituale Romanum. Rom 1937: 596

J. Baur, Die Spendung der Taufe in der Brixner Diözese in der Zeit vor dem Tridentinum (Schlern-Schriften 42). Innsbruck 1938: 597

L. Haberstroh, Der Ritus der Brechung und Mischung nach dem Missale Romanum (St. Gabrieler Studien 5). Mödling b. Wien 1937: 598

L. A. Winterswyl, Laienliturgik. 1. Teil: Die liturgische Feier. Kevelaer 1938: 598
H. Franke, Wartende Kirche. Die ältesten Advent-Rufe der Christenheit. Paderborn
1937: 599

1 9 3 9 (Bd. 63)

O. Casel (Hg.), Heilige Überlieferung. Ausschnitte aus der Geschichte des Mönchtums
und des heiligen Kultes. I. Herwegen zum silbernen Amtsjubiläum. Münster i. W.
1938: 256
I. Fr. Görres, Die siebenfache Flucht der Radegundis. Salzburg 1937: 260

1 9 4 0 (Bd. 64)

K. Mühlberg (Hg.), Das fränkische Sacramentarium Gelasianum in alamannischer Überlieferung (Cod. Sangall 348) (Liturgiegeschichtliche Quellen und Forschungen 1/2). Münster i. W. ²1939: 54
G. Manz (Hg.), Ein St. Galler Sakramentarfragment (Cod. Sangall. 350). Als Nachtrag
zum fränkischen Sacramentarium Gelasianum (Liturgiegeschichtliche Quellen und For-
schungen 31). Münster i. W. 1939: 55
F. Mercenier — Fr. Paris, La Prière des Eglises de rite byzantin. I: L'Office divin, la
Liturgie, les Sacrements. Amay sur Meuse 1937: 55
W. H. Frere, The Anaphora or Great Eucharistic Prayer. An eirenical study in Litur-
gical History. London 1938: 55
A. Klaus, Ursprung und Verbreitung der Dreifaltigkeitsmesse. Werl i. W. 1938: 56
V. L. Kennedy, The Saints of the Canon of the Mass (Studi di Antichitá cristiana 14).
Roma 1938: 57
L. Biehl, Das liturgische Gebet für Kaiser und Reich. Ein Beitrag zur Geschichte des Ver-
hältnisses von Kirche und Staat (Görresgesellschaft, Veröffentlichungen der Sektion für
Rechts- u. Staatswiss. 75). Paderborn 1937: 57
C. Callewaert, Liturgicae Institutiones. Tractatus II: De Breviarii Romani liturgia. Brügge
²1939: 58
J. A. Jungmann, Die liturgische Feier. Regensburg 1939: 58
J. Pinsk — K. J. Perl, Das Hochamt. Sinn und Gestalt der Hohen Messe. Salzburg 1938: 58
L. Bopp, Missa est. Buch der meßliturgischen Bildungswerte. Freiburg i. Br. 1938: 59
L. Bopp, Das Brevier im Dienste der Seelsorger (Neue Seelsorge 3). München 1939: 59
L. A. Winterswyl, Laienliturgik. Zweiter Teil: Das liturgische Leben. Kevelaer 1938: 59
H. J. Radermacher, Psalmen und Liturgie. Eine biblisch-liturgische Erklärung der Sonn-
und Festtagsmessen. Paderborn 1938: 60
U. Bomm, Lateinisch-deutsches Volksmeßbuch. Das vollständige römische Meßbuch für alle
Tage des Jahres mit Erklärungen und einem Choralanhang. Einsiedeln - Köln o. J.
(1937): 60
Fr. Weber, Geschichte des Katechismus in der Diözese Rottenburg von der Aufklärungszeit
bis zur Gegenwart. Mit einer Vorgeschichte über die schwäbischen Katechismen von
Canisius bis Felbiger. Freiburg i. Br. 1939: 164
H. Hilger, Kleine Lehre von Gottes großer Welt. Freiburg i. Br. 1939: 165
J. Schmitz, Ein heiliger Stamm. Religiöse Bildungsarbeit an der Familie. München o. J.
(1940): 165
O. Knechtle, Mit dem Kind durchs Kirchenjahr. Werkbüchlein zur Erziehung der Kinder
für das Leben und Beten mit der Kirche. Freiburg i. Br. 1939: 165
G. Götz, Brauchtum im Religionsunterricht. München o. J. (1939): 166
H. Ballof, Die Kinderseelsorgstunde im fünften Jahrgang. Düsseldorf 1939: 166
H. Ballof, Die Kinderseelsorgstunde im sechsten Jahrgang. Düsseldorf 1939: 166
H. Ballof, Die Kinderseelsorgstunde im siebenten Jahrgang. Düsseldorf 1940: 166
Ch. Allroggen, Tage der Entscheidung, Einkehrtage für Jungen zur Zeit der Schulentlas-
sung. Ihr Anliegen und ihre Gestaltung. Düsseldorf 1940: 167

G. Alfes, Glaubensverkündigung an die weibliche Jugend. Erster Jahresring, II. Teil: Christus ist mein Leben. Freiburg i. Br. 1940: 167

J. Walterscheid — A. Burgardsmeier, Glaube und Liebe. Ein Lebensbuch. Freiburg i. Br. 1939: 168

J. Huber, Glaubst du das, Ein kurzer Überblick über den Inhalt des katholischen Glaubens. Donauwörth o. J. (1939): 168

L. Grimm, Der katholische Christ in seiner Welt. Ein Buch vom katholischen Glauben und Leben für Erwachsene. I: Gott und sein Werk. Freiburg i. Br. 1940: 168

Fr. Thoma, Weg, Wahrheit, Leben. Die Religion des Christentums in der Schau der Bibel, Liturgie und Kunst. I. Teil: Unser Glaube. II. Teil: Unser Weg. München o. J. (1938/39): 169

J. Casper, Geheimnisse unseres Glaubens. Eine Darstellung der Glaubenslehre für Laien aus dem Geiste der Liturgie. Freiburg i. Br. 1939: 169

M. Kassiepe, Irrwege und Umwege im Frömmigkeitsleben der Gegenwart. Kevelaer 1939: 180

H. Henny, Der Altar im kanonischen Recht. Ein Beitrag zu Can. 1197—1202. Rom 1940: 226

1 9 4 1 (Bd. 65)

W. Trapp, Vorgeschichte und Ursprung der liturgischen Bewegung vorwiegend in Hinsicht auf das deutsche Sprachgebiet. Regensburg 1940: 55

P. Parsch, Volksliturgie. Ihr Sinn und Umfang. Klosterneuburg 1940: 56

E. Roeser, Liturgisches Gebet und Privatgebet. Begriff, geschichtliches Verhältnis und Wertung. Wien 1940: 57

A. Beil, In Christo Jesu. Von der liturgischen Gemeinschaft zur liebenden Gemeinde. Freiburg i. Br. 1940: 57

F. Messerschmid, Liturgie und Gemeinde. Grundsätzliches zu Sinn und Werk der volksliturgischen Aufgabe. Würzburg 1939: 58

R. Schwarz (Hg.), Gottesdienst. Ein Zeitbuch. Würzburg 1937: 58

R. Schwarz (Hg.), Betendes Werk. Ein Zeitbuch. Würzburg 1938: 58

R. Guardini, Besinnung vor der Feier der heiligen Messe. 1. Teil: Die Haltung. 2. Teil: Die Messe als Ganzes. Mainz o. J. (1939): 59

W. Kohlen, Das immerwährende Opfer. Eine Sinndeutung der hl. Messe. München o. J. (1939): 59

L. A. Winterswyl — F. Messerschmid, Die Gemeindegesänge der heiligen Messe. Würzburg 1940: 60

F. J. Dölger, Antike und Christentum. Bd. VI 1/2. Münster i. W. 1940: 166

A. Baumstark, Liturgie comparée. Conférences faites au Prieuré d'Amay. Chevetogne o. J. (1939): 166

Ehrengabe zur Feier des 25jährigen Abtjubiläums Dr. Ildefons Herwegen: Liturgisches Leben 5 (Berlin 1938) 81—272: 167

J. A. Jungmann, Gewordene Liturgie. Studien und Durchblicke. Innsbruck 1941: 167

J. M. Nielen, Das Zeichen des Herrn. Sabbat und Sonntag in biblischer und urchristlicher Bezeugung (Leben aus dem Wort 3). Freiburg i. Br. 1940: 167

M. Andrieu, Le Pontifical Romain au Moyen-Age I: Le Pontifical Romain du XIIe siècle (Studi e Testi 86). Città del Vaticano 1938: 168

G. Sölch (Hg.), Hugonis a S. Charo tractatus super Missam seu Speculum ecclesiae (Opuscula et Textus, ser. liturg. 9). Münster i. W. 1940: 168

G. G. Sölch, Hugo von St. Cher und die Anfänge der Dominikanerliturgie. Eine liturgiegeschichtliche Untersuchung zum Speculum ecclesiae. Köln 1938: 168

P. Browe, Die häufige Kommunion im Mittelalter. Münster i. W. 1938: 169

P. Browe, Die Pflichtkommunion im Mittelalter. Münster i. W. 1940: 169

R. B. Witte, Das katholische Gotteshaus. Sein Bau, seine Ausstattung, seine Pflege. Im Geiste der Liturgie, der Tradition und der Vorschrift der Kirche in Verbindung mit Fachleuten dargestellt. Mainz 1939: 172

J. de Puniet, De Liturgie der Mis. Haar Oorsprong en Geschiedenis. Roermond 1939: 173

J. Könn, Die heilige Messe. Eine lebensnahe Erklärung für die opfernde Gemeinde. Essen 1941: 173

H. Steffens, An liturgischen Quellen. Ein Erlebnisbuch. Dülmen o. J. (1940): 174

K. Geerling, Die Stunde Gottes. Wegweisung in das sonntägliche Beten der Kirche. Paderborn 1940: 174

J. Kramp, Briefe der Kirche. Die Episteln der Sonntage und der Herrenfeste des Kirchenjahres biblisch-liturgisch erklärt. Münster i. W. 1940: 174

J. Braun, Irdisches und Himmlisches. Ein religiöses Hausbuch für Feiertag und Feierabend im Anschluß an das Kirchenjahr. Bonn 1939: 175

J. Casper (Hg.), Deutsches Vesperbuch. Wien 1941: 175

1 9 4 2 (Bd. 66)

J. Klein, Tertullian. Christliches Bewußtsein und sittliche Forderungen. Ein Beitrag zur Geschichte der Moral und ihrer Systembildung (Abhandlungen aus Ethik und Moral 15). Düsseldorf 1940: 178

R. Schwarz, Vom Bau der Kirche. Würzburg 1938: 242

L. A. Winterswyl, Christus im Jahr der Kirche. Kevelaer 1941: 243

O. Casel, Das christliche Festmysterium. Paderborn 1941: 243

A. Beil, Einheit in der Liebe. Kolmar 1941: 243

N. Sawicki, De Missa conventuali in Capitulis et apud Religiosos historice, canonice, liturgice. Krakau 1938: 244

1 9 4 3 (Bd. 67)

K. Holböck, Die Bination. Rechtsgeschichtliche Untersuchung. Rom 1941: 94

X. Bürkler, Die Sonn- und Festtagsfeier in der katholischen Chinamission. Eine geschichtlich-pastorale Untersuchung (Urbaniana II 4 = Pont. Institutum Missionale Scientificum, Dissertationes selectae 2). Rom 1942: 94

1 9 4 7 (Bd. 69)

O. Rousseau, Histoire du mouvement liturgique. Esquisse historique depuis le debut du XIXe siècle jusqu' au pontificat de Pie X (Lex orandi 3). Paris 1945: 125

Études de Pastorale liturgique. Vanves, 26.—28. Janvier 1944 (Lex orandi 1). Paris 1944: 126

P. Bolkovac, Seelsorge und Sprache. Nürnberg 1946: 127

G. Götzel (Hg.), Auf dem Wege zu einem neuen Katechismus. Eine katechetische Gemeinschaftsarbeit. Freiburg i. Br. 1944: 127

Fr. M. Willam, Katechetische Erneuerung. Innsbruck 1946: 128

H. Rahner, Griechische Mythen in christlicher Deutung. Gesammelte Aufsätze. Zürich 1945: 251

J. Tschuor, Das Opfermahl. Das eucharistische Sakrament im Lichte der Postkommunionen des heutigen römischen Meßbuches. Immensee 1942: 251

Fr. Bürkli, Handbuch der Katechetik. Einsiedeln 1943: 252

Zur Methodik des Religionsunterrichtes. Referate der 4. Schweizerischen Seelsorgetagung in Luzern 1944. Luzern o. J.: 253

L. Krebs (Hg.), Der elementare katholische Religionsunterricht in den Ländern Europas in monographischen Darstellungen. I: Die Länder des germanischen Sprachgebietes. Wien 1938: 253

J. Hofinger, Nuntius noster seu themata principaliora praedicationis christianae. Tientsin 1946: 254

C. Callewaert, Sacris erudiri. Fragmenta liturgica collecta a monachis S. Petri de Aldenburgo in Steenbrugge. Steenbrugge 1940: 505

A. Raes, Introductio in liturgiam orientalem. Rom 1947: 506

J. C.-M. Travers, Valeur sociale de la liturgie d'après Saint Thomas d'Aquin (Lex orani 5). Paris 1946: 507

1 9 4 8 (Bd. 70)

V. Monachino, La cura pastorale a Milano Cartagine e Roma nel secolo IV (Analecta Gregoriana 41). Rom 1947: 376

K. Rudolf, Aufbau im Widerstand. Ein Seelsorgebericht aus Österreich 1938—1945. Salzburg 1947: 378

Fr. X. Arnold, Dienst am Glauben. Das vordringliche Anliegen heutiger Seelsorge (Untersuchungen zur Theologie der Seelsorge 1). Freiburg i. Br. 1948: 384

S. Wagner, Compendium Catecheticae missionalis. Peking o. J. (1944): 384

J. de Ghellinck, Patristique et Moyen Age I. Les recherches sur les origines du Symbole des Apôtres (Museum Lessianum, sect. hist. 6). Paris 1946: 385

P. Nautin, Je crois à l'Esprit Saint dans la Sainte Église pour la Resurrection de la chair. Étude sur l'histoire et la théologie du symbole (Unam Sanctam 17). Paris 1947: 386

E. Dekkers, Tertullianus en de Geschiedenis der Liturgie (Catholica VI 3). Brüssel 1947: 494

B. Botte (Hg.), Hippolyte de Rome, La Tradition Apostolique (Sources chrétiennes 11). Paris 1946: 495

J. Froger, Les origines de Prime (Bibliotheca „Ephemerides Liturgicae" 19). Rom 1946: 495

J. Pascher, Eucharistia. Gestalt und Vollzug. Münster i. W. 1947: 497

J. A. Jungmann, Missarum Sollemnia. Eine genetische Erklärung der römischen Messe. 2 Bde. Wien 1948: 497

G. Ellard, The Mass of the future. Milwaukee 1948: 499

J. Zabel, Die Meßfeier in der Dorfseelsorge einst und jetzt. Wien 1947: 500

W. Lurz, Meßfeier im Geist und in der Wahrheit. München 1947: 500

Verslagboek van het Internationaal Liturgisch Congres gehouden te Maastricht 27. 7. bis 2. 8. 1946. Maastricht o. J. (1947): 501

Fr. Hula, Die Totenleuchten und Bildstöcke Österreichs. Ein Einblick in ihren Ursprung, ihr Wesen und ihre stilistische Entwicklung. Wien 1948: 501

1 9 4 9 (Bd. 71)

A. Schrott, Seelsorge im Wandel der Zeiten. Formen und Organisation seit der Begründung des Pfarrinstitutes. Graz 1949: 374

B. Gölz, Christliche Erziehungswissenschaft. Bozen 1949: 374

Miscellanea Liturgica in honorem L. Cuniberti Mohlberg I (Bibliotheca ‚Ephemerides Liturgicae' 22). Rom 1948: 505

M. Righetti, Manuale di Storia liturgica III. L'Eucharistia sacrificio e sacramento. Mailand 1949: 505

B. Fischer, Die Psalmenfrömmigkeit der Märtyrerkirche. Freiburg i. Br. 1949: 506

C. H. Roberts — B. Capelle, An early Euchologium. The Dêr-Balyzeh Papyrus enlarged and reedited (Bibliothèque du Muséon 23). Löwen 1949: 506

G. Kunze, Die gottesdienstliche Schriftlesung I. Stand und Aufgaben der Perikopenforschung (Veröffentlichungen der evangelischen Gesellschaft für Liturgieforschung 1). Göttingen 1947: 507

P. Salmon, Le Lectionnaire de Luxeuil (Paris, ms. lat. 9427). Edition et étude comparative. Contribution à l'histoire de la Vulgate et de la liturgie en France au temps des Mérovingiens (Collectanea Biblica Latina 7). Rom 1944: 508

A. Dold — L. Eizenhöfer (Hg.), Das Prager Sakramentar (Cod. 0.83 der Bibliothek des

Metropolitankapitels) II. Prolegomena und Textausgabe (Texte und Arbeiten I 38—42).
Beuron 1949: 508

G. Manz, Ausdrucksformen der lateinischen Liturgiesprache bis ins 11. Jh. (Texte und
Arbeiten I 1. Beiheft). Beuron 1941: 509

A. Drexel, Liturgia sacra. Compendium Institutionum systematico-historicarum liturgiae
ad usum auditorum theologiae ac sacerdotum. Schanghai 1949: 510

1 9 5 0 (Bd. 72)

H. Schürmann, Aufbau und Struktur der neutestamentlichen Verkündigung (Paderborner
Schriften zur Pädagogik und Katechetik 2). Paderborn 1949: 122

Fr. X. Arnold, Grundsätzliches und Geschichtliches zur Theologie der Seelsorge. Das
Prinzip des Gott-Menschlichen (Untersuchungen zur Theologie der Seelsorge 2). Freiburg i. Br. 1949: 122

Fr. M. Willam, Der Lehrstückkatechismus als ein Träger der katechetischen Erneuerung.
Freiburg i. Br. 1949: 123

R. Beron, Kinder- und Hausbibel mit vielen Bildern, Psalmen, Gebeten und Liedern und
einem frohen Gang durchs Kirchenjahr. Freiburg i. Br. 1948: 124

R. J. Deferrari, Our Quest for Happiness. A textbook series for High School Religion.
Chikago 1949: 124

La Messe et sa Catéchèse. Vanves, 30. 4. — 4. 5. 1946 (Lex orandi 7). Paris 1947: 125

K. Wilk, Große Menschen. Eine Kirchengeschichte in Heiligenleben. St. Florian ²1948: 126

P. A. Budik, Leuchten auf dem Lebensweg. Das Heiligenleben in Beispielen. St. Gabriel
bei Mödling 1948: 126

Th. Klauser, Der Ursprung der bischöflichen Insignien und Ehrenrechte (Bonner Akademische Reden 1). Krefeld o. J. (1949): 247

P. Bruylants, Concordance verbale du sacramentaire Léonien (Extrait de l'Archivum
Latinitatis Medii Aevi XVIII). Löwen o. J. (1948): 247

J. M. Hanssens (Hg.), Amalarii episcopi Opera liturgica omnia. Bd. I u. II (Studi e Testi
138/139). Città del Vaticano 1948: 247

W. R. Bonniwell, A History of the Dominican Liturgy. New York 1944: 248

H. L. Verwilst, Die dominikanische Messe. Düsseldorf 1948: 248

J. Gassner, The Canon of the Mass. Its history, theology and art. St. Louis 1949: 249

J. Pascher, Form und Formenwandel sakramentaler Feier. Münster i. W. 1949: 250

B. Capelle, Um das Wesensverständnis der Messe. Aus dem Französischen „Pour une
meilleure intelligence de la Messe" übertragen v. H. Krömler (In viam salutis 2). Salzburg o. J. (1949): 250

J. Weingartner, Tiroler Bildstöcke (Österreichische Volkskultur. Forschungen zur Volkskunde 4). Wien 1948: 252

H. Schmidt (Hg.), Bullarium Anni Sancti (Textus et documenta, ser. theol. 28). Rom
1949: 252

G. Ellard, Christian Life and Worship. Milwaukee ⁷1947: 251

Fr. Grass, Pfarrei und Gemeinde im Spiegel der Weistümer Tirols. Innsbruck 1950: 375

K. Lechner, Pfarrei und Laie. Ein Beitrag zum Problem der Großstadtseelsorge. Wien
1949: 376

R. Egenter, Kitsch und Christenleben. Ettal 1950: 376

J. B. Westermayr, Wege zu Kind und Volk. Beiträge zur Psychologie der katholischen
Religionspädagogik und Seelsorge. Regensburg 1948: 376

1 9 5 1 (Bd. 73)

E. Kleineidam u. a. (Hg.), Amt und Sendung. Beiträge zu seelsorglichen und religiösen
Fragen. Freiburg i. Br. 1950: 103

Fr. M. Willam, Unser Weg zu Gott. Ein Buch für religiöse Selbstbildung. Innsbruck
1951: 107

A. Stuiber, Libelli sacramentorum Romani. Untersuchungen zur Entstehung des sogen. Sacramentarium Leonianum (Theophaneia 6). Bonn 1950: 250

J. M. Hanssens (Hg.), Amalarii episcopi Opera liturgica omnia. Tom. III. Città del Vaticano 1950: 250

Fr. J. Peters, Beiträge zur Geschichte der Kölnischen Meßliturgie. Untersuchungen über die gedruckten Missalien des Erzbistums Köln (Colonia Sacra 2). Köln 1951: 251

H. Siegert, Griechisches in der Kirchensprache. Ein sprach- und kulturgeschichtliches Wörterbuch. Heidelberg 1950: 252

M. M. Solowij, De reformatione liturgica Heraclii Lisowskyj archiepiscopi Polocensis (1784—1809) (Analecta O.S.B.M. II 1, 2). Rom 1950: 252

H. A. P. Schmidt, Liturgie et langue vulgaire. Le problème de la langue liturgique chez les premiers Réformateurs et au Concil de Trente (Analecta Gregoriana 53). Rom 1950: 252

Breviarium Romanum ex decreto ss. Concilii Tridentini restitutum. Editio nova typica. 4 Bde. Rom 1949: 254

M. Andrieu, Les Ordines Romani du haut Moyen Age. III. Les textes (Ordines XIV — XXXIV) (Spicilegium Sacrum Lovaniense 24). Löwen 1951: 371

E. Munding, Die Kalendarien von St. Gallen aus 21 Hss (9. bis 11. Jh.). Texte (Texte und Arbeiten I 36). Beuron 1948/50: 372

A. Dold, Geschichte eines karolingischen Plenarmissales. Sonderdruck aus Archivalische Zeitschrift 46 (1950). München 1950: 372

A. Kolping, Petrus Damiani: Das Büchlein vom Dominus vobiscum. Vom Geiste, der den einsamen Beter des Stundengebetes erfüllen soll. Düsseldorf 1949: 372

A. M. Forcadell, Commemoratio Solemnis B. Mariae Virginis de Monte Carmelo. Historia et Liturgia (Bibliotheca sacri Scapularis 2). Rom 1951: 373

J. Brinktrine, Die heilige Messe. Paderborn ³1950: 373

H. Kuhaupt, Die Feier der Eucharistie. I: Die Grundmöglichkeiten. II: Die Aufbauelemente. Münster i. W. 1950/51: 373

J. Hacker, Die Messe in den deutschen Diözesan-, Gesang- und Gebetbüchern von der Aufklärung bis zur Gegenwart. Mit einem Überblick über die Geschichte dieser Bücher (Münchener Theologische Studien II 1). München 1950: 374

J. Wagner — D. Zähringer (Hg.), Eucharistiefeier am Sonntag. Reden und Verhandlungen des Ersten deutschen Liturgischen Kongresses. Trier 1951: 374

Th. Bogler (Hg.), Liturgische Erneuerung in aller Welt. Ein Sammelbericht. Maria Laach 1950: 375

Liturgisches Jahrbuch. 1. Bd. (1951). Münster i. W.: 375

H. Sedlmayr, Die Entstehung der Kathedrale. Zürich 1950: 376

A. Stange, Das frühchristliche Kirchengebäude als Bild des Himmels. Köln 1950: 376

J. Weingartner, Die Kirchen Innsbrucks. Innsbruck ²1950: 377

A. Wallenstein, Kindheit und Jugend als Erziehungsaufgabe. Freiburg i. Br. 1951: 504

Lumen Vitae. Revue internationale de la formation religieuse. 5 (1950), Heft 4 und Doppelheft 6 (1951) Heft 1 u. 2. Brüssel: 505

1952 (Bd. 74)

F. van der Meer, Augustinus der Seelsorger. Leben und Wirken eines Kirchenvaters. Aus dem Holländischen übers. v. N. Greitemann. Köln 1951: 249

R. Füglister, Die Pastoraltheologie als Universitätsdisziplin. Eine historisch-theologische Studie. Freiburg/Schweiz 1951: 362

L. Bopp, Unsere Seelsorge in geschichtlicher Sendung. Wege zu einer gültigen Pastorisation (Untersuchungen zur Theologie der Seelsorge 4). Freiburg i. Br. 1952: 362

Th. Kampmann, Die Gegenwartsgestalt der Kirche und die christliche Erziehung (Paderborner Schriften zur Pädagogik und Katechetik 3). Paderborn 1951: 366

A. Heuser — J. Solzbacher, Katholischer Religionsunterricht (Pädagogische Bücherei 15). Hannover 1949: 366

Y. M. J. Congar, Le Christ, Marie et l'Église. Brügge 1952: 367

R. Guardini u. a. (Hg.), Christliche Besinnung. Eine religiöse Hausbibliothek. Bd. 1—5. Würzburg 1950 ff: 368

B. Brinkmann, Kleines Katholisches Kirchenlexikon. Kevelaer o. J. (1951): 368

K. Becker — M. Peter, Das heilige Vaterunser. Ein Werkbuch. Freiburg i. Br. 1951: 368

E. Pan, Katechetische Skizzen für die IV. Klasse der Hauptschule. Im Anschluß an den Lehrplan für den katholischen Religionsunterricht an den Volks- und Hauptschulen Österreichs. 4 Bde. Mödling o. J. (1950): 369

E. Pan, Katechetische Stundenbilder für die Hauptschule. 1. u. 2. Bd. Mödling o. J. (1951): 369

J. Daniélou, Bible et Liturgie. La théologie biblique des Sacraments et des fêtes d'après les Pères de l'Église (Lex orandi 11). Paris 1951: 370

B. Botte (Hg.), Ambroise de Milan, Des Sacrements. Des Mystères (Sources Chrétiennes 25). Paris 1950: 371

M. Steinheimer, Die δόξα τοῦ θεοῦ in der römischen Liturgie (Münchener Theologische Studien II 4). München 1951: 371

W. Dürig, Imago. Ein Beitrag zur Terminologie und Theologie der römischen Liturgie (Münchener Theologische Studien II 5). München 1952: 372

J. Baur, Die Brixner Synode von 1318 in ihrer liturgiegeschichtlichen Bedeutung (Sonderdruck aus der „Festschrift zur Feier des 200jährigen Bestandes des Haus-, Hof- und Staatsarchivs Wien" II, Wien 1952): 373

L. Thomassin, Über das göttliche Offizium und seine Verbindung mit dem inneren Gebet. Düsseldorf 1952: 374

Th. Klauser, The western Liturgy and its history. Some reflections on recent studies. Translated by F. L. Cross. London 1952: 374

1 9 5 3 (Bd. 75)

J. Hemlein, Bernard Galuras Beitrag zur Erneuerung der Kerygmatik (Freiburger Theologische Studien 65). Freiburg i. Br. 1952: 122

B. Fischer, Was nicht im Katechismus stand. Fünfzig Christenlehren über die Liturgie der Kirche. Trier 1952: 123

H. Faßbinder, Gnade und Wahrheit durch Jesus Christus. Eine Darstellung katholischen Glaubens und Lebens. Trier 1952: 123

L. Esch, Neue Lebensgestaltung in Christus. Wege des jungen Menschen zu innerer Größe. Würzburg 1952: 124

J. Pascher, Eucharistia. Gestalt und Vollzug. Münster i. W. ²1953: 238

J. M. Hanssens, Nature et genèse de l'office des Matines (Analecta Gregoriana 57). Rom 1952: 239

B. Fischer — V. Fiala (Hg.), Colligere fragmenta. Festschrift A. Dold zum 70. Geburtstag (Texte und Arbeiten I 2. Beiheft). Beuron 1952: 239

A. Dold, Das Sakramentar im Schabcodex M 12 sup. der Bibliotheca Ambrosiana mit hauptsächlich altspanischem Formelgut in gallischem Rahmenwerk (Texte und Arbeiten I 43). Beuron 1952: 240

Fr. J. Peters, Liturgische Feiern des St. Cassiusstiftes in Bonn. Essen 1952: 241

A. Krempel, Der Sinn des Meßopfers. Aus seinem Wortlaut erschlossen. Luzern ³1953: 241

Die Einheitslieder der österreichischen Bistümer. Authentische Gesamtausgabe. Hg. v. Institutum Liturgicum Salzburg. Salzburg o. J. (1953): 242

R. Gutzwiller, Meditationen über Matthäus. II. Bd. Zürich 1952: 248

A. Rétif, Foi au Christ et Mission d'après les Actes des Apôtres. Paris 1953: 380

1 9 5 4 (Bd. 76)

J. A. Jungmann, Katechetik. Aufgabe und Methode der religiösen Unterweisung. Wien - Freiburg i. Br. 1953: 121

Die Hegge. Gegenwartsaufgaben christlicher Volksbildung (Die Hegge. Schriften zur christlichen Frauenbildung 8/9). Paderborn 1953: 121

Archiv für Liturgiewissenschaft. III. Bd., 1. Halbbd. Regensburg 1953: 243

Liturgisches Jahrbuch. III. Bd., 1. Halbbd. Münster i. W. 1953: 244

Passauer Studien. Festschrift für S. K. Landersdorfer. Passau 1953: 245

E. Mercenier, La Prière des Églises de Rite byzantin. II: Les fêtes. 1: Grandes fêtes fixes. Chevetogne ²1953: 245

A. Baumstark, Liturgie comparée. Principes et méthode pour l'étude historique des liturgies chrétiennes. Chevetogne ³1953: 246

B. Botte — Ch. Mohrmann, L'Ordinaire de la Messe. Texte critique, traduction et études (Études liturgiques 2). Löwen 1953: 246

H. Faehn, Fire norske Messeordninger fra Middelalteren utgitt med Innledning og Analyse (Norske Videnskaps-Akademi i Oslo, Hist.-filos. Klasse 5). Oslo 1953: 247

P. Brunner, Die Wormser deutsche Messe (S.-A. aus „Kosmos und Ekklesia", Festschrift W. Stählin). Kassel 1953: 247

B. Opfermann, Die liturgischen Herrscherakklamationen im Sacrum Imperium des Mittelalters. Weimar 1953: 248

A. Dörrer, Alte Mahlgemeinschaften im Lichte ihrer Zeit (S.-A. aus der Zeitschrift der Savigny-Stiftung für Rechtsgeschichte 70 [1953] 267—311). Weimar 1953: 248

J. Kollwitz, Das Christusbild des dritten Jahrhunderts (Orbis antiquus 9). Münster i. W. 1953: 249

K. B. Frank, Kernfragen christlicher Kunst. Grundsätzliches und Erläuterungen zur Unterweisung des Hl. Offiziums vom 30. 6. 1952. Wien 1953: 249

R. Müller-Erb, Die Verkündigung des Christlichen in der Kunst der Gegenwart. Stuttgart 1949: 250

H. Schlier, Die Verkündigung im Gottesdienst der Kirche. Köln 1953: 250

A. Bugnini (Hg.), Documenta Pontificia ad instaurationem liturgicam spectantia (1903 et 1953). Rom 1953: 250

B. Lutz, Wagnis und Gnade. Ein Priesterbuch für junge Menschen. Würzburg 1954: 373

K. Brockmöller, Christentum am Morgen des Atomzeitalters. Frankfurt a. M. 1954: 373

Jesuiten. Stimmen aus ihren eigenen Reihen. Heft 1. Graz - Köln 1954: 374

R. Rudolf, Thomas Peuntners Betrachtungen über das Vaterunser und das Ave Maria nach österreichischen Handschriften herausgegeben und untersucht. Wien 1953: 374

Fr. Bläcker, Johann Bapt. v. Hirscher und seine Katechismen in zeit- und geistesgeschichtlichem Zusammenhang. Ein Beitrag zur Katechismusfrage der Gegenwart (Untersuchungen zur Theologie der Gegenwart 6). Freiburg i. Br. 1953: 374

L. Lentner, Religionsunterricht zwischen Methode und freier Gestaltung. Die elementare religiöse Unterweisung in Frankreich (Veröffentlichungen des erzb. Amtes f. Unterricht u. Erziehung/Katechetisches Institut Wien 1). Innsbruck 1953: 375

1955 (Bd. 77)

L. Eizenhöfer, Canon Missae Romanae (Collectanea Anselmiana, Series minor 1). Rom 1954: 120

A. Dold, Lehrreiche Basler Brevier-Fragmente. Wege zu ihrer Bestimmung und Erschließung (Texte und Arbeiten I 44). Beuron 1954: 121

R. Metz, La Consécration des Vierges dans l'Église Romaine (Bibliothèque de l'Institut de Droit Canonique 4). Paris 1954: 121

Eucharistie und Katechese. Beiträge zur eucharistischen Erziehung der Kinder. Hg. v. Deutschen Katechetenverein. Freiburg i. Br. 1954: 122

L. Beauduin, Mélanges liturgiques recueillis parmis ses œuvres, à l'occasion de ses 80 ans. Löwen 1954: 123

A. Henze, Kirchliche Kunst der Gegenwart. Unter Mitarbeit von Th. Filthaut. Recklinghausen 1954: 123

Th. Bogler (Hg.), Erneuerung der Liturgie. Schwierigkeiten — Wünsche — Vorschläge. Gesammelte Aufsätze (Liturgie und Mönchtum, 3. Folge, Heft XIV). Maria Laach 1954: 124

E. B. Koenker, The Liturgical Renaissance in the Roman Catholic Church. Chikago 1954: 124

L. Bouyer, Liturgical Piety (Liturgical Studies 1). Notre Dame (Indiana) 1955: 125

M. Righetti, Storia liturgica. II: L'anno liturgico. Il Breviario. Mailand ²1955: 498

B. Luykx, De Oorsprong van het gewone der Mis. Utrecht 1955: 498

C. Korolevskij, Liturgie en langue vivante (Lex orandi 18). Paris 1955: 499

A. Bugnini — I. Bellochio, De Rubricis ad simpliciorem formam redigendis. Commentarium. Rom 1955: 499

P. Salmon, Étude sur les Insignes du Pontife dans le Rite Romain. Histoire et Liturgie. Rom 1955: 500

E. Stommel, Beiträge zur Ikonographie der konstantinischen Sarkophagplastik (Theophaneia 10). Bonn 1954: 500

A. Schwerd, Hymnen und Sequenzen, ausgewählt und erklärt. München 1954: 501

A. Dold, Sursum Corda. Hochgebete aus alten lateinischen Liturgien (Wort und Antwort 9). Salzburg 1954: 501

N. Gogol, Betrachtungen über die göttliche Liturgie. Übertragen v. R. v. Walter (Zeugen des Wortes). Freiburg i. Br. ²1954: 502

F. Connan, La Messe. Les chrétiens autour de l'autel. Par les Prêtres de la Communauté sacerdotale de S. Séverin. Brügge 1955: 502

Th. Schnitzler, Die Messe in der Betrachtung. I: Kanon und Konsekration. Freiburg i. Br. 1955: 502

1 9 5 6 (Bd. 78)

A. Burgardsmeier, Religiöse Erziehung in psychologischer Sicht. Düsseldorf ²1955: 247

Archiv für Liturgiewissenschaft. IV. Bd. Regensburg 1955/56: 364

L. C. Mohlberg (Hg.), Sacramentarium Veronense (Cod. Bibl. Capit. Veron. LXXXV) (Rerum ecclesiasticarum Documenta, Series maior: Fontes I). Rom 1955/56: 366

Kl. Gamber, Wege zum Urgregorianum. Erörterung der Grundfragen und Rekonstruktionsversuch des Sakramentars Gregors d. Gr. vom Jahre 592 (Texte und Arbeiten I 46). Beuron 1956: 367

Ph. Schmitz — Ch. Mohrmann (Hg.), Sancti Benedicti Regula monachorum. Textus critico-practicus sec. cod. Sangall. 914. Maredsous ²1955: 367

Fr. Wellner (Hg.), Adam von Sankt Viktor, Sämtliche Sequenzen lateinisch und deutsch. München ²1955: 367

R. Peil, Handbuch der Liturgik für Katecheten und Lehrer. Freiburg i. Br. 1955: 368

Das Mysterium des Todes. Aus dem Französischen übers. v. A. Kraus. Frankfurt a. M. 1955: 368

J. Storck, Unsere Liebe Frau vom heiligsten Herzen Jesu. Geschichtliche und dogmatische Untersuchung ihrer Verehrung. Münster i. W. 1954: 369

H. Rondet, Joseph von Nazareth. Gestalt und Verehrung. Mit einem Anhang von ausgewählten Texten und Gebeten. Freiburg i. Br. 1956: 369

J. Pieper, Weistum — Dichtung — Sakrament. Aufsätze und Notizen. München 1954: 377

Der Große Herder. Nachschlagewerk für Wissen und Leben. VIII. Bd.: Sade — Tessin. Freiburg i. Br. ⁵1956: 378

H. Nottarp (Hg.), Monumentum Bambergense. Festgabe für B. Kraft (Bamberger Abhandlungen und Forschungen 3). München 1955: 378

M. Pfliegler, Der lebendige Christ vor der wirklichen Welt. Gesammelte Besinnungen. Innsbruck ⁵1955: 501

Der Weg aus dem Ghetto. Vier Beiträge. Köln 1955: 502

J. Ledit, Le front des pauvres. Montreal 1954: 502

1 9 5 7 (Bd. 79)

A. L. Gabriel, Student life in Ave Maria College, Medieval Paris (Publications in Mediaeval Studies 14). Notre Dame (Indiana) 1955: 108

K. Rudolf (Hg.), Der christliche Sonntag. Probleme und Aufgaben. Wiener Seelsorgertagung 1955. Wien 1956: 368

Fr. X. Arnold, Seelsorge aus der Mitte der Heilsgeschichte. Pastoraltheologische Durchblicke. Freiburg i. Br. 1956: 369

P. Broutin, La Reforme pastorale en France au XVIIe siècle (Bibliothèque de Théologie, Serie II, vol. 2). 2 Bde. Paris 1956: 369

J. A. Corbett, The De instructione puerorum of William of Tournai (Texts and Studies in the History of Mediaeval Education 3). Notre Dame (Indiana) 1955: 370

A. P. Lang, Leo der Große und die Texte des Altgelasianums mit Berücksichtigung des Sacramentarium Leonianum und des Sacramentarium Gregorianum. Steyl 1957: 370

L. C. Mohlberg (Hg.), Missale Francorum (Cod. Vat. Reg. lat. 257) (Rerum ecclesiasticarum documenta, series maior: fontes II). Rom 1957: 371

M. Andrieu, Les Ordines Romani du Haut Moyen Age IV. Les Textes (suite): Ordines XXXV—XLIX (Spicilegium Sacrum Lovaniense 28). Löwen 1956, 372

Br. Grießer, Die „Ecclesiastica officia Cisterciensis Ordinis" des Cod. 1711 von Trient. Rom 1956: 373

G. M. Sölch, Die Eigenliturgie der Dominikaner. Eine Gesamtdarstellung (Für Glauben und Leben 7). Düsseldorf 1957: 373

H. A. P. Schmidt (Hg.), Hebdomada Sancta I. Contemporanei textus liturgici, documenta Piana et bibliographia. Rom 1956: 374

U. Björkman, Stilla Veckan i Gudstjänst och Fromhetsliv (Bibliotheca Theologiae practicae 2). Lund 1957: 374

S. Helander, Ordinarius Lincopensis (ca. 1400) och dess liturgiska förebilder. Ordinarius Lincopensis und seine liturgischen Vorbilder. Mit einer deutschen Zusammenfassung (Bibliotheca Theologiae practicae 4). Lund 1957: 375

N. Grass (Hg.), Ostern in Tirol. Innsbruck 1957: 375

L. A. Veit — L. Lenhart, Kirche und Volksfrömmigkeit im Zeitalter des Barock. Freiburg i. Br. 1956: 376

O. F. ter Reegen, De Sacramentsprocessie. Onderzoek naar de bronnen van het processieceremonieel in het Caeremoniale Episcoporum (S.-A. aus SS. Eucharistia 1956). Nijmegen 1956: 376

Liturgica I. Cardinali I. A. Schuster in memoriam (Scripta et Documenta 7). Montserrat 1956: 377

H. Emonds (Hg.), Enkainia. Festschrift zum 800jährigen Weihegedächtnis der Abteikirche Maria Laach. Düsseldorf 1956: 377

Fr. Amiot, Histoire de la Messe (Je sais — je crois 109). Paris 1956: 378

G. Ellard, The Mass in transition. Milwaukee 1956: 378

J. L. Murphy, The Mass and Liturgical Reform. Milwaukee 1956: 379

A. J. Vermeulen, The semantic development of Gloria in early-Christian Latin (Latinitas Christianorum Primaeva 12). Nijmegen 1956: 379

G. Schreiber, Irland im deutschen und abendländischen Sakralraum. Zugleich ein Ausblick auf St. Brandan und die zweite Kolumbusreise (Arbeitsgemeinschaft für Forschung des Landes Nordrhein-Westfalen 9). Köln 1956: 380

A. Beil, Einheit in der Liebe. Von der betenden Kirche zur gelebten Gemeinschaft. Freiburg i. Br. 1955, ³1955: 380

1 9 5 8 (Bd. 80)

F. L. Cross (Hg.), The Oxford Dictionary of the Christian Church. London 1957: 362

G. Schreiber, Deutschland und Österreich. Deutsche Begegnungen mit Österreichs Wissenschaft und Kultur. Erinnerungen aus den letzten Jahrzehnten. Köln - Graz 1956: 363

L. C. Mohlberg (Hg.), Missale Gallicanum vetus (Rerum ecclesiasticarum Documenta, ser. maior: Fontes III). Rom 1958: 474

A. Dold, Palimpsest-Studien II. Altertümliche Sakramentar- und Litanei-Fragmente im Cod. lat. Monac. 6333 (Texte und Arbeiten 48). Beuron 1957: 474

A. Hänggi, Der Rheinauer Liber ordinarius (Zürich Rh 80, Anf. 12. Jh.) (Spicilegium Friburgense. Texte zur Geschichte des kirchlichen Lebens 1). Freiburg/Schweiz 1957: 475

G. G. Meersseman, Der Hymnos akathistos im Abendland (Spicilegium Friburgense 2). Freiburg/Schweiz 1958: 476

Pl. F. Lefèvre, La liturgie des Prémontré. Histoire, Formulaire, Chant et Cérémonial (Bibliotheca Analectorum Praemonstratensium 1). Löwen 1957: 476

H. Schmidt (Hg.), Hebdomada Sancta II. Fontes historici, Commentarius historicus. Rom 1957: 476

Th. Schäfer, Die Fußwaschung im monastischen Brauchtum und in der lateinischen Liturgie (Texte und Arbeiten I 47). Beuron 1956: 478

A. Stenzel, Die Taufe. Eine genetische Erklärung der Taufliturgie (Forschungen zur Geschichte der Theologie und des innerkirchlichen Lebens 7/8). Innsbruck 1958: 478

C. A. Bouman, Sacring and Crowning. The development of the latin ritual for the Anointing of kings and the Coronation of an emperor before the eleventh century. Groningen 1957: 478

E. H. Kantorowicz, Laudes regiae. A study in liturgical acclamations and mediaeval ruler worship. With a study of the Music of the Laudes by M. F. Bukofzer. Berkeley — Los Angeles 1958: 479

J. A. Jungmann (Hg.), Brevierstudien. Referate aus der Studientagung von Assisi, 14. bis 17. September 1956. Trier 1958: 479

A. Dörrer, Tiroler Umgangsspiele. Ordnungen und Sprechtexte der Bozner Fronleichnamsspiele und verwandter Figuralprozessionen vom Ausgang des Mittelalters bis zum Abstieg des Aufgeklärten Absolutismus (Schlern-Schriften 160). Innsbruck 1957: 480

J. Staber, Volksfrömmigkeit und Wallfahrtswesen des Spätmittelalters im Bistum Freising. München 1955: 481

Ch. Mohrmann, Études sur le Latin des chrétiens. Rom 1958: 481

J. F. Lescrauwaert, Die liturgische Beweging onder de Nederlandse Hervormden in oecumenisch perspectief. Een fenomenologische en kritische studie. Bussum 1957: 481

J. Hofinger — J. Kellner, Liturgische Erneuerung in der Weltmission. Innsbruck 1957: 482

H. A. Reinhold, The American Parish and the Roman Liturgy. New York 1958: 482

J. Wagner (Hg.), Erneuerung der Liturgie aus dem Geist der Seelsorge unter dem Pontifikat Papst Pius XII. Akten des Ersten Internationalen Pastoralliturgischen Kongresses zu Assisi. Trier 1957: 483

1 9 5 9 (Bd. 81)

B. I. Kilström, Den kateketiska undervisningen i Sverige under mideltiden. Der katechetische Unterricht in Schweden während des Mittelalters (Bibliotheca theologiae practicae 8). Lund 1958: 254

Liturgisch Woordenboek. Roermond 1958: 255

Archiv für Liturgiewissenschaft. Regensburg 1957/58: 255

J. Janini, Siricio y las cuatro temporas. Una investigación sobre las fuentes de la espiritualidad seglar y del Sacramentario Leoniano. Valencia 1958: 256

E. Kähler, Studien zum Te Deum und zur Geschichte des 24. Psalms in der Alten Kirche. Göttingen 1958: 256

H. Pétré (Hg.), Die Pilgerreise der Aetheria. Übersetzt v. K. Vretska. Klosterneuburg 1958: 257

A. Franceschini — R. Weber, Itinerarium Egeriae. Turnhout 1958: 257

Fr. Faessler, Der Hagios-Begriff bei Origenes. Ein Beitrag zum Hagios-Problem (Paradosis 13). Freiburg/Schweiz 1958: 257

M. Herz, Sacrum commercium. Eine begriffsgeschichtliche Studie zur Theologie der römischen Liturgiesprache (Münchener Theologische Studien II 15). München 1958: 258

W. Dürig, Pietas liturgica. Studien zum Frömmigkeitsbegriff und zur Gottesvorstellung der abendländischen Liturgie. Regensburg 1958: 258

Fr. X. Weiser, Handbook of Christian Feasts and Customs. The Year of the Lord in Liturgy and Folklore. New York 1958: 259

L. Lochet, Die Sendung der Kirche im 20. Jahrhundert. Freiburg i. Br. 1958: 499

H. Peichl (Hg.), Der Tag des Herrn. Die Heiligung des Sonntags im Wandel der Zeit (Studien der Wiener Kath. Akademie). Wien 1958: 499

K. Rudolf (Hg.), Pascha Domini. Fragen zur Liturgie und Seelsorge. Wien 1959: 500

C. S. Lewis, Christentum schlechthin (Herder-Bücherei 49). Freiburg i. Br. 1959: 500

K. Ruh (Hg.), Bonaventura ,De triplici via' in altschwäbischer Übertragung (Texte des späten Mittelalters 6). Berlin 1957: 501

1 9 6 0 (Bd. 82)

H. A. P. Schmidt, Introductio in liturgiam occidentalem. Rom 1959: 125

C. Vagaggini, Theologie der Liturgie. Ins Deutsche übertr. u. bearb. v. A. Berz. Einsiedeln 1959: 126

M. Righetti, Manuale di Storia Liturgica IV: I sacramenti. I sacramentali. Indice generali. Mailand ²1959: 127

N. Abercombie, The Life and Work of Edmund Bishop. London 1959: 127

Th. Freudenberger (Hg.), Hieronymus Emser, Schriften zur Verteidigung der Messe (Corpus Catholicorum 28). Münster i. W. 1959: 127

H. R. Schlette, Die Lehre von der geistlichen Kommunion bei Bonaventura, Albert dem Großen und Thomas von Aquin (Münchener Theologische Studien II 17). München 1959: 128

H. J. Gräf, Palmenweihe und Palmenprozessionen in der lateinischen Liturgie (Veröffentlichungen des Missionspriesterseminars St. Augustin 5). Kaldenkirchen 1959: 128

G. Schreiber, Die Wochentage im Erlebnis der Ostkirche und des christlichen Abendlandes (Wissenschaftliche Abhandlungen der Arbeitsgemeinschaft f. Forschung des Landes Nordrhein-Westfalen 11). Köln 1959: 129

J. Baur, Volksfrommes Brauchtum Südtirols. Innsbruck 1959: 130

P. Salmon, Les ,tituli psalmorum' des manuscrits latins (Collectanea Biblica latina 12). Rom 1959: 130

J. Mateos, Lelya-Sapra. Essai d'interprétation des Matines chaldéennes (Orientalia Christiana Analecta 156). Rom 1959: 131

P. H. Corbett, The Latin of the Regula Magistri with particular reference to its colloquial aspects (Université de Louvain, Travaux d'histoire et de philosophie IV 17). Löwen 1958: 131

H. Bacht (Hg.), Die Tage des Herrn. I. Winter. II. Frühling. Frankfurt a. M. 1959/60: 251

I. F. Görres, Der göttliche Bettler und andere Versuche. Frankfurt a. M. 1959: 252

Th. Filthaut, Grundfragen liturgischer Bildung (Schriften zur katechetischen Unterweisung 7). Düsseldorf 1960: 380

H. Fischer, Eucharistiekatechese und liturgische Erneuerung. Rückblick und Wegweisung. Düsseldorf 1959: 380

C. Eichenseer, Das Symbolum Apostolorum beim heiligen Augustinus. Mit Berücksichtigung des dogmengeschichtlichen Zusammenhangs (Kirchengeschichtliche Quellen und Studien 4). St. Ottilien 1960: 381

J. Doresse — E. Lanne, Un témoin archaique de la liturgie copte de S. Basile. En annexe: B. Capelle, Les liturgies ,basiliennes' et saint Basile (Bibliothèque du Muséon 47). Löwen 1960: 490

G. Pomarès (Hg.), Gélase I., Lettre contre les Lupercales et dixhuit Messes du Sacramentaire Léonien (Sources chrétiennes 65). Paris 1959: 490

A. Quacquarelli, Retorica e liturgia antenicena (Richerche Patristiche 1). Rom - Tournai 1960: 491

G. Hürlimann, Das Rheinauer Rituale (Zürich Rh 114, Anfang 12. Jh.) (Spicilegium Friburgense 5). Freiburg/Schweiz 1959: 492

O. Casel, Das christliche Kultmysterium. 4. durchges. u. erw. Aufl. hg. v. B. Neunheuser. Regensburg ⁴1960: 493

B. Durst, Die Eucharistiefeier als Opfer der Gläubigen. Rottenburg a. N. 1960: 493

G. Kalt, Die Feier der heiligen Eucharistie. Vom Werden und Sinn ihrer liturgischen Form. Luzern 1959: 494

J. Tyciak, Heilige Theophanie. Kultgedanken des Morgenlandes. Trier 1959: 495

Th. Bogler (Hg.), Eucharistiefeiern in der Christenheit. Gesammelte Aufsätze (Liturgie und Mönchtum 26). Maria Laach 1960: 495

A. Kirchgässner (Hg.), Unser Gottesdienst. Überlegungen und Anregungen. Freiburg i. Br. 1960: 495

J. Hofinger (Hg.), Mission und Liturgie. Der Kongreß von Nimwegen 1959. Mainz 1960: 496

M. C. McCarthy, The Rule of Nuns of St. Caesarius of Arles. A translation with a critical introduction (Studies in Mediaeval History N. S. 16). Washington 1960: 496

G. Schreiber, Die vierzehn Nothelfer in Volksfrömmigkeit und Sakralkultur. Symbolkraft und Herrschaftsbereich der Wallfahrtskapelle, vorab in Franken und Tirol (Schlern-Schriften 168). Innsbruck 1959: 497

J. A. Jungmann, Symbolik der katholischen Kirche. Mit Anhang v. E. Sauser, Symbolik des katholischen Kirchengebäudes (Symbolik der Religionen 6). Stuttgart 1960: 497

1 9 6 1 (Bd. 83)

H. Herrmann, Schwache Punkte im Glaubensleben. Frankfurt a. M. 1961: 249

I. Auf der Maur, Mönchtum und Glaubensverkündigung in den Schriften des hl. Johannes Chrysostomus (Paradosis 14). Freiburg/Schweiz 1959: 249

H.-O. Weber, Die Stellung des Johannes Cassianus zur außerpachomianischen Mönchstradition. Eine Quellenuntersuchung (Beiträge zur Geschichte des alten Mönchtums und des Benediktinerordens 24). Münster i. W. 1960: 250

G. G. Meersseman, Der Hymnos akathistos im Abendland II. Grundpsalter, Grußorationen, Gaudeandachten und Litaneien (Spicilegium Friburgense 3). Freiburg/Schweiz 1960: 250

Robert of Bridlington, The Bridlington Dialogue. An exposition of the Rule of St. Augustine for the life of the Clergy. Transl. et ed. by a Religious of C. S. M. V. London 1960: 251

W. v. Pfaundler, Sankt Romedius, ein Heiliger aus Tirol. Wien 1961: 251

Cl. J. Fuerst, Normae scriptis edendis in disciplinis ecclesiasticis. Rom 1961: 389

Fr. Rennhofer, Bücherkunde des katholischen Lebens. Bibliographisches Lexikon der religiösen Literatur der Gegenwart. Wien 1961: 389

P. Radó, Enchiridion liturgicum, complectens theologiae sacramentalis et dogmata et leges. Rom 1961: 502

A. G. Martimort, L'Église en Prière. Introduction à la Liturgie. Paris 1961: 303

A. Dold — Kl. Gamber, Das Sakramentar von Salzburg, seinem Typus nach auf Grund der erhaltenen Fragmente rekonstruiert, in seinem Verhältnis zum Paduanum untersucht, neu herausgegeben (Texte und Arbeiten I, Beiheft 4). Beuron 1960: 504

H. Reifenberg, Messe und Missalien im Bistum Mainz seit dem Zeitalter der Gotik (Liturgiewissenschaftliche Quellen und Forschungen 37). Münster i. W. 1960: 504

J. Molitor, Chaldäisches Brevier. Ordinarium des ostsyrischen Stundengebets. Übersetzt und erklärt. Düsseldorf 1961: 505

P. Salmon, Mitra und Stab. Pontifikalinsignien im römischen Ritus. Mainz 1960: 505

Eucharistiefeier in der Pfarrgemeinde. Vorträge der Pastoralliturgischen Werkwoche. Hg. v. Seelsorgeamt Trier. Trier 1961: 508

1 9 6 2 (Bd. 84)

A. Paredi — G. Fassi, Sacramentarium Bergomense. Manoscritto del secolo IX della Biblioteca di S. Alessandro in Colonna in Bergamo. Bergamo 1962: 387

L. C. Mohlberg (Hg.), Missale Gothicum (Rerum ecclesiasticarum documenta, Fontes 5). Rom 1961: 387

P. Siffrin, Konkordanztabellen zu den lateinischen Sakramentarien III: Missale Gothicum (Rerum ecclesiasticarum documenta, Subsidia studiorum 6). Rom 1961: 388

M. Andrieu, Les Ordines Romani du haut Moyen Age. V. Les textes (suite): Ordo L. Löwen 1961: 388

P. Kallenberg, Fontes liturgiae Carmelitanae (Textus et Studia hist. Carm. 5). Rom 1962: 389

L. Gherardi, Il Codice Angelica 123, monumento della Chiesa Bolognese del. sec. XI (Biblioteca di Quadrivium, serie liturgica 1). Bologna 1960: 389

H. A. M. Hoppenbrouwers, Recherches sur la terminologie du martyre de Tertullien à Lactance (Latinitas Christianorum primaeva 15). Nimwegen 1961: 391

P. Massi, L'assemblea del populo di Dio. I: Nella storia della salvezza. Ascoli Piceno 1962: 392

Ekklesia. Festschrift für M. Schwer. Dargeboten von der Theologischen Fakultät Trier (Trierer Theologische Studien 15). Trier 1962: 392

M. Breydy, L'Office divin dans l'Église syro-maronite. Son obligation à la lumière du Synode Libanais et des sources juridiques. Beyrouth 1960: 393

Die Eucharistiefeier der Ostkirche im byzantinischen Ritus. Auf Grund der Ausgabe v. M. Hornykewitsch vorgelegt v. H. Vorgrimler (Geist und Leben der Ostkirche. Texte und Studien zur Kenntnis ostkirchlicher Geistigkeit 2). Graz 1962: 394

G. Duffrer, Auf dem Weg zu liturgischer Frömmigkeit. Das Werk des Markus Adam Nickel (1800—1869) als Höhepunkt pastoralliturgischer Bestrebungen im Mainz des 19. Jahrhunderts (Quellen u. Abhandlungen zur mittelrheinischen Kirchengeschichte 6). Speyer 1962: 394

Statio orbis Eucharistischer Weltkongreß 1960 München. 2 Bde.: 394

M. Schmaus — K. Forster, Der Kult und der heutige Mensch. München 1961: 395

B. Senger, Laienliturgik. Kevelaer 1962: 395

Th. Schnitzler, Das Missale in Betrachtung und Verkündigung. Einsiedeln 1961: 396

Yearbook of Liturgical Studies 2 (1961). Notre Dame (Indiana): 396

1 9 6 3 (Bd. 85)

A. Mirgeler, Rückblick auf das abendländische Christentum. Mainz 1961: 105

J. Siegwart, Die Chorherren- und Chorfrauengemeinschaften in der deutschsprachigen Schweiz vom 6. Jh. bis 1160. Mit einem Überblick über die Kanonikerreform des 10. und 11. Jh. (Studia Friburgensia N. F. 30). Freiburg/Schweiz 1962: 106

E. Kleineidam — H. Schürmann (Hg.), Miscellanea Erfordiana (Erfurter Theologische Studien 12). Leipzig 1962: 106

J. Höfer (Hg.), Das Collegium Leonianum zu Paderborn. Ein Gedenkbuch. Paderborn 1962: 107

J. Hofinger — W. J. Reedy, The ABC's of modern Catechetics. New York 1962: 254

J. Hofinger, The Art of teaching Christian Doctrine. The Good News and its Proclamation. Notre Dame (Indiana) ²1962: 254

E. Maaß, Michael Gatterer. Ein Seelsorgerleben. Klagenfurt o. J. (1962): 254

N. Rocholl — I. Rocholl-Gärtner (Hg.), Im Dienst des Glaubens. Handbuch der missio canonica. Bd. I: Die theologischen Grundlagen der Glaubensverkündigung. Trier 1962: 369

Fr. Unterkircher, Das Kollektar-Pontifikale des Bischofs Baturich von Regensburg (817 — 848) (Spicilegium Friburgense 8). Freiburg/Schweiz 1962: 370

F. Combaluzier, Sacramentaires de Bergamo et d'Ariberto. Table de matières. Index des formules (Instrumenta Patristica 5). Steenbrugge 1962: 370

H. Faehn (Hg.), Manuale Norvegicum ex tribus codicibus saec. XII—XIV (Libri liturgici Provinciae Nidrosensis Medii aevi 1). Oslo 1962: 370

J. Mateos, Le Typicon de la Grande Église. Ms. Sainte-Croix n. 40, Xe siècle. Introduction, texte critique, traduction et notes. Tome I: Le cycle des douze mois (Orientalia Christiana analecta 165). Rom 1962: 371

S. Salaville — G. Nowack, Le Rôle du Diacre dans la liturgie orientale. Étude d'histoire et de liturgie (Archives de l'Orient chrétien 3). Athen 1962: 371

A. A. R. Bastiaensen, Observation sur le vocabulaire liturgique dans l'Itinéraire d'Égérie (Latinitas Christianorum primaeva 17). Nimwegen 1962: 372

W. Rordorf, Der Sonntag. Geschichte des Ruhe- und Gottesdiensttages im ältesten Christentum (Abhandlungen zur Theologie des Alten und Neuen Testaments 43). Zürich 1962: 373

K. Ritzer, Formen, Riten und religiöses Brauchtum der Eheschließung in den christlichen Kirchen des ersten Jahrtausends (Liturgiewissenschaftliche Quellen und Forschungen 38). Münster i. W. 1962: 374

Fr. Bontinck, La lutte autour de la liturgie chinoise aux XVIIe et XVIIIe siècle (Publications de l'Université Lovanium de Léopoldville 11). Löwen 1962: 374

Th. Klauser, Die abendländische Liturgie von Aeneas Silvius Piccolomini bis heute. Erbe und Aufgabe (Vorträge der Aeneas Silvius-Stiftung an der Universität Basel 1). Basel 1962: 375

N. Grass (Hg.), Beiträge zur Kultur- und Kunstgeschichte Tirols (Schlern-Schriften 167). Innsbruck 1962: 376

J. Daniélou, Liturgie und Bibel. Die Symbolik der Sakramente. München 1963: 376

G. Podhradsky, Lexikon der Liturgie. Ein Überblick für die Praxis. Innsbruck 1962: 379

G. Vann, Der Lebensbaum. Studien zur christlichen Symbolik. Einsiedeln 1962: 379

A. Heilmann — H. Kraft (Hg.), Texte der Kirchenväter. Eine Auswahl nach Themen geordnet. 1. Bd. München 1963: 385

1964 (Bd. 86)

Kl. Gamber, Codices liturgici latini antiquiores (Spicilegii Friburgensis Subsidia 1). Freiburg/Schweiz 1963: 348

A. Dold — L. Eizenhöfer, Das irische Palimpsestsakramentar im Clm 14429 der Staatsbibliothek München (Texte und Arbeiten 53/54). Beuron 1964: 348

J. Mateos, Le Typicon de la Grande Église. Ms. Sainte-Croix n. 40, X. siècle. Introduction, texte critique, traduction et notes. Tome II: Le cycle des fêtes mobiles. Rom 1963: 349

J. M. M. Patino, El Breviarium mozárabe de Ortiz. Su valor documental para la historia del oficio catedralico hispánico. Comillas 1963: 349

P. Brunner, L'Euchologe de la Mission de Chine. Editio princeps 1628 et développements jusqu' à nos jours (Missionswissenschaftliche Abhandlungen und Texte 28). Münster i. W. 1964: 350

J. Gülden, Johann Leisentrits pastoralliturgische Schriften (Studien zur katholischen Bistums- und Klostergeschichte 4). Leipzig 1963: 350

R. Falsini, I Postcommuni del Sacramentario Leoniano. Classificazione, terminologia, dottrina (Bibliotheca pont. Athenaei Antoniani 13). Rom 1964: 351

M. P. Ellebracht, Remarks on the vocabulary of the ancient Orations in the Missale Romanum (Latinitas Christianorum primaeva 18). Nimwegen 1963: 351

B. Droste, ,Celebrare' in der römischen Liturgiesprache (Münchener Theologische Studien II 26). München 1963: 352

A. Hamman, La prière II. Les trois premiers siècles. Tournai 1963: 352

W. Dürig (Hg.), Liturgie. Gestalt und Vollzug. Münche 1963: 353

H. Rahner — E. v. Severus (Hg.), Perennitas. Beiträge zur christlichen Archäologie und Kunst, zur Geschichte der Literatur, der Liturgie und des Mönchtums sowie zur Philosophie des Rechts und zur politischen Philosophie. Th. Michels zum 70. Geburtstag. Münster i. W. 1963: 353

1 9 6 5 (Bd. 87)

G. Moser, Die Botschaft von der Vollendung. Eine materialkerygmatische Untersuchung über Begründung, Gestaltwandel und Erneuerung der Eschatologie-Katechese. Düsseldorf 1963: 109

F. van der Meer, Das Glaubensbekenntnis der Kirche (Herder-Bücherei 145/46). Freiburg i. Br. 1963: 109

A. Lukesch, Religionsbuch der Kayapó-Indianer. Ein Beitrag zur Akkomodation und Akkulturation bei Naturvölkern (St. Gabrieler Studien 18). Mödling b. Wien 1963: 110

J. Hofinger — Th. Stone (Hg.), Pastoral Catechetics. New York 1964: 110

Enciclopedia de Orientación bibliográfica. Vol. I: Introducción general. Ciencias religiosas. Barcelona 1964: 231

O. Karrer (Hg.), Johannes Pinsk, Die Kraft des Gotteswortes. Aufsätze zur Theologie und Seelsorge. Düsseldorf 1964: 360

L. Bieler, The Irish Penitentials edited. With an appendix by D. A. Binchy (Scriptores Latini Hiberniae 5). Dublin 1963: 362

J. Szövérffy, Die Annalen lateinischer Hymnendichtung. Ein Handbuch. I. Die lateinischen Hymnen bis zum Ende des 11. Jahrhunderts. Berlin 1964: 362

Th. Bogler (Hg.), Flurheym, Deutsches Meßbuch von 1529. Alle Kirchen Gesäng und Gebeet des gantzen Jars ... Faksimile-Ausgabe. Maria Laach 1964: 363

J. M. Canal, Salve Regina misericordiae. Historia y leyendas en torno a esta antífona. Rom 1963: 364

A. Pluta, Tausend Jahre lateinischer christlicher Dichtung. Wien o. J. (1962): 365

R. Kottje, Studien zum Einfluß des Alten Testamentes auf Recht und Liturgie des frühen Mittelalters (Bonner Historische Forschungen 23). Bonn 1964: 365

M. Righetti, Manuale di Storia liturgica. Vol. I: Introduzione generale. Mailand ³1964: 366

L. Lentner, Volkssprache und Sakralsprache. Geschichte einer Lebensfrage bis zum Ende des Konzils von Trient (Wiener Beiträge zur Theologie 5). Wien 1964: 366

W. Gössmann, Sakrale Sprache (Theologische Fragen heute 3). München 1965: 367

Fr. Calvelli-Adorno, Über die religiöse Sprache. Kritische Erfahrungen. Frankfurt a. M. 1965: 367

Kl. Richter — R. Freitag, Zur liturgischen Struktur des Wortgottesdienstes. Ein Diskussionsbeitrag (Reihe Lebendiger Gottesdienst 8). Münster i. W. 1965: 367

Th. Seeger, Der Gottesdienst der Konfessionen. Eine pastoraltheologische Untersuchung am Beispiel neuer Gebet- und Gesangbücher (Koinonia 4). Essen 1963: 368

E. Walter, Das Pascha-Mysterium. Der österliche Ursprung der Eucharistiefeier. Freiburg i. Br. 1965: 368

J. A. Jungmann, Wortgottesdienst im Lichte von Theologie und Geschichte. 4. umgearb. Auflage der „Liturgischen Feier". Regensburg 1965: 369

1 9 6 6 (Bd. 88)

A. Härdelin, The Tractarian understanding of the Eucharist (Acta Universitatis Upsalensis 8). Upsala 1965: 242

D. Grasso, L'annuncio della salvezza. Teologia della predicazione (Historia Salutis, ser. teol. 1). Neapel 1965: 249

Th. Klauser, Kleine Abendländische Liturgiegeschichte. Bonn ⁵1965: 370

C. Vogel, Introduction aux sources de l'histoire du culte chrétien au Moyen Age (Biblioteca degli Studi medievali 1). Spoleto 1966: 370

Kl. Gamber, Ordo antiquus gallicanus. Der gallicanische Meßritus des 6. Jahrhunderts. Regensburg 1965: 371

H. B. Meyer, Luther und die Messe. Eine liturgiewissenschaftliche Untersuchung über das Verhältnis Luthers zum Meßwesen des späten Mittelalters (Konfessionskundliche und Kontroverstheologische Studien 11). Paderborn 1965: 372

J. Madey, Laßt uns danksagen. Gebete aus den Eucharistiefeiern der Kirchen des Ostens. Freiburg i. Br. 1965: 373

E. Egloff, Erneuerung der Messe. Prinzipien und Anregungen. Zürich 1965: 373

J. Baur (Hg.), Das Kirchenbuch des Kuraten F. A. Sinnacher für die Kirche von St. Magdalena in Gsies. Ein Beitrag zur Kenntnis der kirchlichen Verhältnisse in einer Südtiroler Berggemeinde im Spätbarock (Schlern-Schriften 240). Innsbruck 1965: 373

J. Lemarié, Le Bréviaire de Ripoll, Paris B. N. lat. 742. Étude sur sa composition et ses textes inédits (Scripta et Documenta 14). Montserrat 1965: 374

J. Szövérffy, A Mirror of Medieval Culture. Saint Peter hymns of the Middle Ages (Transactions of the Connecticut Academy of Arts and Sciences 42 [1965] 97—403). New Haven 1965: 374

M. Huber, Die Gesang- und Gebetbücher der schweizerischen Diözesen. Eine geschichtliche Untersuchung (Studia Friburgensia N. F. 41). Freiburg/Schweiz 1965: 375

H. Hochenegg, Heiligenverehrung in Nord- und Osttirol. Beiträge zur Religiösen Volkskunde (Schlern-Schriften 170). Innsbruck 1965: 375

H. B. Meyer, Lebendige Liturgie. Gedanken zur gottesdienstlichen Situation nach dem Beginn der Liturgiereform (Tyrolia-Geschenktaschenbücher 35). Innsbruck 1966: 376

Liturgisch Woordenboek. Sp. 1632—1981. Roermond 1966: 376

E. Sauser, Symbolik der katholischen Kirche. Tafelband zu Band VI des Textwerkes (Symbolik der Religionen 13). Stuttgart 1966: 494

1 9 6 7 (Bd. 89)

E. Feifel, Die Glaubensunterweisung und der abwesende Gott. Not und Zuversicht der Katechese im Kraftfeld des Unglaubens (Aktuelle Schriften zur Religionspädagogik 6). Freiburg i. Br. 1965: 93

W. G. Esser, Personale Verkündigung im Religionsunterricht. Der Schritt zur Dialog-Katechese (Aktuelle Schriften zur Religionspädagogik 5). Freiburg i. Br. 1965: 94

J. J. Rodriguez Medina, Pastoral y Catequesis de la Eucaristia. Dimensiones modernas (Nueva Alianza 20). Salamanca 1966: 358

L. Eizenhöfer, Canon Missae Romanae, quem illustravit. Pars altera: Textus propinqui (Rerum ecclesiasticarum Documenta, ser. minor: Subsidia studiorum 7). Rom 1966: 367

L. Clerici, Einsammlung der Zerstreuten. Liturgiegeschichtliche Untersuchung zur Vor- und Nachgeschichte der Fürbitte für die Kirche in Didache 9, 4 und 10, 5 (Liturgiewissenschaftliche Quellen und Forschungen 44). Münster i. W. 1966: 368

J. Mossay, Les fêtes de Noel et d'Épiphanie d'après les sources littéraires cappadociennes du IVe siècle (Textes et Études liturgiques 3). Löwen 1965: 368

S. Poque (Hg.), Augustin d'Hippone, Sermons pour la Pâque. Introduction, texte critique, traduction et notes (Sources chrétiennes 116). Paris 1966: 369

Fr. Unterkircher, Il sacramentario Adalpretiano. Cod. Vindobon. Ser. n. 206 (Collana di monografie edita dalla Società per gli Studi Trentini 15). Trient 1966: 369

Liturgica 3 (Scripta et Documenta 17). Montserrat 1966: 370

A. Masser, Die Bezeichnungen für das christliche Gotteshaus in der deutschen Sprache des Mittelalters. Mit einem Anhang: Die Bezeichnungen für die Sakristei (Philologische Studien und Quellen 33). Berlin 1966: 370

Kl. Gamber, Liturgie übermorgen. Gedanken über die Geschichte und Zukunft des Gottesdienstes. Freiburg i. Br. 1966: 371

1 9 6 8 (Bd. 90)

J. Rabas, Katechetische Aspekte der Liturgiekonstitution (Aktuelle Schriften zur Religionspädagogik 12). Freiburg i. Br. 1967: 118

L. Lehmeier, The ecclesial dimension of the Sacrament of Penance from a catechetical point of view (San Carlos Publications C 1). Cebu City 1967: 118

L. Maldonado, La Plegaria eucaristica. Estudio de teologia biblica y liturgica sobre la Misa (Biblioteca de Autores cristianos 273). Madrid 1967: 354

S. Benz, Der Rotulus von Ravenna nach seiner Herkunft und seiner Bedeutung für die Liturgiegeschichte kritisch untersucht (Liturgiewissenschaftliche Quellen und Forschungen 45). Münster i. W. 1967: 355

E. Bartsch, Die Sachbeschwörungen der römischen Liturgie. Eine liturgiegeschichtliche und liturgietheologische Studie (Liturgiewissenschaftliche Quellen und Forschungen 46). Münster i. W. 1967: 355

H. Leeb, Die Psalmodie bei Ambrosius (Wiener Beiträge zur Theologie 18). Wien 1967: 356

Th. Bogler (Hg.), Das Sakrale im Widerspruch (Liturgie und Mönchtum 41). Maria Laach 1967: 356

Miscellanea Liturgica in onore di G. Lercaro. 2 Bde. Rom 1966/67: 357

G. Bardy, La vie spirituelle d'après les Pères des trois premiers siècles. Édition revue et mise à jour par A. Hamman. 2 Bde. Tournai 1968: 491

F. J. Leroy, L'Homilétique de Proclus de Constantinople. Tradition manuscrite, inédits, études connexes (Studi e Testi 247). Città del Vaticano 1967: 491

J. Grosdidier (Hg.), Romanos le Mélode, Hymnes. Introduction, texte critique, traduction et notes. Tome IV: Nouveau Testament (Sources chrétiennes 128). Paris 1967: 491

A. Hoste — G. Salet (Hg.), Isaac de l'Étoile, Sermons. Texte et introduction, traduction et notes (Sources chrétiennes 130). Paris 1967: 492

1 9 6 9 (Bd. 91)

Fr. Grass, Studien zur Sakralkultur und kirchlichen Rechtshistorie Österreichs (Forschungen zur Rechts- und Kulturgeschichte 2). Innsbruck 1967: 114

J. Hofinger — Fr. J. Buckley, The Good News and its proclamation. Notre Dame (Indiana) 1968: 239

A. Hänggi — I. Pahl, Prex eucharistica. Textus e variis liturgiis antiquioribus selecti (Spicilegium Friburgense 12). Freiburg/Schweiz 1968: 613

R. Ledogar, Acknowledgment. Prais-words in the early greek Anaphora. Rom 1968: 614

C. Garcia del Valle, Jerusalen. Un siglo de oro de vida liturgica. Madrid 1968: 614

O. Heiming, Corpus Ambrosiano-liturgicum I. Das Sacramentarium Triplex. Die Handschrift C 43 der Zentralbibliothek Zürich. 1. Teil: Text. Mit Hilfe des Skriptoriums der Benediktinerinnenabtei Varensell untersucht und herausgegeben. Münster i. W. 1968: 615

L. Eizenhöfer — H. Knaus, Die liturgischen Handschriften der Hessischen Landes- und Hochschulbibliothek Darmstadt (Die Handschriften der Hessischen Landes- und Hochschulbibliothek Darmstadt 2). Wiesbaden 1968: 615

Cl. L. Bins, O mistério da criacao nos oracoes do Missal Romano (Teologia 1). Porto Alegre 1968: 616

I. Furberg, Das Pater noster in der Messe (Bibliotheca Theologiae practicae 21). Lund 1968: 616

Th. Schnitzler, Die drei neuen eucharistischen Hochgebete und die neuen Präfationen in Verkündigung und Betrachtung. Freiburg i. Br. 1968: 616

H. J. Spital, Der Taufritus in den deutschen Ritualien von den ersten Drucken bis zur Einführung des Rituale Romanum (Liturgiewissenschaftliche Quellen und Forschungen 47). Münster i. W. 1968: 617

A. Hamman, Vie liturgique et vie sociale. Paris 1968: 617

1 9 7 0 (Bd. 92)

C. S. Mosna, Storia della Domenica dalle origini fino agli inizi del V. secolo (Analecta Gregoriana 170). Rom 1969: 92

Fr. J. Kötter, Die Eucharistielehre in den katholischen Katechismen des 16. Jahrhunderts bis zum Erscheinen des Catechismus Romanus (1566) (Reformationsgeschichtliche Studien und Texte 98). Münster i. W. 1969: 93

W. Lentzen-Deis, Buße als Bekenntnisvollzug. Versuch einer Erhellung der sakramentalen Bekehrung anhand der Bußliturgie des alten Pontificale Romanum (Freiburger Theologische Studien 86). Freiburg i. Br. 1969: 94

A. Kolping, In memoriam Arnold Rademacher. Eine Theologie der Einheit. Bonn 1969: 94

P.-R. Régamey, L'exigence de Dieu. Paris 1969: 94

E. Cattaneo, Introduzione alla storia della liturgia occidentale. Rom ²1969: 365

R. Cantalamessa, L'omilia ‚In s. Pascha' dello Pseudo-Ippolito di Roma. Ricerche sulla teologia dell' Asia Minore nella seconda metà del II secolo (Pubblicazioni dell' Università del S. Cuore, Contributi III 16). Mailand 1967: 366

E. K. Farrenkopf, Breviarium Eberhardi Cantoris. Die mittelalterliche Gottesdienstordnung des Domes zu Bamberg, mit einer historischen Einleitung herausgegeben. Münster i. W. 1969: 367

A. Hamman, Le Baptême et la Confirmation. Paris 1969: 367

Archiv für Liturgiewissenschaft. Bd. XI. Regensburg 1969: 368

A. Kerkvoorde — O. Rousseau, Mouvement théologique dans le monde contemporain. Liturgie — Dogme — Philosophie — Exégèse. Paris 1969: 368

J. Herbut, De ieiunio et abstinentia in Ecclesia Byzantina ab initiis ad saec. XI. (Corona Lateranensis 12). Rom 1968: 375

1 9 7 1 (Bd. 93)

H. de Lubac, La Foi chrétienne. Essai sur la structure du Symbole des Apôtres. Paris 1969: 116

E. Bartsch u. a., Verkündigung (Pastorale. Handreichung für den pastoralen Dienst). Mainz 1970: 355

E. Chr. Suttner (Hg.), Eucharistie. Zeichen der Einheit. Erstes Regensburger Ökumenisches Symposion. Regensburg 1970: 355

J. M. Hanssens, La Liturgie d'Hippolyte. Documents et études. Rom 1970: 358

A. Hänggi — A. Schönherr, Sacramentarium Rhenaugiense. Handschrift 30 der Zentralbibliothek Zürich (Spicilegium Friburgense 15). Freiburg/Schweiz 1970: 359

O. Heiming, Corpus Ambrosiano-liturgicum II: Das ambrosianische Sakramentar von Biasca. Die Hs. Mailand Ambrosiana A 24 bis inf. Mit Hilfe des Skriptoriums der Benediktinerinnenabtei Varensell untersucht und herausgegeben (Liturgiewissenschaftliche Quellen und Forschungen 51). Münster i. W. 1969: 360

W. von Arx, Das Klosterrituale von Biburg (Spicilegium Friburgense 14). Freiburg/Schw. 1970: 360

A. Kurzeja, Der älteste Liber ordinarius der Trierer Domkirche. London, Brit. Mus., Harley 2958, Anfang 14. Jh. (Liturgiewissenschaftliche Quellen und Forschungen 52). Münster i. W. 1970: 361

E. Jerg, Vir venerabilis. Untersuchungen zur Titulatur der Bischöfe in den außerkirchlichen Texten der Spätantike als Beitrag zur Deutung ihrer öffentlichen Stellung (Wiener Beiträge zur Theologie 26). Wien 1970: 361

H. Leeb, Die Gesänge im Gemeindegottesdienst von Jerusalem (vom 5. bis 8. Jahrhundert) (Wiener Beiträge zur Theologie 28). Wien 1970: 362

B. Botte u. a. (Hg.), Eucharisties d'Orient et d'Occident. Semaine liturgique de l'Institut Saint-Serge (Lex orandi 46/47). Paris 1970: 363

A. Quacquarelli, La lezione liturgica di Antonio Rosmini. Il sacerdozio dei fideli. Mailand 1970: 363

W. Birnbaum, Das Kultusproblem und die liturgischen Bewegungen des 20. Jahrhunderts. Bd. II: Die deutsche evangelische liturgische Bewegung. Tübingen 1970: 364

A. Henrichs (Hg.), Didymos der Blinde, Kommentar zu Hiob. Teil 1 und 2 (zu c. 1—4; 5, 1—6, 29) (Papyrologische Texte und Abhandlungen 1/2). Bonn 1968: 474

U. Hagedorn (Hg.), Didymos der Blinde. Kommentar zu Hiob. Teil 3 (zu c. 7, 20 c—11, 20) (Papyrologische Texte und Abhandlungen 3). Bonn 1968: 474

L. Doutreleau (Hg.), Didymos der Blinde, Psalmenkommentar. Teil 1 (zu Ps 20—21) (Papyrologische Texte und Abhandlungen 7), Bonn 1968: 474

M. Gronewald (Hg.), Didymos der Blinde, Psalmenkommentar. Teil 2—5 (zu Ps 22—26, 10; 29—34; 35—39; 40—44, 4) (Papyrologische Texte und Abhandlungen 4. 8. 6). Bonn 1968/69: 474

G. Binder — L. Lindenborghs (Hg.), Didymos der Blinde, Kommentar zum Ekklesiastes. Teil 3 (zu c. 5—6) u. 6 (zu c. 11—12) (Papyrologische Texte und Abhandlungen 9). Bonn 1969: 475

1 9 7 2 (Bd. 94)

R. Cantalamessa, La Pasqua della nostra salvezza. Le tradizioni pasquali della Bibbia e dalla primitiva Chiesa. Turin 1971: 352

D. M. Hope, The Leonine Sacramentary. A Reassessment of its Nature and Purpose (Oxford Theological Monographs). Oxford 1971: 352

Fr. Terizzi, Missale antiquum Panormitanae Ecclesiae. Palermo, Archivio Diocesano, cod. 2 (Rerum ecclesiasticarum Documenta, ser. maior, fontes 13). Rom 1970: 353

J. Baumgartner, Mission und Liturgie in Mexiko I. Der Gottesdienst in der jungen Kirche Neuspaniens. Schöneck-Beckenried 1971: 353

G. Achten — L. Eizenhöfer — H. Knaus, Die lateinischen Gebetbuchhandschriften in der Hessischen Landes- und Hochschulbibliothek Darmstadt (Handschriften der Hessischen Landes- und Hochschulbibliothek Darmstadt 3). Wiesbaden 1972: 354

J. J. Fr. Firth (Hg.), Robert of Flamborough, Liber poenitentialis. A critical Edition with Introduction and Notes. Toronto 1971: 355

Archiv für Liturgiewissenschaft. Bd. X. Regensburg 1970: 355

J. Barbel (Hg.), Gregor von Nyssa, Die große katechetische Rede. Oratio catechetica magna. Eingeleitet, übersetzt und kommentiert (Bibliothek der griechischen Literatur, Abt. Patristik 1). Stuttgart 1971: 482

G. J. M. Bartelink (Hg.), Callinicos, Vie d'Hypatios. Introduction, texte critique, traduction et notes (Sources chrétiennes 177). Paris 1971: 482

H. Crouzel (Hg.), Grégoire le Thaumaturge, Remerciement à Origène, suivi de la Lettre d'Origène à Grégoire. Texte grec, introduction, traduction et notes (Sources chrétiennes 148). Paris 1969: 483

J. Koder — J. Paramelle (Hg.), Syméon le Nouveau Théologien, Hymnes. Tome I: Introduction, texte critique, notes et traduction (Sources chrétiennes 156). Paris 1969: 483

J. Koder — L. Neyrand (Hg.), Syméon le Nouveau Théologien, Hymnes. Tome II: texte critique, traduction et notes (Sources chrétiennes 174). Paris 1971: 483

E. Evans (Hg.), Tertullian, Adversus Marcionem (Oxford Early Christian Texts). 2 Bde. Oxford 1970: 483

T. D. Barnes, Tertullian. A Historical and Literary Study. Oxford 1971: 484

C. J. Perl (Hg.), Aurelius Augustinus, Dreiundachtzig verschiedene Fragen. De diversis quaestionibus octaginta tribus. Zum erstenmal in deutscher Sprache. Paderborn 1972: 484

B. Studer, Zur Theophanie-Exegese Augustins. Untersuchung zu einem Ambrosius-Zitat in der Schrift De videndo (ep. 147) (Studia Anselmiana 59). Rom 1971: 484

P. Granfield — J. A. Jungmann (Hg.), Kyriakon. Festschrift J. Quasten. 2 Bde. Münster i. W. 1970: 485

N. Grass, Cusanus und das Volkstum der Berge (Studien zur Rechts-, Wirtschafts- und Kulturgeschichte 3). Innsbruck 1972: 486

1 9 7 3 (Bd. 95)

A. Tarby, La Prière eucharistique de l'Église de Jérusalem (Théologie historique 17). Paris 1972: 359

J. Mateos, La célébration de la parole dans la liturgie byzantine. Étude historique (Orientalia christiana analecta 191). Rom 1971: 359

J. Baumgartner, Mission und Liturgie in Mexiko. II. Bd.: Die ersten liturgischen Bücher in der Neuen Welt. Schöneck-Beckenried 1972: 360

Archiv für Liturgiewissenschaft. Bd. XIII. Regensburg 1971: 360

L. W. Barnard, Athenagoras. A Study in Second Century Christian Apologetic (Théologie historique 18). Paris 1972: 473

W. A. Bienert, ‚Allegoria' und ‚anagoge' bei Didymos dem Blinden von Alexandria (Patristische Texte und Studien 13). Berlin 1972: 474

Ch. Kannengiesser (Hg.), Athanase d'Alexandrie. Sur l'Incarnation du Verbe. Introduction, texte critique, traduction et notes (Sources chrétiennes 199). Paris 1973: 474

M. Aubineau, Hesychius de Jérusalem, Basile de Séleucie, Jean de Béryte, Ps.-Chrysostome, Léonce de Constantinople, Homélies pascales. Introduction, texte critique, traduction, commentaire et index (Sources chrétiennes 187). Paris 1972: 475

Th. Baumeister, Martyr invictus. Der Martyrer als Sinnbild der Erlösung in der Legende und im Kult der frühen koptischen Kirche. Zur Kontinuität des ägyptischen Denkens (Forschungen zur Volkskunde 46). Münster i. W. 1972: 475

Corpus Christianorum. Series latian. III: S. Cypriani episcopi opera. Ad Quirinum. Ad Fortunatum, ed. R. Weber; De lapsis. De ecclesiae catholicae unitate, ed. M. Bévenot. IV: Novatiani opera quae supersunt nunc primum in unum collecta ad fidem codicum qui adhunc extant necnon adhibitis editionibus veteribus, ed. G. F. Diercks. Turnhout 1972: 476

E. Jeauneau, Jean Scot, Homélie sur le Prologue de Jean. Introduction, texte critique, traduction et notes (Sources chrétiennes 151). Paris 1969: 476

M. Harl, La chaîne palestinienne sur le psaume 118 (Origène, Eusèbe, Didyme, Apollinaire, Athanase, Théodoret). Tome I: Introduction, texte grec critique et traduction; tome II: Catalogue des fragments, notes et indices (Sources chrétiennes 189/190). Paris 1972: 477

1 9 7 4 (Bd. 96)

G. Wagner, Der Ursprung der Chrysostomusliturgie (Liturgiewissenschaftliche Quellen und Forschungen 59). Münster i. W. 1973: 328

A. Quacquarelli, L'ogdoade patristica e suoi rifflessi nella liturgia e nei monumenti (Quaderni di ‚Vetera Christianorum' 7). Bari 1973: 329

A. Härdelin, Aquae et vini mysterium. Geheimnis der Erlösung und Geheimnis der Kirche im Spiegel der mittelalterlichen Auslegung des gemischten Kelches (Liturgiewissenschaftliche Quellen und Forschungen 57). Münster i. W. 1973: 329

K. Reinerth, Missale Cibiniense. Gestalt, Ursprung und Entwicklung des Meßritus der siebenbürgisch-sächsischen Kirche im Mittelalter (Siebenbürgisches Archiv N. F. 9). Köln – Wien 1972: 330

K. J. Klinkhammer, Adolf von Essen und seine Werke. Der Rosenkranz in der geschichtlichen Situation seiner Entstehung und in seinem bleibenden Anliegen. Eine Quellenforschung (Frankfurter Theologische Studien 13). Frankfurt a. M. 1972: 339

Ch. v. Schönborn, Sophrone de Jérusalem. Vie monastique et confession dogmatique (Théologie historique 20). Paris 1972: 474

1 9 7 5 (Heft 4; Bd. 97)

Th. Klauser, Gesammelte Arbeiten zur Liturgiegeschichte, Kirchengeschichte und christlichen Archäologie. Hg. v. E. Dassmann. Münster i. W. 1974

L. Ligier, La Confirmation. Sens et conjoncture œcuménique hier et aujord'hui (Théologie historique 23). Paris 1973

B. Luykx, Culte chrétien en Afrique après Vatican II (Nouvelle Revue de science missionaire, Supplementa 22). Immensee 1974

G. G. Meersseman — E. Adda — J. Deshusses, L'Orazionale dell'Arcidiacono Pacifico e il Carpsum del Cantores Stefano. Studi e testi sulla liturgia del duomo di Verona dal IX all' XI sec. (Spicilegium Friburgense 21). Freiburg/Schw. 1974

E. Walter, Eucharistie. Bleibende Wahrheit und heutige Fragen (Buchreihe Theologie im Fernkurs. Hg. v. der Domschule Würzburg. Bd. 2). Freiburg i. Br. 1974

3. Übersetzungen

Die folgende Liste enthält die wichtigsten Übersetzungen der Bücher Jungmanns. Übersetzungen von Zeitschriftartikeln und von anderen Beiträgen sind nicht berücksichtigt. Die jeweils am Ende in Klammer angegebene Zahl verweist auf die Nummer des der Übersetzung zugrundeliegenden Werkes in der obigen Bibliographie (156—171).

1941

Liturgical Worship. Transl. by a monk of St. Johns' Abbey Collegeville, Minnesota, with a foreword by A. Deutsch. New York - Cincinnati 1941, Pustet. (= 41)

1950

The mass of the Roman rite. Its origins and development (Missarum sollemnia). Vol. 1 and 2. Transl. by F. A. Brunner. New York 1950, Benziger. (= 69)
— New revised and abridged edition in one volume. New York 1959, Benziger

1951

Missarum Sollemnia. Explication génétique de la messe romaine (Théologie 19—21). Paris 1951—1954, Aubier. (= 69)
El Sacrificio de la Misa. Tratado historico-liturgico. Version completa espagnola de la obra alemana en dos volúmenes Missarum Sollemnia. Trad. del Th. Baumann. Madrid 1951, Editorial Herder. (= 69)
— 2. Ed. Madrid 1953
— 3. Ed. Madrid 1959
— Cuarta edición, con las adiciones y correcciones de la tercera, cuarta y quinta edición alemanas (Biblioteca de Autores Christianos 68). Madrid 1963

1953

Missarum Sollemnia. Trad. a cura delle Benedettine del monastero di s. Paolo in Sorrento dalla 2. editione originale riveduta. Torino 1953/54, Marietti. (= 69)

1955

Catechèse. Objectifs et méthodes de l'enseignement religieux (Cahiers de Lumen Vitae 6). Trad. par G. Haumont. Bruxelles 1955, Lumen Vitae
— 3ème édition. Bruxelles 1965. (= 99)
La grande prière eucharistique. Les idees fondamentales du canon de la messe. Trad. par M. Zemb. Paris 1955, Éd. du Cerf. (= 113)
La s. Messa come offerta della communità cristiana. Presentazione di P. Ag. Gemelli. Milano 1955, Opera della Regalità. (= 114)

1956

The eucharistic prayer. Transl. by R. L. Batley. London 1956, Challoner Publications. (= 113)
The sacrifice of the Church. The meaning of the mass. Transl. by C. Howell. London, 1956, Challoner Publications. (= 114)

Des lois de la célébration liturgique. Trad. par M. Zemb. Paris 1956, Éd. du Cerf. (= 41)
Catechetica. Trad. di E. Corsini (Collana pastorale, Magisterium 4). Roma 1956, Herder.
(= 99)
— 2. Ed. Alba 1959.
— 3. Ed. con un capitolo di W. Croce, La catechesi dopo il Vaticano II (Bibbia e catechesi 11). Alba 1969.

1957

Public Worship. Transl. by C. Howell. London 1957, Challoner Publications. (= 123)
La liturgie de l'Église Romaine. Trad. par. M. Grandclaudon. Mulhouse 1957, Salvator.
(= 123)
De betekenis van de Mis als offer van de gemeenschap. Bussum 1957, Paul Brand. (= 114)
De eredienst van de katholieke kerk tegen de achtergrond van haar geschiedenis verklaart.
Nederlandse v. G. C. Laudy. Roermond 1957, Romen u. Zonen. (= 123)
Catequética. Finalidad y método de la instruccion religiosa. Trad. por el Fr. Payeras
(Biblioteca Herder. Seccion de pedagogía 32). Barcelona 1957, Herder. (= 99)
— 2. Ed. Barcelona 1961.
— 3. Ed. Barcelona 1964.
— 4. Ed. Barcelona 1966.

1958

La Messe. Son sens ecclésial et communautaire. Trad. par R.-L. Oechslin. Bruges 1958,
Desclée de Brouwer. (= 114)
La celebrazione liturgica. Strutture, leggi e storia della liturgia. Trad. di L. Bartolon.
Milano 1958, Vita e Pensiero. (= 41)
La liturgia della Chiesa. Trad. di A. R. Gianpietro (Manuale del pensiero cattolico 41).
Roma 1958, La Civiltà cattolica. (= 123)

1959

Handing on the faith. A manual of catechetics. Transl. by A. N. Fuerst. New York
1959, Herder u. Herder. (= 99)
— 2. Ed. New York 1959.
— 3. Ed. New York 1962.
— 4. Ed. New York 1964.
— 5. Ed. New York 1968.
La grande preghiera eucaristica. Pensieri sul Canone. Trad. di M. Brusa. Brescia 1959,
Morcelliana. (= 113)
El culto divino de la Iglesia. Version española por el M. Altolaguirre (Coleccion Prisma
53). San Sebastian 1959, Dinor. (= 123)
La santa misa como sacrificio de la comunidad (Plebs sancta 11). Estella 1959, Verbo
Divino. (= 114)

1960

Las leyes de la liturgia. Version castellana de J. Belloso (Coleccion Prisma 59). San
Sebastian 1960, Dinor. (= 41)

1961

Herencia liturgica y actualidad pastoral. Version española de V. Bazterrica (Coleccion
Prisma 64). San Sebastian 1961, Dinor. (= 179)

1962

Pastoral Liturgy. Transl. by R. Walls. Tenbury Wells 1962, Challoner Publications. (= 179)
The Good News yesterday and today. New York 1962, Sadlier. (= 28)
La liturgie des premiers siècles jusqu'à l'époque de Grégoire le Grand (Lex orandi 33). Paris 1962, Éd. du Cerf. (= 166)
Tradition liturgique et problèmes actuels de pastorale. Trad. par P. Kirchhoffer. Lyon 1962, Mappus. (= 179)
Eredità liturgica e attualità pastorale. Trad. delle Benedettine del monastero di s. Maria di Rosano (Biblioteca di cultura religiosa). Roma 1962. Ed. Paoline. (= 179)
De liturgieviering. Fundamentele en geschiedkundige vormwetten der liturgie. Nederlandse v. J. v. Oss. Kasterlee 1962, De Vroente. (= 41)
A liturgia de Igreja. Trad. d. R. Rocha. Porto 1962, Livraria Apostolado de Imprensa. (= 123)

1964

Geloofsverkondiging en Bijbel. Nederlandse v. J. Verstraeten. Roermond - Maaseik 1964, Romen u. Zonen. (= 206)
Zondag en zondagsmis. Betekenis van de zondagsviering (Bezinning 7). Antwerpen 1964, Patmos. (= 167)
La predicacion de la fe a la luz de la Buena Nueva. Version española de V. Bazterrica. San Sebastian 1964, Dinor. (= 206)

1965

The place of Christ in liturgical prayer. Transl. by A. Peeler. London - Dublin 1965, Chapman. (= 4)
Liturgical renewal in retrospect and prospect. Transl. by C. Howell. London 1965, Burns & Oates. (= 198)
L'annonce de la foi. Expression de la bonne nouvelle. Trad. par R. Virrion. Mulhouse 1965, Salvator. (= 206)
La predicazione alla luce del vangelo (Biblioteca di cultura religiosa, seconda serie 141). Trad. di E. Martinelli. Roma 1965, Ed. Paoline. (= 206)

1966

The liturgy of the Word. Transl. by H. E. Winstone. London 1966, Burns & Oates. (= 231)
Missarum Sollemnia. Nederlandse v. F. L. Delfgaauw en H. van der Burght. Kasterlee 1966, De Vroente. (= 69)
Katechetika. Naloge in metode verskega pouka. Prevedel V. Dermota. Ljubljana 1966 (slowenisch, hektographiert). (= 99)

1967

Announcing the word of God. Transl. by R. Walls. London 1967, Burns & Oates. (= 206)
Catequética. Finalidade e método do en sino religioso. Trad. portuguêsa das Monjas Benedictinas da Abadia de Santa Maria. Sâo Paulo 1967, Herder. (= 99)

1968

Kyrkans liturgi. Kortfattad Förklaring mot dess historiska Bakgrund. Malmö 1968, Frälsares Församling. (= 123)
Das eucharistische Hochgebet. Grundgedanken des Canon Missae (japanisch). Tokio 1968, Institutum Liturgicum. (= 113)

1969

El servicio de la palabra. A la luz de la teologia y de la historia. Trad. J. de Bergareche (Estela 89). Salamanca 1969, Sigueme. (= 231)

1970

A megújhodott szentmise. A liturgikus reform jobb megértéséhez (Lelkipásztori levelek 3/4). Bécs 1970, Opus mystici Corporis. (Vgl. 281)

1972

La prière chrétienne. Evolution et permanence. Trad. par E. Rideau. Paris 1972, Fayard. (= 280)

1974

La messa nel Popolo di Dio. Trad. di G. Forza e M. Vallaro (Collana di Teologia 1). Torino 1974, Marietti. (= 287)

208

Sachregister

zu den Schriften von J. A. Jungmann

Das Register enthält nur Sachen; Personen, Orte, Länder oder Quellen wurden aufgenommen, sofern sie Thema eines Artikels sind; Gebetsinitien nur dann, wenn es sich um Texte von besonderer Bedeutung handelt.
Die Ziffern nach dem Stichwort verweisen auf die betreffenden Nummern der Bibliographie (156—171).
Soweit die Bücher Jungmanns über Sachregister verfügen, wurden diese (aus der letzten Auflage) mit der oben angegebenen Einschränkung eingearbeitet.
Das an eine Ziffer angefügte „R" verweist auf das im betreffenden Werk selbst enthaltene Register.
Wenn auf eine Ziffer eine Klammer folgt, so bedeuten die in der Klammer stehenden arabischen Zahlen Seitenzahlen, römische Ziffern hingegen Kapitel des betreffenden Werkes. Die Anordnung der Stichworte ist streng alphabetisch, z. B. ä = ae (und nicht, wie in den Registern von Jungmann, ä = a).
Die Uneinheitlichkeit der Register Jungmanns bedingt auch eine gewisse Uneinheitlichkeit dieses Registers; z. B. steht das Adjektiv meistens vor, manchmal aber auch hinter dem Substantiv. In schwierigen Fällen wurden Querverweise gemacht.

Verzeichnis der Mitarbeiter

Dr. Walter von Arx, Leiter des Liturgischen Instituts Zürich, Gartenstraße 36, CH-8002 Zürich

† Hugo Aufderbeck, Bischof in Erfurt-Meiningen, Herrmannsplatz 9, DDR-501 Erfurt

P. Dr. Bernard Botte OSB, Abbaye du Mont César, Mechelsestraat 202, B-3000 Louvain

† Dr. Annibale Bugnini, Archiep. tit. di Diocleziana, Segretario della Sacra Congregatio per il Culto Divino, I-100100 Città del Vaticano (bis 11. 7. 1975)

P. Dr. Franz Dander SJ, Univ.-Prof. i. R., Kaufmanngasse 2, A-9010 Klagenfurt

P. Dr. George Delcuve SJ, Fondateur de l'Institut „Lumen Vitae", 24, Boulevard Saint-Michel, B-1040 Bruxelles 4

D. theol. h. c. Otto Dietz, Kirchenrat, St.-Getreu-Straße 17, D-8600 Bamberg

DDr. Walter Dürig, Professor für Liturgiewissenschaft an der Universität München, Geschw.-Scholl-Platz 1, D-8 München 22

P. Dr. Leo Eizenhöfer OSB, Abtei Neuburg, Stiftweg 2, D-69 Heidelberg 1

DDr. Johannes H. Emminghaus, Univ.-Prof. für Liturgiewissenschaft und Sakramententheologie an der Universität Wien, Schredtgasse 12, A-3400 Klosterneuburg

Msgr. Dr. Kurt Esser, Studiendirektor, Rheinau 12, D-54 Koblenz

Prälat Dr. Balthasar Fischer, Professor für Liturgiewissenschaft an der Theologischen Fakultät, Trier, Weberbachstraße 17/18, D-55 Trier

DDDr. Nikolaus Grass, Univ.-Prof. für Deutsches Recht, Österr. Verfassungs- und Verwaltungsgeschichte und Allgemeine Wirtschaftsgeschichte an der Universität Innsbruck, Meraner Straße 9, A-6020 Innsbruck

Dr. Josef Gülden, Bischöfl. Rat, St.-Benno-Verlag, Karl-Heine-Straße 110, DDR-7031 Leipzig

P. Dr. Angelus A. Häußling OSB, Abt-Herwegen-Institut, D-5471 Maria Laach

Msgr. Dr. Philipp Harnoncourt, Prof. für Liturgiewissenschaft an der Universität Graz, Bürgergasse 3, A-8010 Graz

Dr. Norbert W. Höslinger CanA, Österr. Kath. Bibelwerk, Stiftsplatz 8, A-3400 Klosterneuburg

P. Dr. Johannes Hofinger SJ, East Asia Pastoral Institute Manila, Loyola Heights, Quezon City, Manila

Prof. Dr. Josef Innerhofer, Schriftleiter „Kath. Sonntagsblatt", Guntschnastraße 35, I-39100 Bozen

Dr. Joachim Kettel, Studienrat, Cracauerstraße 57, D-415 Krefeld

Dr. Bruno Kleinheyer, Univ.-Prof. für Liturgiewissenschaft an der Universität Regensburg, Postfach, D-8400 Regensburg

Msgr. Walter Krawinkel, Französische Straße 34, D-108 Berlin

P. Dr. Hans Bernh. Meyer SJ, Prof. für Liturgiewissenschaft an der Universität Innsbruck, Sillgasse 6, A-6020 Innsbruck

P. Dr. Placid Murray OSB, Glenstal Abbey, Murroe, Co. Limerick, Irland

P. Dr. Burkhard Neunheuser OSB, Direktor des Liturgischen Instituts San Anselmo, I-00153 Rom

Gerhard Podhradsky, Dekan, Rautenastraße 58, A-6832 Röthis

Dr. Johannes Quasten, Univ.-Prof. an der Catholic University of America, 620, Michigan Ave., Washington

Charles K. Riepe, Rector of the Cathedral in Baltimore, 5300 North Charles Street, Baltimore

† Dr. Paul Rusch, Bischof von Innsbruck, Pfarrplatz 5, A-6020 Innsbruck

DDr. Ekkart Sauser, Dozent für Kirchengeschichte des Altertums, Patrologie und christl. Archäologie an der Universität Innsbruck; Professor an der Theol. Fakultät Trier, D-55 Trier, Auf der Jüngt 1—3

D. Herwarth von Schade, Oberkirchenrat, Friedrich-Karl-Straße 30, D-2 Hamburg 65

P. Dr. Hermann Schmidt SJ, Professor für Liturgiewissenschaft an der Pontificia Università Gregoriana, Piazza della Pilotta, 4, I-00187 Roma

Prälat Dr. Theodor Schnitzler, Pfarrer, Neumarkt 30, D-5 Köln 1

Dr. h. c. Franz Schreibmayr, Direktor des Instituts für Katechetik und Homiletik, Dauthendeystraße 25, D-8 München 70

P. Dr. Anselm Schwab OSB, Superior, Maria Plain, A-5028 Post Kasern

P. Dr. Emmanuel v. Severus OSB, Prior, Abt-Herwegen-Institut, D-5471 Maria Laach

P. Dr. Alois Stenzel SJ, Prof. für Liturgiewissenschaft und Dogmat. Theologie an der Philosophisch-Theologischen Hochschule St. Georgen, Offenbacher Landstraße 224, D-6 Frankfurt a. M.

Msgr. Anton J. Wäckers, Generalvikar, Klosterplatz 4, D-51 Aachen

Prälat Dr. Johannes Wagner, Leiter des Liturgischen Institutes Trier, Jesuitenstraße 13 c, D-55 Trier

Mano-15
26.-